Compassion

エッジ・ステート

満ち足りた人生を歩み、他者に役立つための基盤である、
内面や対人関係における５つの資質。
（健全に行使すれば、崖の上に立つように、豊かな可能性が見渡せる）

利他性
本能的に無私の状態で他者のために役立とうとすること。

共感
他者の感情を感じ取る力。

誠実
道徳的指針を持ち、それに一致した言動をとること。

敬意
命あるものやものごとを尊重すること。

関与
しっかりと取り組むが、必要に応じて手放すこと。

コンパッション

人が生まれつき持つ「自分や相手を深く理解し、役に立ちたい」という純粋な思い。自分自身や相手と「共にいる」力。
エッジ・ステートを健全に発揮させ、また負の側面に陥っても、健全な状態に戻れるよう導いてくれる。

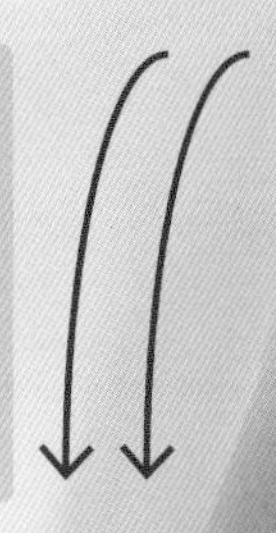

エッジ・ステートの負の側面

５つの資質は、一歩間違えると害となってしまう。
（崖から足を踏みはずすように）

病的な利他性
承認欲求にとらわれたり、相手を依存させてしまったりする状態。

共感疲労
相手の感情と一体化しすぎて自分も傷つく状態。

道徳的な苦しみ
正義感に反する行為に関わったり、目にしたときに生じる苦しみ。

軽蔑
自身の価値観と異なる相手を否定し、貶めること。

燃え尽き
過剰な負荷や無力感にともなう、疲弊と意欲喪失。

イブ・マーコとバーニー・グラスマンに
小田まゆみと棚橋一晃に
言葉では言い尽くせぬ感謝を込めて

日本語版序文

自分や人も大切にしながら成果も出したい――そう望むもののどうしていいかわからず疲弊している。相手やチームのために、ついつい自分を犠牲にしてしまう。強い思いで取り組んでいたことがうまくいかず、落胆し、燃え尽きてしまった。

こうした状態は、日々仕事や社会活動をするなかで、誰しも体験したことがあるのではないでしょうか。正解や前例がない困難な事象に向き合わねばならないときほど、適切な行動の選択や、相手との関係構築、モチベーションの維持は、難しくなるものです。しかし、どんな状況にあっても、その状況にのみこまれず、明晰な意思決定力、対人調整力、モチベーションを保つことができるようになる資質を、人は生まれながらにして持っています。それが、本書のテーマである「コンパッション」です。

このコンパッションを育む方法を解明した本書の著者、ジョアン・ハリファックス博士は、世界的に著名な人類学者、社会活動家であると同時に、禅の僧侶でもあります。ハリファックス博士の講演を初めて聴いたのは、二〇十四年サンフランシスコで開催されたWｉｓｄｏｍ2・0 カンファレンスでした。三千人の聴衆が彼女から学ぼうと注目する中、これほどまでの人気はなぜかという好奇心も手伝って私も拝聴することにしたのでした。もちろんトピックは真のコンパッションについて。

コンパッションとは、日本語では一般的に「慈悲」「思いやり」などと訳されることが多い言葉です。当時の私もそれ以上のイメージを持っていませんでした。

彼女は、「コンパッションとは、自分であろうと他者であろうと、その悩みや苦しみを深く理解し、そこから解放されるよう役に立とうとする純粋な思いである」と力強く述べました。さらに端的に言えば、自分自身や相手と「共にいる力」であると。そして本当に役立つには、ときには厳しくＮｏと言い、役立たない手助けや助言は控え、ときにはただ見守るしかできないことを受け入れることでもあると、本書のような様々な実体験のストーリーを交えて話してくれたのです。

しかも、コンパッションの実践はその対象に役立つのみならず、実践している本人の免疫力、幸福度、思考力も高めるというリサーチ結果も紹介されました。自己犠牲どころかＷＩＮ‐ＷＩＮをもたらすものであるというのです。まさに日本のリーダーが生き生きと力を発揮するのに不可欠だと確信しました。

同時にそもそも日本でも尊敬されてきたリーダー、経営者とは、コンパッションを体現し自社・自分の利益を大きく超えて、純粋に人に役立つことを目指した人々だったのだ——とはっとし、近年のマインドフルネスの広がりに加えて、コンパッションをあらゆるセクターで取り戻すときだと強く感じたのです。

以来、ハリファックス博士の生徒として末席に座するようになり、私自身起業家として道なき道を歩む過程で、何度もバランスを失いそうになった際に、彼女からの学びが灯台の光のように立ち直ることを支えてくれました。たとえ先が見えない弱り切った状態であっても、コンパッションを持って辛抱強く自分と共に在ることを、せっかちな私に繰り返し思い出させてくれました。

二〇十八年よりは、ハリファックス博士とAWARE（アウェア）（医療者向けプログラムはGRACEと呼ばれる）というコンパッションとリーダーシップのワークショップを日本で起こし、彼女の叡智を日本で広めるお手伝いをして参りました。その度に、「これらのプログラムの背景となる博士の人生経験や叡智を一冊にまとめた本はないのか？」と多くの方のリクエストをいただき、満を持しての本書の出版となったのです。

科学、宗教、医療、文学など多岐にわたる分野の豊かな知見を持つハリファックス博士の描くコンパッションを巡る景色は、多種多様な地形で構成されています。しかも、そこには彼女ならではの愛あるあたたかな眼差しがある――これらをできうる限り日本語でもお伝えできるよう、監訳に配慮しました。

著者のジョアン・ハリファックス博士は、先述のとおり、社会活動家、人類学者であると同時に、禅の僧侶という稀有の存在です。彼女の生き様と目覚ましい功績が、コンパッションの底知れない力の証しとも言えます。

毎年一〇〇名もの医療キャラバンを率いて、三二日間ネパールの標高五千メートルにも至る崖道を、二二五キロ歩いて医療と資材を届ける。グーグルやアップル本社を始め世界中で精力的に講演活動を行いながら、年間何億円もの管理を要するウパーヤ禅センターの運営をリードする。これらを何十年もやり続けているのが、今年（二〇二〇年）七七歳になる、この小柄な女性であり、それを可能にしているのがコンパッションに他ならないのです。

彼女の活動の多くは、極限ともいえる人の苦しみに向き合うものでありながら、ご本人に会うとその生き生きと優しく輝く目と、溢れる活力に驚かされます。年齢も性別も超越した、というか、老若男女全てを包含するかのようなあり方で、まさにコンパッションを支えとして自らの価値観・志を体現するとはこのことか、と心を揺さぶられるのです。

社会活動家として行ってきた僻地への医療支援、末期医療における介護者支援、刑務所での精神的サポートなどで実際に起こった感動的なストーリーの数々、人類学者としての科学的な鋭い洞察力とロジカルなフレームワーク、さらに、僧侶としての深い叡智と愛に溢れる眼差し――これらすべてが本書に散りばめられ、幾重にもなって私たちをコンパッションへと目覚めさせてくれます。

本書を手に取ってくださった方は、「自分の価値観をより反映させた働き方、生き方をしよう」という何らかの志がある方々ではないでしょうか。志を持つと人は、日々自分らしさを発揮することができるようになります。また志は、やる気や成長をもたらし、ひいては内側から湧き出る幸福感につながっていきます。しかし、同時に志と現状のギャップに葛藤を感じながら、ときには落胆や燃え尽きというチャレンジにも向き合わなくてはなりません。

　この、志を持って生きる上で生じる幸福とチャレンジの微妙なバランスを、筆者のハリファックス博士は、彼女のいるサンタフェの豊かな自然になぞらえ、人生の景色における「崖の縁（エッジ）」と呼んでいます。英語でエッジ（Edge）とは、日本語の「崖っぷち」と、「他にない最先端のもの」、という両方を意味します。本書で崖（エッジ）とは転落の危険もはらむが人間的成長をもたらす見晴らしの良い高みとして用いられます。

　崖から転落しないよう目と心を開き、たとえ転落してもかけがえのない成長に変容させ、再び幸福の頂へと戻る——そのための最も有効で重要な力として、ハリファックス博士はぶれることなく「コンパッション」を提言し続けています。コンパッションは近年、健康、思考力、レジリエンス、など素晴らしい影響が科学的に検証され、注目を浴びるようになりました。スタンフォード大学では、コンパッションの重要性を研究するＣＣＡＲＥ（シーケア）という研究組織が設立され、ディレクターである神経外科医のジェームス・ドゥティ博士は、「コンパッションと明晰な認識力は、マインドフルネスの両翼であり、マインドフルネスにおいてはどちらも欠かせない」と述べています。また、リーダーがコンパッションを持つことで、組織の心理的な安全性が高められるとも言われており、ビジネス系SNSで世界最大のLinkedIn社ではコンパッションを原則としてビジネス展開で成功を収めるなど、様々な分野で彼女の長年の提言が広く認められるようになりました。

本書は、私たちがコンパッションを培い人生の様々な崖を乗り越える際、現実的に直面する五つの資質に分けてガイドしてくれる優れた指南書です。もし読者の皆さんが、志に向かいながらも崖の縁で不安を感じたり、崖から落ちて苦しみの中にあっても、本書は新たな視点と希望をもたらし、再び陽のあたる安定した高みへと導いてくれるでしょう。

本書で読み解かれるコンパッションを五つの資質とは、利他性、共感、誠実、敬意、関与――それぞれが、状況を打開して真に役立ちコンパッションを開花させる可能性と、行き過ぎたり誤った取り組みをしたりして、負の側面に陥る危険をはらんでいることを、実際の出来事やストーリーによって伝えてくれます。

始めから順番にお読みいただいてもいいですし、特にご自分がピンと来る部分、つまり大切に感じたり、バランスを崩しがちなところを選んで、そこからお読みいただいても良いよう構成されています。

五つの資質（利他性、共感、誠実、敬意、関与）は、一見とても崇高で一般的な生活者にはレベルが高すぎる、と思われるかもしれません。しかし、私たちの心に滋養を与え、日常的な困難やつまずきから立ち直らせてくれるのも、つまるところはこれらの人間的資質であり、そこから立ち上がるコンパッションであることを、本書を通してご納得いただけるでしょう。

落ち込んでいる友人や同僚にどう接すると良いか、また自分自身の苦しみの根源をより理解しそこから這い上がるには、などについてもぜひ本書から真に役立つ気づきを掴んでいただければ幸いです。

最後に、ハリファックス博士のGRACEプログラムの導入に多大なご尽力をされてきた村川治彦さん、井上ウィマラさん、中野民夫さん、藤田一照さん、栗原幸江さん、藤野正寛さん、恒藤暁さん、高宮有介さん他多くの皆様、日本語翻訳の多くのアドバイスをいただいた土居彩さん、佐藤良規さん、膨大な語彙や専門用語から翻訳を成し遂げてくださった海野桂さん、本書を日本で出版するにあたり全面的なサポートをくれた弊社MiLI（一般社団法人マインドフルリーダーシップインスティテュート）の同僚である荻野淳也と吉田典生、そしてプロデューサーとして辛抱強くご担当いただいた英治出版の安村侑希子さん、皆様お一人お一人のご協力がなければ、本書日本語版は実現できませんでした。心よりの感謝を申し上げます。

ハリファックス博士ご本人にも、細部にわたるニュアンスの確認や、励ましを何度もいただき、監訳者として感謝に絶えません。

更には、AWAREとGRACEプログラムで出会ったご参加者の、それぞれのチャレンジに向き合い続ける真摯な姿が、本書で語られるコンパッションのストーリーと重なり、何よりのインスピレーションとなりました。皆様の勇気と根源的な人間性に深い尊敬と感謝をお伝え申し上げます。

本書が皆様のガイドとして、困難なときも喜びのときも、コンパッションの光を照らし、お役に立てることを重ねて願うばかりです。

一般社団法人マインドフルリーダーシップインスティテュート
理事　木蔵（ぼくら）シャフェ君子

序文

レベッカ・ソルニット

米国の社会活動家・文筆家。
著書に『災害ユートピア』
『迷うことについて』など。

本書の著者、ジョアン・ハリファックス老師と共に、チベット高原を横切る、いにしえの交易路を歩いたことがあります。ニューメキシコ州の山々で、切り立つ斜面の道なき道を、清流と夏の雷雨が待ちうける高地まで登ったこともあります。私の知る老師は、これまでチベットの聖地、カイラス山の巡礼路を幾度もたどり、北アフリカやニューメキシコの砂漠をひとりさすらってきました。マンハッタンをくまなく歩き、彼女が創立したウパーヤ禅センターほか、北米の西海岸から東海岸、アジア各地の数多くの寺院で歩く瞑想をしてきました。その旅路で、医療人類学者、仏教指導者、社会活動家としてガラスの天井を打ち砕き、行く先々で新たな境地を開いてきた、聡明で勇敢な旅人なのです。私たちの多くがようやく理解し、その素晴らしさに気づき始めたばかりの、個人と社会の変容の最前線で旅を続けてきた、彼女の学びが本書となりました。

この数十年のあいだに、人間性についての私たちの理解は革命的な変化を遂げました。これまで多くの学問分野で人間は本質的に利己的で、人間の欲求は物欲も性愛の喜びも家族関係も基本的に個人的なものだと想定されてきましたが、それが覆されたのです。経済学、社会学、神経科学、心理学など多様な分野における昨今の研究が明らかにしたのは、人間は他者の求めや苦しみに同調する、コンパッションの生物としての起源をもつということです。一九六〇年代には、「コモンズ（共有地）の悲劇」が論じられ、人間は利己的なので、共有の社会システムを管理し、共有する土地や品々を大切にするのは難しいと言われました。しかしそれに反して、遊牧社会の放牧権や米国の社会保障制度など、各種の共有的なシステムはうまく機能しうるもので、実際に各所で功を奏しています（女性として初めてノーベル経済学賞を受賞したエリノア・オストロムも、経済的協力関係が有効であると示しています）。

災害社会学者も、地震やハリケーンのような突然の大惨事において、一般の人々が勇敢で臨機応変に対応し、真に他者のために行動することを記録し実証しました。その多くは救出や復興の活動に喜びと意義を見出し、意欲溢れる自主的なボランティアとして活動しているのです。また、兵士に殺害の訓練をするのは容易ではないことを示すデータもあります。ほとんどの兵士は、程度の差はあれ殺害に抵抗を感じ、経験すれば深く傷つきます。進化生物学、社会学、神経科学ほか各分野で、人間性を新たな見方で広く捉え、一昔前の厭世的で人間嫌いな、そして女性蔑視の考えは捨て去るべきだという証拠が示されているのです。

こうした有意義な事例や研究をとおして、私たち本来の姿が認められてきていることは、大きな希望です。私たちが何者で、どのような者になれるのかについて新たな前提が生まれることで、自分自身や社会や地球に対する、より豊かな見通しを得られるようになるのです。まるで人間性というものを表した地図、人間性のなかの各要素を表す地図が、新たに出現しているかのようです。この地図はもともと生きた経験や宗教的な教えを通じて知られていたものですが、西洋に見られる、人間性は無慈悲で利己的で非協力的だとする考え、生存は協力よりも競争にかかっているのだとする考えによって忘れ去られていました。この現れてくる地図自体が驚くべきものなのです。この地図をもとにすれば、私たち自身とその可能性を、新たな希望に満ちた姿で思い描くことができます。また、ひどい堕落や苦難が蔓延っていても、それは私たち生来の姿ではなく回避できることも、地図が示唆してくれます。とはいえ地図の大部分は概略を示したスケッチのようなものなので、分かりやすい旅行案内というわけではありません。

つまり、各種の研究は、いわば約束の地として、より優れた、理想的で寛容で慈悲深く勇敢な自己を掲げているのです。だからといって、優れた自己になりさえすればよいと考えるのは、浅はかでしょう。自己が最善の状態であっても、最良の日々を過ごしていたとしても、共感による疲労や良心の呵責など多くの精神的な試練が障壁となって現れます。そうしたことを、ジョアン・ハリファックスは本書において巧みに描写しています。善良であることは、単に気高くある状態ではなく、さまざまに絡み合った複合的な営みであると示しているのです。その営みには人生のありとあらゆることが含まれ、挫折や失敗も例外ではありません。

ジョアン・ハリファックスが私たちに提示してくれるものには、計り知れない価値があります。彼女は、苦難の世界を旅し、自らの経験からも他者の経験からも深く学び、苦しむ人々にもそれを和らげようと努める人々にも耳を傾けてきました。そして、苦しみの緩和を試みても、かえって痛みとなりかねないことがあるのに思いいたりました。苦境に陥るのを避け、自身の活力の枯渇を防ぐ術も知りました。複雑な人の心の景観に、広く深く分け入り、美徳の地ははるか遠くに輝いているわけではなく手の届くものだと理解したのです。希望をつなぐ山の頂ばかりではなく、大抵の人が遠くから眺めるだけの危険や落とし穴、罠、絶望の沼へも彼女は赴きました。こうした知見に基づく本書は、自らとすべての命に恩恵をもたらす、勇敢で実りある旅に導いてくれる地図なのです。

目次

Compassion
コンパッション

第3章 誠実 167

第4章　敬意　227

第5章 関与 289

第6章 崖（エッジ）でのコンパッション 339

Compassion
コンパッション

崖からの眺め

ニューメキシコ州の山あいに、私が時間の許すかぎり滞在するこぢんまりとした山小屋があります。サングレ・デ・クリスト山地中心あたりの深い谷間にある場所です。その山小屋から出発して険しい山道を登ると、海抜三六五七メートルを超える尾根に出て、そこからリオ・グランデの深い地溝や、大昔の火山活動で陥没したバイアス・カルデラの周縁、そして平らなペダナル山の山頂も望むことができます。原住民であるディネの人々のあいだで人類の起源となる最初の男女が生まれたと言われる山です。

この尾根を歩くたびに、ふと気づくと切り立つ崖の縁について思いをめぐらせています。尾根沿いには、足もとに十分気をつけねばならない場所があちこちにあります。西側には細長く続く緑豊かなサン・レオナルド川流域につながる急勾配の斜面、東側にはトランパス川と接する深い森へとつづく、険しく岩だらけの下り坂。尾根に立つと意識するのは、一歩誤れば一大事になりかねないということです。この尾根からは、ふもとも遠方も視界に入り、山火事で燃えてしまったり、日照不足で朽ちて刈り取られてしまったりした木々の跡が見えます。このようなダメージを受けた自然環境は、すくすくと健全な森林地帯と隣接しており、その境界ははっきりとしている所もあれば、双方が重なってぼやけている部分もあります。こうした境界から、ものごとは生まれると言われます。たとえば、生態系の拡大は境界部分から起こり、そこでは多種多様な命が育まれるように。

私の山小屋は、冬の深雪をたくわえた湿地と、一〇〇年間火災を免れてきたモミとトウヒの森林の境に位置します。境界にあるこの地は、命が豊かに溢れています。白い幹のヤマナラシ、野スミレ、紫色のオダマキ、それに、目を惹く青色のステラーカケス、キンメフクロウ、ライチョウ、野生のシチメンチョウ。夏場の湿地では、カヤツリグサなど丈の長い草が、野ネズミやモリネズミ、視力の弱いハタネズミをかくまいます。これらの小動物を獲物にしている猛禽やボブキャットもいます。明け方と夕暮れの草地には、エルクと鹿が草を食む姿も。果汁たっぷりのラズベリー、小さな野イチゴ、おいしそうな紫色のビルベリーが、この谷を取り巻く斜面に生い茂り、たわわに実る七月の終わりには、クマも私も遠慮なく好きなだけごちそうにあずかります。

私は、心の状態もまた、生態系なのだと理解するようになりました。ときには友好的でときには危険なこの領域は、人格という広大なシステムに内在する自然環境なのです。私はこの内なる生態系について学ぶことが大切だと考えています。私たちが崖の縁に立たされ、健全な状態から病的な状態へと、足を滑らせそうになったときに気づくために。それでもつまずいてしまって、苦しい心の状態に陥ったとしても、その危険な領域から学んでくればよいのです。崖の縁は、相反するものが出合うところです。恐れが勇気と、苦しみがそこからの解放と出合うところ。揺るぎない地面が途絶え、絶壁となるところ。そして、この世界のより広い見晴らしが開けるところなのです。ただ、研ぎ澄まされた意識を持ち続けねばならない場所でもあります。さもないと、足を踏みはずして落ちてしまいますから。

人生という旅路には、危険と可能性がともないます。ときに両方が同時にやってくることもあります。苦しみとそこから解放された自由のはざまに、いかにして立ち、どのようにして両方の世界に耳を傾け続ければよいのでしょうか。人は二元論で考える傾向があるので、苦しみという苛酷な現実か、苦しみからの解放か、どちらか一方だけに己を重ね合わせがちです。しかし、人生という大きな景色を見渡すときに、どこか一部を見ないようにしてしまったら、私たちの理解が及ぶ領域を狭めることになるでしょう。

人生は、地理的にも感情的にも社会的にも複雑な地へと私を導いてきました。六〇年代の公民権運動や反戦活動の組織化に関わり、フロリダ州デイド郡の大病院に医療人類学者として勤め、修行や教育を行うふたつのコミュニティを創設して指導してきたこと。死にゆく人々の傍らに寄り添い、また、凶悪犯罪者用の刑務所でボランティアをしたこと。長時間にわたる瞑想、コンパッションを基調としたプロジェクトにおける神経科学者や社会心理学者との共同研究、ヒマラヤ山脈の僻地での診療所の運営。どれも私にとって葛藤をともなう大仕事であり、打ちのめされてしまうこともありました。そうした経験、とりわけ悪戦苦闘や失敗の数々から学んだことを通じて、思ってもみなかった広い視野を持つようになりました。そして見渡せるすべての景色、すなわち人生のあらゆる状況を受け容れること、与えられたものを拒絶したり否定したりしないことに、深遠な価値があることを悟ったのです。人の身勝手さ、困難、そして「危機」すらも、致命的な障害とはかぎらないことも学びました。むしろそれらは、内にも外にもより広がりのある豊かな景色へとつながる扉だったのです。いとわず困難を探究していけば、その難しさは形を変えて、より勇敢で、包括的、創発的な、叡智ある本質を捉えることができるようになります。崖から落ちてしまったことのある多くの人々がそうであるように。

五つのエッジ・ステート

長年の経験を経て、私はコンパッション★と勇気に満ちた人生の秘訣として、内面や対人関係における五つの資質があることに気づきました。それなくしては、人の役に立つこともできないし、生きていくことも不可能です。けれども、この貴重な資質は、質が低下すると、害となる危険な景色となって現れてきます。この表裏となる二面性を持つ資質を**エッジ・ステート**★★と私は呼んでいます。

エッジ・ステートは、**利他性**、**共感**、**誠実**、**敬意**、**関与**の五つの資質です。いずれも思いやり、結びつき、美徳、強さを実践するための心の財産です。しかし、これらの資質は切り立った崖（エッジ）のようになっていて、私たちは足場を失って、そこから苦しみの泥沼に滑り落ちてしまうこともあります。そうすると、混沌とした窮地に陥り、エッジ・ステートの持つ有害な面にとらわれることになるのです。

利他性は、**病的な利他性**と化す可能性があります。他者のために役立とうとする無私の行為は、社会や自然界が健全であるために不可欠です。しかしときには、一見したところ利他的な行動が、自らを傷つけ、役に立とうとしている相手を傷つけ、従事している組織を損ねてしまう場合があります。

共感は、**共感疲労**と化すことがあります。他者の苦しみを感じとることができるとき、共感が相手との垣根を取り払い、役立ちたいという想いの原動力となり、私たちの世界観を拡げてくれます。しかし相手の苦しみをあまりに深く受け止め、その苦しみと一体化しすぎてしまうと、自らも傷ついて動けなくなってしまう恐れがあります。

誠実とは、しっかりとした倫理や道徳的指針を持っていることです。しかし、誠実さや正義感、善意に反する行為に関わったり、目にしたりすると、**道徳的苦しみ**が結果としてあらわれます。

★ コンパッションとは、人が生まれつき持つ「自分や相手を深く理解し、役に立ちたい」という純粋な思い。自分自身や相手と「共にいる」力。一般的には「思いやり」「慈しみ」と訳されることが多いが、本書では「同情」「憐憫」と明確に区別するため、そのまま「コンパッション」としている。

★★ 英語の「エッジ（Edge）」には、「端」「境界」「(変化が起きる）瀬戸際」「(できごとの）出発点」「優位性」「崖の縁」といった意味がある。つまり、「エッジ・ステート（Edge State）」とは、まさに本文にあるとおり、「貴重な優位性にも害にもなる、二面性の瀬戸際の状態」というニュアンスである。日本語では、「エッジ（Edge）」に該当する言葉が存在しないため、そのままの表記とした。なお、本文のなかで崖の縁のメタファーとして使われている「エッジ（Edge）」については、「崖」と訳している。

敬意は、命あるものやものごとを尊重することです。自分が自分の価値観や礼節に背いたとき、また、他の人や自分自身を蔑視したとき、敬意が**軽蔑**という有害な沼の中に消え去る恐れもあります。

仕事への**関与**、とりわけ人を支援する仕事に従事することは、人生に目的と意味をもたらしてくれます。しかし、過労、有害な職場環境、仕事の効果があらわれないことによる無力感があるところで関与し続けると、**燃え尽き**、ひいては身体的にも精神的にも倒れてしまいかねません。

医者は治療を勧める前に、まず何の病気かを診断します。それと同じように、この尊い五つの資質が併せ持つ破壊的側面を、しっかりと探究する必要があると、私は強く感じました。

その探究の過程で、驚くべきことに、エッジ・ステートは転落した場合も、私たちに学びと強さを与えてくれることを知りました。ちょうど骨や筋肉が、負荷がかかることで強度を増し、骨折や怪我をしても適切な環境にあれば回復し、怪我のおかげでより強くなるように。

言い換えれば、足を踏みはずし危険な急斜面を滑り落ちるのは、取り返しのつかない大惨事というわけではないのです。大きな困難からは、謙虚さ、広い視野、智慧が得られます。アイリス・マードック（イギリスの著名な哲学者、作家）は一九七〇年の著書『善の至高性』[1]（九州大学出版会）の中で、謙虚さを「現実に対する、私心のない敬意」と定義しました。彼女は「私たちが思い描く自身の姿は壮大になりすぎている」とも記しています。まさにこれは、私が死にゆく人の傍らに寄り添い、ケアする人と共に在る中で知り得たことです。死にゆく患者の苦しみは、患者本人だけではなくケアの担い手にとっても深刻なものなのです。以来、教師、弁護士、CEO、人権活動家、子供を持つ親たちもまた、他者の深い苦しみの現実と向き合っているのだと分かりました。そして、この上なく重要でありながらまったく明白な、あることに私は気づいたのです。それは、コンパッションの力があってこそ、苦しみの嵐や泥沼から抜け出して、強さと勇気の頂に上り、自由への道に戻れるということです。そのために私は、エッジ・ステートとは何か、エッジ・ステートがどのように私たちの人生やこの世界に影響を及ぼしているのかを理解しようと、深く探究し続けてきました。

泥がなければ、蓮の花は咲かない

エッジ・ステートの破壊的な側面について考えるとき思い出されるのが、カジミェシュ・ドンブロフスキの研究です。彼はポーランドの精神科医で心理学者であり、積極的分離理論といわれる人格発達理論を提唱しました。危機的な経験が人格の成熟のためには重要であるという考えに基づいた、心理的成長と変容に関する理論です。ドンブロフスキの説は、システム理論が示すところ、すなわち、生態系は崩壊が起こってもそれまで以上に高度で安定したレベルで再編成される、ということと一致します。ただし、崩壊の経験から学ぶ、ということが前提となりますが。

私は文化人類学者としてマリやメキシコで仕事をするなかで、積極的分離が「通過儀礼」の中心的な目的であることも観察しました。人生における重要な転機に行われるイニシエーションの儀式は、人格の成熟を深め、強化することが目的とされていたのです。私が精神科医スタニスラフ・グロフと共にした心理療法でも、こうした積極的分離の考え方を取り入れていました。末期がん患者の心理療法に幻覚剤のLSDを補助的に利用したのです。この現代版の通過儀礼ともいえるプロセスから私は、心理的な変容をもたらす手段として、自らの苦しみに直接向き合う意義を、深く学んだのでした。

何年か後に、この智慧と重なることを、ベトナム人の禅師、ティク・ナット・ハン（弟子たちはタイと呼びます）から聴きました。彼がベトナム戦争の只中や、その後難民として経験した苦しみについて語ったときのことです。静かに彼はこう言いました。「泥がなければ、蓮の花は咲かない」。

他者を支援する際の困難を考えてみると、エッジ・ステートの負の側面は、病的な利他性にしても燃え尽きにしても、積極的分離理論の観点から捉えることができます。古池の底の腐った泥が、蓮の滋養となる土でもあるように。ドンブロフスキ、グロフ、タイが教えてくれるのは、苦しみが私たちの理解力を育み、智慧とコンパッションのかけがえのない糧となるということです。

積極的分離のもうひとつのメタファーとして、嵐に関するものがあります。私はフロリダ南部で育ちました。子供のころは毎年、ハリケーンが近隣を滅茶苦茶にしました。冠水した通りで送電線が火花を放ち、ガジュマルの老樹が大地から根こそぎにされ、スペイン式の漆喰の家屋からテラコッタタイルの屋根が丸ごと飛ばされていました。ハリケーンがやってくるのを見に、両親が私たち姉妹を海岸に連れて行ってくれることもありました。波打ち際に立って、風の威力と、肌を打つ雨を感じ、それから大急ぎで家に戻って、窓もドアもすべて開け放ち、嵐が吹き抜けていくようにしたものです。

海岸の調査研究を専門としている地質学者の記事を読んだことがあります。ノースカロライナ州のアウターバンクス半島を巨大なハリケーンが襲っている最中に、インタビューに応じたものです。地質学者はジャーナリストに言います。「胸が躍るんですよ。海岸に一刻も早く行きたくて」。

少し考えた後、ジャーナリストが尋ねました。「そこへ行って何を見たいのですか?」

ここまで読んで、私は身構えました。地質学者がハリケーンによる壊滅的な光景について述べると思ったのです。しかし、彼はこう答えただけでした。「新しくなった海岸があるはずでしょう」。新しい浜辺、生まれ変わった海岸線は、嵐からの贈りものです。この水際(エッジ)では、破滅や苦しみがもたらされるかもしれませんが、それは無限の希望とともにあるのです。

エッジ・ステートには潜在的な力が宿っており、ここで踏みはずすことなくうまく学べば、深い理解にいたるでしょう。しかし、崖は移ろいやすい場であり、ものごとはあらゆる方向に変化する可能性があります。揺るぎない地面にいたはずが急に落下してしまうかもしれません。海と砂浜は隣り合わせですし、泥には蓮が花開くのです。私たちは、海岸や崖の上で強風にあおられても、しっかりと立って眺めを楽しむ力を備えています。これまでの理解という崖から落ちたとしても、その転落から、人生のバランスを保つことがいかに重要かを学べます。苦しみの沼にはまっても、腐った泥が蓮の滋養となることに思いいたります。海に流されたら、嵐の真っ只中であっても大海原で泳ぎ方を学びとるはずです。そうしているあいだに、生死の波のうねりに身を任せる術を心得ることもあるでしょう。その傍らには、慈悲深い菩薩である、観音菩薩の姿があるかもしれません。

広い視野

エッジ・ステートについて考えるときに、赤褐色の岩が切り立つメサ〔浸食によってできた頂上が平らな岩山のこと〕を思い浮かべることがあります。その頂上は平たく堅固で、そこから広大な景色を望むことができますが、崖は垂直に切り立ち、真っ逆さまに落ちるのを止める木々も岩もありません。崖の縁そのものが、集中力がわずかに途切れただけでも足を踏みはずしかねない、危うい場所なのです。崖の底には現実という硬い地面があり、転落すれば負傷します。また、暗い沼地に落ちて、そのまま長いことはまり込んでしまう姿を思い浮かべることもあります。沼から抜け出そうとすると、さらに深く苦しみの泥の中に吸い込まれます。転落してたどり着いた先が硬い岩であっても不浄な泥水でも、私たちの最善の状態であるはずの頂上ははるか遠く、落下と着地の衝撃によって大打撃を被ります。

断崖の上、すなわち利他性、共感、誠実、敬意、関与の良い面に立つときは、しっかりと地に足をつけて、踏みはずしたらどうなるか十分に認識しているはずです。この認識が、自らの価値観に則って行動しようという決意と、誤りは犯しやすいものだという謙虚さの両方を強固にしてくれます。それでもつまずいて落ちてしまったら、あるいは地面が足もとから崩れてしまったら、崖の上に戻る方法を何とかして見つけねばなりません。崖の上は、バランスと重力で安定して立つことができ、四方に広がる展望を望める場所なのです。理想的には、崖から落ちない術を学べれば良いのですが。人生の旅というものは現実に翻弄されるので、遅かれ早かれ、踏みはずす人がほとんどです。大切なのは、そのときに良し悪しを決めつけてしまわないことです。その経験とどう関わるか、いかに転落を変容の機会として活かすか、それが重要です。

崖と向き合い、境界領域を広げ、多様な生態系としてさまざまなエッジ・ステートが交錯する中でバランスをとる能力を呼び起こせば、この上なく豊かな経験を得られるでしょう。崖の縁は、勇気と自由を見出せる場所です。他者の苦悩や痛みに触れること、自らの困難にぶつかることが、苦しみと正面から向き合うきっかけとなり、そこから学びを得られます。そして、広い視野と回復力（レジリエンス）が養われると同時に、コンパッションという贈りものにも恵まれるでしょう。

ある意味、エッジ・ステートは、ものごとをいかに見るか、それ次第であると言えます。私たちが経験する利他性、共感、誠実、敬意、関与と、その負の側面に対する、新しい見方や解釈の方法を問うものなのです。広く包括的で相互関係を踏まえた見方を培って、この優れた五つの資質を捉えていけば、崖の縁に立っているのか、崖から滑り落ちそうな危険な状態にあるのか、崖を踏みはずしたのか、認識できるようになります。そして、私たちの最善の状態である崖の上に戻る方法も習得できるのです。

崖の上で私たちが見出せるのは、受容的な見方を育む方法です。それは、人生の大きな困難の渦中で、心や思考がどのように作用するのかに気づける力を培うことによって、私たちの内に生じる視点です。そして、永続するものはないこと（impermanence）、ものごとは相互に関連していること（interconnectedness）、存在の無根拠性（groundlessness）〔相互関係性によってものごとは発生するが、それ自体には実態的な性質がないこと〕という真実が見えてきます。

死にゆく人と共に、その人が抱く願いについて語り合うと、広大な視野が開けます。刑務所のドアが音を立てて閉まるときもそうです。子供たちの声に深く耳を傾けるとき、通りでホームレスの人と接するとき、ギリシアに足止めされたシリア難民の濡れたテントを訪れるとき、拷問の被害者と共に在るとき、視界が開けるのです。自分自身の苦悩の経験を通じて広がることもあります。視野が広がる機会はいたるところにあります。開かれた視野のおかげで、目の前にある崖の縁、眼下の沼地が見え、自らの内なる空間や周囲との距離が分かります。そして、苦しみが偉大な師であることに気づくのです。

相互依存

私は多くのものから影響を受けながら、世界を見る目を形成してきました。エッジ・ステートという考え方もそのなかで形づくられてきたものです。六〇年代、私がまだ若く理想主義的だったころ。多くの若者にとって、困難かつエキサイティングな時代でした。人種差別、性差別、階級差別、年齢差別など、社会の構造的な抑圧に憤っていました。抑圧的な社会が、戦争の暴挙や、経済活動の極端な格差、消費拡大主義を生み、環境破壊をもたらしているのを目の当たりにしていました。

私たちは世界を変えたかった。そしてその志を失ったり、その中に耽溺したりしてしまうことなく、改革を実現する道を見つけたかったのです。社会的政治的対立の時勢のなかで、私は仏教に関する書物を読み始め、独学で瞑想をするようになりました。六〇年代半ばに、ベトナムの若き禅師、ティク・ナット・ハンに出会い、彼を通して、仏教に魅了されていきました。仏教は、個々人や社会の苦しみの原因に、直に働きかけ、その教えの核として、苦悩を変容させることが、解放と健全な世界への道となる、と説かれていたからです。道をひらく術としてブッダが重きを置いたのが、探究、好奇心、精査する姿勢であったこと、そして、ブッダが、苦しみを回避したり否定したりしないよう、その価値を決めつけないようにと教えたということも気に入りました。

他との関係が縁となって生起するという、仏教の「縁起」の考え方からも、新しい世界の見方を得ました。一見ばらばらに見えるものごとのあいだにある、入り組んだ関係性に目を向けるようになったのです。ブッダはこう説いています。「此（これ）が有れば彼（かれ）が有り、此（これ）が無ければ彼（かれ）が無い。此（これ）が生ずれば彼（かれ）が生じ、此（これ）が滅すれば彼（かれ）が滅す」〔パーリ仏典経蔵小部『自説経』より〕。碗の飯をのぞき込みながら、私には、陽光と雨と農夫と、道行くトラックが見えるようになりました。

いわば、一杯の飯はひとつのシステムなのです。仏教を学ぶようになってからほどなく、システム理論について調べ始めました。システム理論は、この世界を相互に関係するシステムの集積と捉えます。各システムが目的を持っており、たとえば、人体というシステムの目的は（最も基本的なレベルでは）命をつなぐことです。システムの各部位はすべて、システムが適切に機能するために存在しています。人は心臓や脳や肺が動いていなければ死んでしまいます。どこに配置されているかという秩序も重要で、内臓の位置を入れかえたりはできません。

システムはミクロからマクロまで幅広く、単純なものも複雑なものもあります。生体系（たとえば循環系）、機械的システム（自転車）、生態系（珊瑚礁）、社会的システム（友人関係、家族、世の中）、組織的システム（職場、宗教団体、行政組織）、天文のシステム（太陽系）、などがあげられます。複雑なシステムは数多くのサブシステムから成り立っているのが普通です。システムは繁栄の全盛期を迎えると、衰退に向かい、最終的には崩壊しますが、代わりとなるシステムが出現する余地が残されます。

このことに触れたのは、エッジ・ステートもまた、相互依存のシステムだからです。相互に影響し合い、私たちの人格を形成していきます。そして、エッジ・ステートが育まれる場も、各種のシステムです。対人関係、職場、組織、社会、私たち自身の心身といった、システムで育まれていくのです。システムが衰退していくと、私たちも破滅に直面することになります。それでも、崩壊の後は、新しくたくましくなった視野が現れうるのです。

虚無感と勇気

私の友人は、熱心で優れた心理学者ですが、長年働くなかで、虚無感に苛まれるようになってしまいました。あるとき「もう患者の話を聴くのは耐えられない」と打ち明けられました。彼の話では、仕事を続ける中で、ある時点から患者が抱えてきたあらゆる感情を彼自身が感じるようになり、患者の辛い経験にすっかり打ちのめされてしまったそうです。患者の話を聴き続けて、結局は自身が枯渇してしまったのです。不眠に悩み、ストレス発散のため過食になった時期もありました。次第に無力感に陥り、感情を閉ざすようになりました。「もうどうでもいいんだ。感情がなくなってどんよりした感覚なんだ」と言っていました。そして、何より悪いことに患者を恨むようになり、こうなったら仕事を辞めるべきだと彼自身も分かっていました。

この話は、エッジ・ステートのすべての要素が悪く作用した実例です。利他性が有害なものとなり、共感が共感疲労に変わり、感受性と虚無感の重みで敬意が軽蔑へと崩れ、それにともなって誠実さも失われ、深く関与していたがゆえに燃え尽きてしまった例なのです。苦しみがこの心理学者に忍び寄り、彼は内側から死に始めていました。もはや、苦悩を受け止め変容させて、自分の仕事やこの世界の意義を見出すこともできなくなっていました。

この友人の苦しみは、彼だけのものではありません。ケアに携わる人々、教師、親たちの多くが、同じような気持ちを私に明かします。虚無感は、対人支援をする立場の人々のコンパッションを損ねることにつながります。私の仕事のひとつは、いたるところに蔓延するこの虚無感の問題に取り組むことです。

思い切った行動をして、逆境を強さに変えた若いネパールの友人の話をしましょう。ネパールの秀でた女性登山家である、パサン・ラム・シェルパ・アキタは、二〇一五年四月にマグニチュード七・八の地震が襲ったとき、エヴェレストのベースキャンプから歩いて一時間のところにいました。そのとき聞いたとてつもない轟音（ごうおん）は、ベースキャンプの多くの人命を奪った雪崩によるものでした。すぐに救助に向かいましたが、余震が起こり引き返すことを余儀なくされました。

パサンのカトマンズの家は地震で破壊されましたが、彼女と夫のトーラ・アキタは、ネパールの多くの人が命を落とし、家も生活の糧も失って困難に直面している現状に対処せねばと考えました。「私もエヴェレストのベースキャンプで死んでいたかもしれないのです」。パサンは言います。「でも無事でした。生き残りました。どうして生き残ったのか、何か理由があるはずです。困っている人たちのために何かしなくては、と夫に言いました」。

カトマンズで、パサンとトーラはまず若者を組織して、トラックを借り、米、レンズ豆、オイル、塩、防水シートを、震源に近いシンドゥ・パルチョーク郡の人々に届けました。そして毎週毎週、震源地のゴルカ郡まで、あちこちの村の生存者のために、ブリキ屋根、テント、医薬品、防水シートを積んで行きました。地元の人を雇って、もとの道が地滑りで寸断されてしまった場所に新しい道を通しました。何百人もの村人を雇用し、地震によって完全に孤立したまま、住むところも食べるものも無くモンスーンの時期に直面している人々に、食糧や生活必需品を運んでもらいました。

パサンの行動は、利他性によるものです。利他性はエッジ・ステートの中でも、有害な側に転じやすい資質です。それなのに、地震後の奉仕に専念している何カ月か、パサンと話していても、彼女の声音からは善意と活力と献身のみが溢れていました。夫と一緒に人々を助けることができて、本当にほっとしたとも話していました。

心理学者の友人は崖から転落して、戻る道を見つけられませんでした。ネパール人の友人は、最も良い状態で彼女の人間性の崖に立ち続けました。彼女のように、この世界に打ち負かされることなく、役に立とうという情熱に駆り立てられる人がいるのは、どういうわけでしょうか。

鍵となるのは、コンパッションだと考えています。心理学者の彼の心は、内にあるはずのコンパッションとのつながりを失い、燃え尽きによって心が死んだようになってしまいました。冷笑的なものの見方が彼の奥底まで巣食っていきました。一方で、パサンはコンパッションを心の基盤に持ち続け、それが彼女の行動を導いたのです。私は、崖の上にしっかりと立って落ちないようにする術として、また崖を万一踏みはずしたときも沼から抜け出す道として、コンパッションについて考察するようになりました。

人生におけるエッジ・ステートを認識できれば、変化がすぐそこに来ても地に足をつけていられますし、智慧と優しさと人の心の温かさに満ちた景色を目にすることができます。そこからは、暴力、失敗、虚無感という荒廃した景色も見えます。崖に立つ強さがあるなら、死と接する場所、たとえば難民キャンプ、地震の被災地、刑務所、がん病棟、ホームレスの野営地、戦場といった悲しみに覆われた場所からも教訓を得ることができます。それと同時に、私たち自身が持って生まれた善良さや、他者の善良さを活かすことも可能になります。ここまでの話はエッジ・ステートを知るためのほんの前提です。これからさらに深く掘り下げていきましょう。崖に立つ強さ、人生の難題のあらゆる側面を見渡す広い視野を持つ強さを、いかに育めばよいのでしょうか。拮抗する力のはざまで、どうしたらバランスを維持し活力を保てるでしょうか。そして、苦しみとコンパッションが化学反応を起こし、私たちの人格という貴石、心という貴石を生みだすことを、いかに見出せばよいでしょうか。

第1章

利他性

Altruism

多くの善き事を、
意識せずとも行う者とならんことを。

――ウィルバー・ウィルソン・ソバーン[1]
〔一八五九～一八九九年、米国の生物学者〕

七〇年代初め、生物学や海洋に強く魅かれ、ボランティアとしてバハマのラーナー・マリン・ラボラトリーという研究所で活動しました。マサチューセッツのブランダイス大学から来た生物学者のマダコの研究を手伝っていました。マダコは一般的なタコですが、高度な知性を持つ驚くべき生き物で、その極めて短いライフサイクルについて調査していたのです。

そのときに、捕獲された雌のマダコの受精と産卵を目撃するという、貴重な経験に恵まれました。半透明で涙の雫形をした何十万もの卵は、一つひとつは米粒ほどの大きさで、雌のマントのような体から紡ぎ出され、長いレース状の糸の束が、飼育用の水槽内に垂れ下がっているかのようでした。何週間かたつと、雌は卵の上を雲のように漂い、獲物も捕まえず、何も食べず、緩やかに成長する卵の糸が絡み合っているあたりの水を、ただ静かに揺らしていました。卵の上を漂うことで、酸素を卵に送りこみはするものの、もうほとんど動けなくなり、徐々に分解が始まった体は、子供たちが孵化したときの餌になろうとしていました。マダコの母親は、その子孫の食糧となるために死にました。母の体が、孵化したばかりの幼子の聖餐（せいさん）なのです。

　この美しい生き物が目の前で分解されていくという不思議な光景に、私は戸惑いつつも感動しました。雌の犠牲は、本来的な意味では利他性ではなく、マダコに備わったライフサイクルの一部です。けれども、このマダコの母親を通じて、人間の行動に関する多くの疑問が湧いてきました。利他性、自己犠牲、損傷についての問いでした。人間の利他性が健全でいられるのは、いかなる場合でしょうか。他者に多くを与えるあまり、その過程で自分自身を傷つけてしまうのはどのようなときでしょう。利他性が自己中心的で不健全なものになっているかもしれないことを、どうやって認識するのでしょう。慌ただしくて自分や他者を気にかけていられない風潮の世の中で、健全な利他性の種をどのように育むのでしょうか。どのようなときに、利他性の崖（エッジ）を踏みはずしてしまうのでしょうか。

その後の仕事で、死にゆく人々や刑務所に収監されている人々と関わり、また、仏教指導者として可能なかぎり、親たち、教師、弁護士、ケアに携わる人々の話に耳を傾ける経験を経て、利他性をエッジ・ステートのひとつとして理解するようになりました。利他性は、鋭く切り立った高い絶壁であり、広い視野をもたらしてくれますが、足もとの地盤が崩れることもあります。

利他的な行動とは、他者の幸福を高める、利己的ではない行為であり、自らの幸せをいくぶんか代償としたり危険にさらしたりすることがつきものです。ただしっかりと地に足をつけた利他性ならば、利己主義や欲望という負の側面に陥らずに、互いに向き合えます。私たちの思いやりを受け取る相手は、人間の善なることを信じられるようになるかもしれませんし、私たち自身も与えるという善なる行いで心豊かになります。

しかし、身体や心の安全が脅かされると、地面がしっかりしていても足を踏みしめたままでいるのが難しくなります。足を滑らせ、人助けの負の側面へと真っ逆さまに落ちるのは、いともたやすいことです。そうなると、自分に必要なことを諦めてでも何とか援助をしようとするかもしれません。援助しようとしている相手が持つ力を奪い、主体性を取り上げ、気づかないうちに傷つけてしまうかもしれません。「見た目」は利他的でも、そうふるまっている動機は、適切ではないこともあるでしょう。このような病的な利他性の表れについては、詳しく後述します。

利他性の崖に立てば、利己主義や欲望の沼地に落ちないかぎり、人間本来の思いやりと智慧を広く一望できます。万一、沼にはまったとしても、その苦闘は無駄にはなりません。困難と向き合いながら、そうなってしまった原因を明らかにし、転落することを避ける方法を見つけようと、懸命になるはずだからです。教訓として謙虚さもしっかりと学ぶでしょう。大変ですが、人格を育み、より賢明で、慎み深く、回復力(レジリエンス)ある人になれる、価値ある作業なのです。

1　利他性の崖にて

「利他性（altruism）」という言葉は、一八三〇年にフランスの哲学者オーギュスト・コントによってつくられたもので、「他者のために生きる（vivre pour autrui）」という句に由来します。自らのために生きるという利己主義へのアンチテーゼとして、利他主義は、社会における新しい行動原則となりました。宗教というより人間の性質を基盤とした利他主義は、信仰を持たない、特定の教義に縛られない人にとっての倫理規定になったのです。

純粋に利他的な真に純粋な利他性によって行動する人は、社会的な承認や認知を求めてはいませんし、自分の気分を良くしようと思っているわけでもありません。小さな子供が車に気づかず道を歩いていくのを、ある女性が目にしたとしましょう。その女性は、この子を助けたら善い人間になれるなどと考えていなくても、ただそこまで駆けつけて、自らの命を危険にさらしても、子供を抱え出します。そして、とりたてて自分を称賛したりはしないでしょう。すべきことをしただけよ、誰だってそうするでしょう、と思っています。その子が無事で元気なのを見てほっとするのです。この女性の例は、利他性が、寛大さを一歩超えて、自己犠牲や実際の危険をともなうことを示しています。

二〇〇七年に、建設作業員のウェスリー・オートリー（利他性の語の由来である autrui に似た名前です）は、マンハッタンの地下鉄の線路に飛び込んで、映画学科の学生、キャメロン・ホロピーターを救いました。その若者は発作を起こしプラットホームから線路に転落したのです。オートリーは、電車が近づいてくるのを見ると、飛び降りて、若者を線路の外へ引っ張り出そうとしました。しかし車両が迫ってきます。オートリーは線路のあいだの決して深くはない溝の中で、若者の上に覆いかぶさりました。彼が発作の若者を抱え込んだそのとき、電車がふたりの上を通過し、オートリーのニット帽の端をかすめて走っていきました。自らを顧みることなく、ただ同胞の命を救いたいという純粋な衝動が為したことでした。

その後、オートリーは注目を浴び称賛を受けて、戸惑っているようでした。ニューヨーク・タイムズ紙に、「すごいことをしたとは思っていないよ。助けを必要としている人を見て、自分が正しいと思うことをしたんだ」[2]と彼は語りました。

オートリーの話は、純粋な利他性の実例だと思います。誰もが利他的な衝動を持っていますが、常にそのとおり行動するわけではありません。地下鉄のホームにいた他の人も若者が発作を起こしたのを見て、助けが必要だと気づいたはずです。しかし、救出は命懸けであることも見てとれました。利他性は、他者に役立とうとする衝動が、恐れや自己防衛本能よりも優位に立ったときに生まれます。オートリーが、命を助けるとともに自身も無事でいる力を持ち合わせていたのは、幸いなことです。

この地球のいたるところで日々、人々は自発的な利他性に基づいて行動し、助け合っています。

天安門広場に向かう戦車の行く手に断固として立ちふさがって抗議した、無名の中国人。アフリカでエボラ出血熱の患者の治療にあたる勇敢な医師。二〇一五年のパリ同時多発テロで、逃れてくる人を自宅に迎え入れた市民。シリアで民間人居住地域の爆撃後の初期対応として、生存者の救出に駆けつけた、三〇〇〇人の勇気あるボランティア。[3] 二〇一五年パリ同時多発テロの前日にベイルートで、賑わうモスクに向かう自爆テロリストのひとりを、自ら飛びかかって制止したアデル・テルモス。彼の行動で、爆弾は群衆から離れたところで爆発しましたが、テルモス自身は命を落としました。それでも、無数の人の命を救ったのです。[4] 二〇一七年五月にポートランドの電車、マックス・ライト・レールの車内で、ふたりのイスラム教徒のティーンエイジャーの女の子が人種差別的な攻撃を受けました。ひるむことなく仲介に入ったのは、リッキー・ジョン・ベスト、タリエシン・マーディン・ニムカイ－メシュ、マイカ・デイビッド－コール・フレッチャーの三人でした。三人は刺され、リッキーとタリエシンは死亡、マイカは一命をとりとめました。[5] タリエシンは血を流しながら、こう言い残しました。「車内のみんなに伝えてくれ。愛していると」。不安に煽られる今日の社会において、このような話を聞いて、人の心の美しさと強さを信じ続けること、利他性がいかに自然に生まれるかを思い出すことは重要だと思うのです。

利己か利他か

ここでしばし車から子供を救った女性の話に戻りましょう。女性が後になって、自分は、あのような行いをしたのだから善い人間だ、と考えたら、自画自賛のせいで彼女の行動の利他性は否定されるのでしょうか。利他性の厳密な定義では、自我関与は、行為の事前も事後も認められません。利他性を特徴づけているのは、無私無欲の行動です。感謝や返礼など外からの報酬も、自尊心の向上や心の健康増進など内なる報酬も期待せずに、他者に恩恵をもたらすのが、無私無欲です。純粋に利他的な人は、禅僧、鈴木俊隆老師の言葉を借りると、「得る意図の無き」者です。役に立つことをしても、そこから何かを得ることはありません。本質的に無欲なのです。

優れた瞑想実践者や、生来的に慈悲深い人たちは、無限に広い心を有しており、その心はあらゆる状況で人に尽くすために開かれています。自他にとらわれず、すべてに対する偏見のない善があるのみです。そうは言っても、私たちのほとんどは、普通の人間です。そして、他者に尽くして何らかの充足感を得るのは、とても人間らしいことです。

純粋な利他性はそもそも存在するのか。これは心理学者や哲学者のあいだで議論されてきたテーマです。「心理的利己主義」という理論では、人はほんの少しであったとしても個人的な満足感が動機付けとなったり、他者を助けたあと自尊心の高まりを感じたりするものだから、純粋に利他的な奉仕活動や自己犠牲は存在しないとされています。この説によると、現実世界の人間の心理や行動においては、純粋な利他性などない、ということになるようです。

仏教は、さらに大胆な立場をとります。利他性と、その姉妹関係にある概念、コンパッションは、自我というちっぽけな自己を、完全になくすことができると言うのです。実際に利他性は、人の苦しみを見ると内発的に無条件に湧きあがることがあります。地下鉄のホームでのオートリーがそうだったように。仏教はまた、私心無く他者の幸福を気にかけるのは、人間の本質の一部だと見ています。瞑想の実践や、倫理に沿った暮らしによって、利己的な衝動に抗えるようになり、生きとし生けるものを愛し等しく尊重する、自らの内なる場所へと、戻ってくることができるようになると考えられています。それはあらゆる者の苦しみの終焉を勇敢に目指す、偏見のない場所です。

ティク・ナット・ハンは、こう記しています。「左手が怪我をしたら、すぐに右手が庇う。右手は、庇ってあげています、私のコンパッションによる恩恵を受けてください、などとわざわざ言わない。右手はよく承知しているのだ。左手もまた、右手なのだと。両者のあいだに区別などない」。[6] これは、利他性は特定の関係性によるものでなく、家族や友人や仲間内などに偏らないことを意味しています。

ジョセフ・ブルチャックの「バードフットの僕のじいさん」〔バードフットとはオノンダガ族のネイティブアメリカンを称する言葉とされる〕という詩が、万物を等しく慈しむ感性を、慎ましくも奥深く表現しています。

年老いたじいさんは
僕らの車を何度も停める
二〇回以上も停めては降りる
両手に集めるのは
小さなヒキガエル
ヘッドライトで目が眩み跳びはねる
雨粒といっしょに降っているかのように

霧のように細かな雨
じいさんの白髪を濡らす
僕は何度も呼びかける
みんな助けるわけにはいかないよ
しょうがないさ車に戻って
行くところがあるんだ僕らには

それでもごつごつした両手いっぱいに
雨を浴びた褐色の命
道沿いの夏草に
膝まで深く覆われ
じいさんは微笑んで言う
行くべきところがあるんだ
カエルたちにもな[7]

この詩のおじいさんは、生きた菩薩の好例です。仏教で菩薩とは、生きとし生けるものを苦しみから救済する人のことです。おじいさんは繰り返し停車して、雨のなか暗い道を這い回るのもいとわず、ヒキガエルを轢かないよう助けてやります。微笑みながら、仏教で言う「利他の喜び」つまり、他者の幸運によって湧く喜びを味わっているようです。

利他の喜びは、滋養に富む心の資質と見なされています。その意味で仏教は、他者の幸せに喜びを感じることが人の心にとって良いとする西洋心理学と一致しています。私自身も人のために良い行いをすると、自分が気分良くなるためにしているわけでなくても、心身ともに和らぎます。最新の社会心理学の研究では、自己中心性を抑え、より寛大であることは、本人の幸福感と満足感の源泉だと言われています。ある研究では、二歳にも満たないまだ小さな子供であっても、おやつをもらうよりも誰かにあげるほうが、概して大きな満足感を覚えることが示されました。[8] 別の研究では、成人の被験者でも、お金を他者のために使った人のほうが、自分自身に使った人よりも満足度が高いと分かっています。[9] 神経科学者のタニア・シンガーは、コンパッション（利他性の良き友です）が脳内の報酬系や喜びの回路を作動させていることを突きとめました。彼女の理論によると、人間には思いやりの回路が張り巡らされており、[10] 思いやりに基づいて行動すると、深い普遍的価値観と調和したように感じられます。自分の行いに喜びを覚え、人生がより有意義に感じられるのです。

反対に、自分の行いが他者を傷つけると、良い気持ちはしません。眠れなくなったり、苛立ったり、さらに悪い状態に陥ることが多くなります。多くの調査研究が、他者のために役立つことをしている人は、健康状態が良好である（免疫力が高い、寿命が長いなど）[11] という結果を示しています。じきに、長く健康でいたいがために人助けをする、まがいものの利他主義が流行るかもしれません。まあ、それも悪くはないでしょう。

とりわけ心を動かされる利他性の実例として、イギリスの故ニコラス・ウィントンの話をしましょう。一九三八年、ナチスドイツのチェコスロバキア侵攻が間近に迫るなか、ウィントンはユダヤ人を中心に六六九人の子供を、チェコスロバキアから英国に出国させる活動を組織しました。ヨーロッパを列車で抜ける安全な経路を確保し、避難する一人ひとりに英国での受け入れ家庭を探しました。ウィントンはこのとてつもなく危険で私心のない行動を、五〇年のあいだ、妻にさえ明かすことはありませんでした。名声には興味がなかったのです。ウィントンが有名になったのは一九八八年、彼のスクラップブックを屋根裏の片付けの際に発見した妻が、この偉業をBBCに伝えてからでした。

その年、BBCはウィントンを「ザッツ・ライフ」というテレビ番組の放送に招待しました。ウィントンには内緒で、彼が救った、既に五〇代から六〇代となった人々も招かれました。番組の司会者が「今夜、スタジオにお越しの視聴者のみなさんの中で、ニコラス・ウィントン氏が命の恩人だという方はいらっしゃいますか？　ご起立いただけますか？」と言うと、その場の聴衆が皆、立ち上がったのです。ウィントンは隣席の女性を抱きしめ、涙をぬぐいました。[12]

ウィントンを行動に駆り立てたものは何か、何らかのかたちで彼の行動に自意識が表れているか、それを本当に知ることができるでしょうか。二〇〇一年にニューヨーク・タイムズ紙の記者が、なぜそんな行動をとったのか尋ねると、彼は謙虚に答えました。「たくさんの子供たちが危険にさらされているという状態を目の前にしていて、安全だと言える場所に連れて行かないといけないのに、それをやる組織はありませんでした。なぜ私がそんなことをしたかって？　人はそれぞれ違うことをするものです。喜んで危険を冒す人もいれば、危険を冒さずに生きていく人もいます」。[13] 自らの並はずれた勇気についての、興味深い意見です。

ウィントンは、助けが必要とされているのを目にし、役に立てる可能性を感じ、危険に身を投じてみようと思いました。彼がその行動から何らかの「達成感」を得ていたとしたら、彼に対する評価が変わるのでしょうか。そうはならないと思います。六六九人の子供の命を救ったことは、心の底から称賛するに値します。そして、このようなことが実際に起こって多くの人が救われたという事実は人々を驚嘆させ、彼の行動は、世代を超えて広くパワフルな影響を残したのです。ウィントンは長寿に恵まれ、二〇一五年に一〇六歳で亡くなりました。

アウシュビッツの生還者で精神科医のヴィクトール・フランクルはこう記しています。「人が生きることの先に常にあるのは、自分以外の何か、自分以外の誰かである。……奉仕すべき目的に身を投じ、愛する者に身を捧げ、己を忘れる者ほど、より人間らしいのだ」。[14]

2 利他の崖を踏みはずすとき——病的な利他性

利他性を健全に保つのは、ときには大変なことです。利他性の崖に立っているときの人は無防備で、ともすると有害な側に転落しかねません。援助に過剰に手をかけ、自分の欲求に目を向けないでいると、助けている相手や現状が腹立たしくなってくることがよくあります。ある女性は、四六時中、がんに冒された母親をケアしていました。疲弊し、親の苦痛を和らげられないことに苛立ちがつのり、そう感じることに罪悪感を抱き、その揚げ句、怒りを母親に向け、結局は自分にも腹を立てました。心が折れて、母親も自分自身も裏切ってしまったように感じました。

私心のない善意から生じた利他性が、義務感や義理や恐れになってしまったり、助けることに疲れ切ったりすると、人は否定的な感情に激しく揺さぶられることがあります。ある教師は、手のかかる生徒の面倒を見るのに「時間がかかりすぎて」自分に腹が立つ、と私に話してくれました。患者に不快感を抱くようになって、かつては喜んで看護していた相手にそのような否定的な感情を持つことを、恥ずかしく思っているという看護師もいました。

また、患者や生徒、あるいは身内の援助において、人は相手にアドバイスを押し付け、彼らの行動をコントロールすることが許されるのだと思ってしまうようです。以前、重い敗血症で入院したとき、そのような思いやりをあまりに多く受け取ることになり、疲れ果ててしまったことがあります。結局、ウパーヤ禅センターのチャプレン〔学校・病院などの施設でスピリチュアルなサポートをする宗教者〕のひとりが、病室のドアに「来訪者お断り」と貼り紙を出すようにと賢明な提案をしてくれました。私は発熱と悪寒に苦しみながら、押し寄せる大勢の見舞い客を迎え、健康を取り戻す方法について膨大な助言を受けていました。訪れた人々は親切にも、わざわざ見舞いの時間を作って、私の役に立とうとしてくれていたのですが、私が必要としていたのは自らの回復のエネルギーであり、見舞い客のエネルギーではありません。彼らが言っていることに頭がついていかないほど、高い熱が出ていました。彼らは役に立ちたいという気持ちが強すぎて、私の身になって考え、来訪者を迎えられる状態ではないと気づくことができなかったのです。こうした状況では、元気にしてあげたいという欲求や心配が先に立ち、利他性の崖は脆くも崩れ去ります。

利他性を崖と見なすようになると、その地形の危険性を感知しやすくなり、何が危機にさらされているのかに気づけるようになります。利他性は、他者や自分、勤めている組織にも害を与えかねないのです。地面が揺れるのを感じたら、自らの行動が自分自身を崖から転落にいたらしめているのを察知できます。そして、うまくいけば危ない状況から身を引いて、足もとのしっかりとした場所へ戻ることができるのです。

害となる援助

利他性が、その崖から深い淵へと崩れ落ちると、社会心理学で言う「病的な利他性」となります。不安感や、社会的に認められたいという無意識の欲求、状況を改善したいという衝動、歪んだ力関係、これらを根底に持つ利他性は、すぐに一線を越えて害となります。その結果は無残なもので、個人の燃え尽きにつながることもあれば、国全体の無力化につながることもあります。重要なのは、親や配偶者、医者、教育者、政治家、支援活動に携わる人、そして自分自身、どの立場にあっても、病的な利他性に陥っていたら、その実情を明らかにすることです。病的な現象が認識され明示されれば、善意が間違った方向に進んで危険な急斜面を滑り落ちていた人々も、その多くが、目を覚ますことができます。

バーバラ・オークリー博士らによる著作『病的な利他性（Pathological Altruism）』（未邦訳）では、害となる援助について詳しく研究されています。博士らは、病的な利他性を「他者の幸福を高めようと意図された行為でありながら、それがむしろ害になることが、外部から見て予測しやすい行為」[15]と定義します。

病的な利他性の身近な例は、共依存です。共依存状態に陥った人は、自分自身が損害を被るにもかかわらず、他の人の求めに応じることに全力を注ぎ、その過程で、しばしば依存的行動を助長してしまうこともあります。ある夫妻は、アルコール依存で失業中の二五歳の息子に、しばらくのあいだ自宅の一室をあてがいました。職も家もない息子を路頭に迷わせるようなことはしたくないと思ったのです。けれども、息子の存在は経済的な負担となり、次第に苛立ちがつのり、夫婦関係も試練にさらされました。息子をアルコール中毒者更生会に参加させたり、入院リハビリに送り込んだりしてみました。息子のために短期の仕事も見つけました。しかし、息子の行動をコントロールし、依存症を治療しようとする夫妻の試みは、ことごとく裏目に出ました。息子にとっても、ただで暮らせる場所があるということは状況を変える意欲が持てず、決して良いことではなかったのです。

　オークリー博士は病的な利他性の兆候として、共依存のほかに動物収集癖や親の過保護をあげています。野良猫が迷いこんできたら拒否できずにどんどん迎え入れてしまう猫屋敷の主の話は聞いたことがあるでしょう。息子の化学の成績が落第点なのは当然の結果なのに、息子のためだと言って、学校側に文句を言って騒ぎ立てる父親もいます。

　私は仕事を通じて、病的な利他性にとらわれて身動きできなくなっている多くの人を見てきました。末期患者の対応で寝食を忘れて長時間働く看護師。オフィスに留まって三六五日いつでも呼び出しに対応できるようにしている社会活動家。ある援助団体の責任者は、世界中を飛び回っているため慢性的に時差ぼけでした。ギリシアで難民支援にあたるボランティアは、苦しみを間近に見て共感疲労に陥っていました。

親、教師、医療関係者、司法制度に携わる人々、危機的状況で働く活動家は、他者の苦しみにさらされるため、病的な利他性に陥るリスクが特に高くなります。その結果、強い不満、屈辱感、罪悪感が生じ、エッジ・ステートの有害な側面である、共感疲労、道徳の苦しみ、軽蔑、燃え尽きがあらわれます。

また、自分自身を、他者を助け問題を解決する救済者と見なすと、気づかぬうちに権力志向、うぬぼれ、自己陶酔へと傾きかねません。病的な利他性のとりわけ厄介な事例として、アジアやアフリカの医療支援や人道支援活動を標榜するある団体の話をご紹介しましょう。その団体は、自らの活動内容を偽って資金提供者に伝えたばかりでなく、各国の現地スタッフに賃金を支払っていませんでした。このような倫理に反する行いの根底には、自己欺瞞があります。おそらく活動開始当初は、役に立つことをしようとしていたのでしょうが、徐々に資金調達のため、優れた活動をしている団体だと見せかけざるを得なくなったのだと思います。当然のことながら、やがては資金提供者も実態に気づき、資金は集まらなくなりましたが、その間もあちこちで害を及ぼしていました。

システムレベルで病的な利他性が起こり、援助しているはずが、支援を受ける人々や組織に害を及ぼすこともあります。海外援助の失敗などはこれにあたるでしょう。例をあげればきりがありません。私が経験した中では、難民キャンプで医療活動にあたる臨床医がそうでした。継続的なケアを現地の人の手で行えるよう道筋をつけ訓練することをしないので、難民は外部からの医療支援に頼るしかなくなってしまいます。欧米の製品や設備を持ち込むばかりのNGOもそうです。そういう団体は、補助金や研修を現地の仲介者に提供して、地域の需要を満たしてもらおうとはしないのです。「有害なチャリティ活動」もあります。技能開発の機会を提供せずにお金だけを渡すと、支援を受ける人が外部からの供給にますます頼ってしまう状況が生まれてしまいます。

西洋人が世界を救おうと考えるとき、ただ善意からというわけではなく、傲慢さからそう思うことがあるようです。文筆家のコートニー・マーティンは、他者の抱える問題は、遠くから見るとエキゾチックな魅力を感じ、簡単に解決しそうな気がするのだと言います。決して悪意からではないとしても、善意の人であっても、根底にある複雑さを理解せずに問題を解決しようとするのは無謀で、かえって悪い結果をもたらすのだと。

その代わりとして、マーティンはこう勧めています。「身近なシステムの複雑さに正面から向き合い、じっくり未来を築くことに、喜んで身を投じればよいのです。あるいは、どうしてもと言うなら、異国の人を真に人として感じられるようになるまで、長期間滞在して十分に話を聴くことです。それでも、警告しておきますが、ちょっとやそっとのことで救えるものではないでしょう」。[16] 他文化における問題を、しっかりと見つめて受け止め、十分に状況を聴き取ることが、利他性の健全さを保つ唯一の方法なのかもしれません。

自分の幸福を差し置いても人助けをすることに、とりつかれる人もいます。ラリッサ・マクファーカーの著書『誰かが溺れかけていたら（Strangers Drowning）』（未邦訳）は、他人を助けるのを自らの人生の使命とする、米国の慈善マニアを追ったものです。レストランでの食事やコンサートのチケットなど日々の贅沢を慎んで、発展途上国の家庭に送金し、節約によって何人の命が救えたか集計している人たちの様子を、マクファーカーは判断を加えることなく、ただ観察し綴っていきます。気前良くして気分が高まる瞬間や、自尊心が揺らいだり罪悪感で落ち着かなくなったりする姿も捉えています。[17] この本には、データ分析を用いて、どこに寄付すれば、より大きな効果を困っている人に与えられるかを予測する、効果的利他主義（EA: effective altruism）の運動に関わっている人も現れます。感情と切り離して寄付を行うことを呼びかけ、感傷は投資効率を妨げると論じる運動です。[18]

オークリー博士も著書『病的な利他性』の中で、何かを与える行動に感情が混ざり合うのを戒めています。「結論を言えば、熱い感情に基づく善意は、相手にとって本当に有益なことは何かという判断を誤らせる」。博士は、いつまでも家にいる息子を親が追い出すような「厳しい愛」のアプローチのほうが、真に利他的だと示唆しています。

私は状況によると考えています。仏教の考え方では、優しさ、愛、思いやり、コンパッション（慈悲）、利他の喜びは、高く評価される資質です。ただ援助は害になることがあるのは確かです。そこで不可欠となるのが、智慧です。仏教では、智慧をコンパッションから切り離さずに考えます。人間性の根幹として、智慧とコンパッションは表裏一体なのです。

健全か否か

ブッダの前世を描いた物語、ジャータカにある飢えた虎の話は、寛容、利他性、コンパッションを表現し、無私無欲について語り伝えるものと通常は見なされています。しかし、病的な利他性の話であるとも解釈できます。

深い森で、菩薩（ゴータマ・ブッダの前世の姿）とふたりの兄弟は、飢えた虎の母親が我が子を食べようとしているところに通りかかりました。兄弟は虎のために食べものを探しに出かけました。しかし菩薩は、純粋な無限の利他性による行いとして、弱った母親の前に身を横たえ、竹を裂いて自分の喉を突き、虎の親子が食べやすいようにしました。

この話は、文字通り鵜呑みにしなくてよい寓話だとしても、思いやりによる大胆な行動に身を投じる励みとなります。一方で、別の見方をすると、自らも含め命ある者を傷つけてはならないという、仏教の非暴力の教えに背く行為を認めているようにも見えます。殉教の奨励にもつながるかもしれません。菩薩は、物語のとおりなら、自らの命を差し出し、危険な一線を越えたように見えます。

殉教の話は仏教に数多くあります。古くは五～六世紀に中国の優れた僧侶や尼僧が、抗議のため、また生贄として、自らに火を放ちました。この本を執筆している今も、チベットで、若者が男女を問わず中国政府による弾圧に抗議して焼身自殺をしています。以前、ダラムサラで行われた大規模な儀式に、ダライ・ラマ法王の導きで参列したことがあります。法王は涙溢れるままに、焼身自殺した人々のための法要を営んでいました。法王と共に活動する若手の高僧、ギャルワ・カルパマは、チベットの人々に、死を招く過激な行動を止めるよう呼びかけました。非暴力と不殺生を規範とする仏教で、なぜ焼身自殺なのか、私は繰り返し自問しました。そして、ティック・クアン・ドックという人に思いいたったのです。

燃えゆく蓮華

一九六三年、米国のベトナム戦争への本格介入の少し前、新聞に掲載された一枚の写真が、私の胸に焼きつきました。ベトナム人の僧、ティック・クアン・ドックが、南ベトナム政府による仏教僧侶迫害に抗議し、サイゴンの人通りの多い交差点で自らの身体から炎を立ち昇らせている写真です。通りに座布団を敷いて蓮華坐の姿勢をとり、微動だにせず、ガソリンのタンクを背後に残し、僧侶は平然と、声を上げることもなく沈黙の中、燃え上がる炎に呑み込まれていきました。

私はその事実に衝撃を受け、おののき、思いをめぐらせました。何が僧侶を焼身自殺に駆り立てたのか。炎に焼き尽くされても姿勢を保っていられる資質とその精神を、いかにして獲得したのか。そして、戦争は終わらせるべきだ、と思ったのを覚えています。この写真がきっかけで、私は声を上げて戦争に反対するようになりました。胸に焼きついたイメージが引き金となって、以来ずっと非暴力を平和への唯一の道として掲げてきました。皮肉なことに、平和を取り持とうとする私の仕事の引き金、いえ、インスピレーションの源となったのは、過激な自殺行為でした。

炎に包まれたティック・クアン・ドックの写真は、撮影したAP通信のフォトジャーナリスト、マルコム・ブラウンにピューリッツァー賞をもたらし、ベトナム戦争を象徴する写真のひとつとなりました。苦悩とその超越、そして究極の利他性を象徴するものとなったのです。その後何年にもわたり、他の仏教者もティック・クアン・ドックに倣いました。その中には、私の師、ティク・ナット・ハンの教え子である尼僧、ナット・チ・マイもいました。ティク・ナット・ハンは尼僧ナット・チ・マイのことを繰り返し話し、彼女の言葉を伝えています。「暗闇を照らす松明（たいまつ）として、この身を捧げます」。

ティック・クアン・ドックの死の何年か後、若手ジャーナリスト、デイヴィッド・ハルバースタムに会う機会がありました。ティック・クアン・ドックの焼身の現場にいた数少ない記者のひとりです。目にしたものを詳述してくれ、彼がそのできごとの一つひとつの光景に極度に動揺したのが感じとれました。その夜に語られた言葉を正確に覚えてはいませんが、彼の疲れ切った虚ろな瞳をはっきりと覚えています。目の当たりにしたすべてのできごとによって、心が凍りつき茫然としているようでした。彼は後に、こう記しています。

あのような光景をまた目にする機会はないわけではなかったが、一度で十分だった。炎が人間から立ち昇っているのだ。その身体は徐々に萎み崩れていき、頭部は黒焦げになっていく。人の肉体が焼けるにおいが立ち込める。人は驚くほどの速さで燃えかすになる。背後で集まってきたベトナム人がむせび泣くのが聞こえた。私は泣くこともできないほどショックを受けていた。ひどくうろたえてインタビューもできずメモもとれず、困惑のあまり考えることすらできなかった。……炎の中で、僧侶は不動の姿勢を保ち、一切声を発することもなく、その外観の平静さは、周囲の泣き叫ぶ人々と実に対照的だった。

ティック・クアン・ドックの焼身自殺は、他者に恩恵をもたらすために自分の命を絶つという倫理上の問題について、仏教徒のあいだでもそうでない人々のあいだでも議論を巻き起こしました。尼僧のマイの殉教も、私たちに同様の疑問を投げかけます。害になるものと恩恵になるものを区別する境目はどこなのでしょうか。その境界線を誰が引くのでしょう。自らの身体に甚大な害を与えたら、国際社会の目を戦争にひきつける善行は、価値をなくすのでしょうか。何が彼らを行動に駆り立てたのでしょう。その行為が最終的には人々の命を救うという確信でしょうか。それとも、他者の苦しみを我が身に極度に受け止め過ぎて、耐えられなくなった結果なのでしょうか。殉教的な死は社会の変革に役立つのでしょうか、それとも欺瞞であり害あるものなのでしょうか。[19]

仏教は自他の結びつきを探求するものです。ティック・クアン・ドックとナット・チ・マイは、自分もなく他者もない次元で行動したのではないでしょうか。不正や苦しみを感知し、自分にはその状況を変える力があると感じ、自己犠牲的な行動を起こす。もはやその次元では、他者のための行いと自分のための行いの境はないのです。

私は、このふたりは役立つことと害になることの区別も、ある意味では超越していたと考えてます。彼らは不当な戦争への抗議活動の推進にインパクトを与え、おそらく多くの命を救いました。衝撃的な痛ましい姿で亡くなったとしても。彼らの焼身自殺について五〇年近く深く考えてきたうえで、今感じるのは、この究極の自己犠牲について考えるとき、英雄的な行為とその反面の害、恩恵と代償、その両面を認識する必要があるということです。そう思うようになったのは、無私無欲の行動として利他性の意味深さを理解するようになったと同時に、利他性の陰の部分についての洞察も得たからです。その両方の視点を得たことで、利他性をエッジ・ステートと捉えるにいたりました。また、何を意図した行動かというだけではなく、どのような結果であったかも、それが病的な利他性であるか否かの判断に影響すると考えるようになりました。ウェスリー・オートリーが、キャメロン・ホロピーターを救おうと地下鉄のホームから飛び降りて死んだとしたら、その行為は異常だとか愚かだなどと言われたかもしれません。

実際に行うべきは、状況の真の深さを把握するために、両方の視点を持つことです。なぜなら、私たちは状況の全体像を常に把握できているわけではないからです。見え方は、どこに立っているかでずいぶん変わります。だからこそ、利他的と思われる行動に向かう場合に、深く探究すること、開かれた状態でいることが不可欠なのです。つまり、利己心を超えて立ち上がる力、状況に柔軟に応じる力、あいまいさと過激とも言えるほどの不確実性さえ受け容れる力——これらに根差して利他の行いを為し、利他性を認識していくことが、最も望ましいのです。

利他性のバイアス

ティック・クアン・ドックとナット・チ・マイの行動が明らかにしたとおり、殉教は利他性の極端なあらわれであり、病的と言われることもあります。病的な利他性のより一般的で日常でもよくある形についてもお話ししましょう。殉教ほど複雑ではありませんが、誰しも陥りかねない危険性があります。

人に親切にしようとするとき、それが自分の気持ちの満足のためではないことを確かめなくてはなりません。このような動機は宗教でも戒められています。イエスの教え、「山上の垂訓」は若いころの私にとってインスピレーションの源でした。イエスは評価されることを目的とした善行をとがめています。仏教の教えでは、社会的に認められようとして他者に奉仕すると、自意識が表出され、「善き人」というアイデンティティにこだわるようになるとされています。

私が最初に師事した禅師、崇山行願（セウンソンヘンウォン）から、あなたは何をして過ごしているのかと、それとなく尋ねられたときのことを思い出します。私は当時の自分の「善い」行いを並べたてました。私が話し終えると、師は一呼吸置いてから、唸るように言いました。「あなたは悪い菩薩〔仏の教えを探求する人〕だ！」稲妻に打たれたような気がしました。大きな恥とともに師によって気づかされたのは、社会正義のために働いたものの疲弊し燃え尽きかけていた自分は、支援の受け手の主体性を取り上げて、彼らの力を奪っていたのだということでした。そればかりか、おそらく師や周囲の人々から称賛を得ようとしていたのです。落ち込みましたが、師が戒めを与えてくれたことをありがたく感じました。

そうは言っても、人を助けて良い気持ちになるのは、本当に悪いことなのでしょうか。他者に奉仕して喜びを感じること自体は、大切でしょう。ただし、その結果は根底にある価値観や、動機、意図に大いに左右されます。自分の満足のためだとか、周囲から称賛され尊敬されたいという動機だと、私たちの行動は利己的欲求によって中途半端なものになります。「これをやったら、自分が善い人間だという証明になるか」「心地良く感じられるか」と考える代わりに、「これは役に立つのか」と問わねばなりません。

今は亡きチベット仏教の師、チョギャム・トゥルンパ・リンポチェは、「スピリチュアル・マテリアリズム（精神の物質主義）」という言葉をつくりました。宗教などを探求する人が自己イメージを高く見せるために、いかに自分が「利他的」であるかをアピールするなど、自分が「スピリチュアル」であるという証しを、さまざまな方法で寄せ集めようとすることです。他者の役に立ちたいという志は、宗教や精神性を探究するうえで、大切なことを優先させ、実践を深めるために、確かに重要です。それでもやはり、自己評価を高める手段として利他性を用いるのは、落とし穴となりかねません。現実を見据えた謙虚さが少しあれば、承認や感謝されることへの欲求を抑えることができるはずです。

病的な利他性には、ジェンダー（性別）との関連性が見られる面もあります。私が子供のころ、母はマイアミの軍病院で赤十字社と共にボランティア活動をする、グレイ・レディ（灰色のユニフォームを着ていたのでそう呼ばれていた）として活動していました。晩年は、ノースカロライナでピンクのユニフォームを着て、入院中の高齢者に雑誌や本を届ける、ピンク・レディの活動を行っていました。生涯を通じて、母は人に尽くしました。まさに利他主義者でした。同時に、母の利他性には、善い人だと社会に認められたいという気持ちもわずかに混ざっていました。母の女性としてのアイデンティティによって、動機に少々歪みが生じていたのだと思います。最初の師から受けた戒めによって、私にも母と同じ歪みがあることに気づきました。

女性は、妻、母親、介護の担い手、いずれの役割であれ、利他的であることによって社会における立場や力をしばしば得てきました。女性の多くは、家庭内で、あるいは社会的、文化的に長年抑圧され、女性に対して自己犠牲を奨励する宗教的価値観に晒されてきました。医師、ソーシャルワーカー、教師、弁護士、管理職の女性たちが、その職業の大変さを語るのを聴いて、女性というアイデンティティが、利他性を発揮したり、行き過ぎた利他性で害を及ぼしたりするのに、いかに影響しているか理解するようになりました。男性の多くも、「仕事上の殉教」と言えるような姿勢で社会的承認を得なくてはいけない点では、確かに共通した問題を抱えています。しかし、私がこれまで見てきたところでは、女性のほうが、余計な重荷を背負って、結果として自分や他の人々を傷つける例が多いようです。

オークリー博士はこのような状況を、「利他性のバイアス」と呼びます。共感的に対人支援をするよう、社会的、文化的、信仰上、期待されることがバイアスになるというのです。私たちの多くはこの利他的にふるまわなくてはいけないというバイアスによって、それがふさわしくない状況であっても利他的になりがちです。たとえば、自分の役目は愛する人の依存症の克服を助けることだと信じ込んで、その手助けは役に立たないという警告も無視し、依存症のパートナーを保釈させてしまうケースなど。また、独善に陥ったり、救済者の役割にはまり込んだりして、無意識に自分の支援行為への社会的承認を求めてしまうこともあります。

それでも、利他性のバイアスは悪いことばかりではありません。地下鉄に轢かれそうになった発作に苦しむ若者の救出、ヒマラヤの被災地の村人への医療サービス、人種差別的な攻撃からヒジャブの若い女性を守ること、死が間近な隣人に手を差し伸べること、ナチスの死の収容所行きになる子供たちの救出は、このバイアスがあったからこそ危険と困難にもかかわらず、成し遂げられたことでした。個人の経験からも、利他性のバイアスは不可欠だということはわかります。もし両親がいくらか利他的なほうに傾いていなかったら、私たちは幼少期を生き抜くことはできなかったでしょう。そして、利他性のバイアスがあるからこそ、私たちは今こうしていられるのです。

もうひとつ、利他性のバイアスについて興味深い考察があります。人間の性質としての利他性という概念そのものだけでなく、倫理システム、すなわち、信仰や宗教的伝統が、利他性のバイアスを強化しているというものです。認知的、文化的システムが、個人の価値観や経験と結びつくことで、無意識のバイアスが生じ、何が真に役立つかを見えなくなるのです。こうしたシステムにだまされると、人は自らの直感、意識、身体、精神が警報を鳴らしても無視してしまいます。友人や同僚などの第三者から意見をもらってもなお、身勝手な利他性を押し通し、あらゆる面に損害が生じることもあります。そして結局、この無意識のバイアスと自己欺瞞が、逸脱した行動を正当化するのを後押ししてしまうのです。「正しいことをしていると思っていた」とか「善い人になれたような気がした」と振り返ることになるでしょう。

ネパール、チベット、メキシコ、アフリカでの仕事から、利他性のバイアスが個人だけでなく社会にも悪い影響を及ぼし、組織的で広範な暴力にいたりかねないことを学びました。国際援助団体が、支援プログラムが現地に与える影響について十分な調査を怠り、援助し救おうとしている苦難の複雑さに、理解が及ばないことはよくあります。

そうならない方法を取ろうと、ウパーヤ禅センターの私たちが決心したのは、二〇一五年の春、ネパールに壊滅的な被害をもたらした地震への対応のときでした。それまで現地のヘルスケア・プロジェクトに携わってきた経験から、優秀で意欲的な若いネパール人が既に現場にいて、地震の生存者を救援しようとしているのが分かっていました。彼らは地域の事情に詳しく、互いに、そして私たちともソーシャルメディアで連絡を取り合うことができました。行動力があり、支援のアイデアも持っていました。また、大規模な国際NGOによる通常のネパールへの救援経路では、震源地であるゴルカ郡の僻地の援助に入るのは難しいだろうという懸念もありました。既に活動に着手している、現地の精鋭ぞろいの若手リーダーたちのほうが効果的に援助ができるはずだと思ったのです。二〇一〇年のハイチの地震では、海外から援助の波が押し寄せたものの、ハイチの人々自身による状況のコントロールをなおざりにした援助であったことも思い出していました。ハイチを「NGO共和国」と言った人がいるほど、ハイチの人々の回復力（レジリエンス）と自律性は軽視されたのです。資金は不正に運用され、さらには国連平和維持活動部隊による水の汚染でコレラが持ち込まれるという、深刻な問題も生じました。

このような海外援助活動の過ちを繰り返さないために、私たちは信頼の置けるネパール人の若い仲間に目を向けたのです。

それまでのヘルスケア・プロジェクトで、私たちはヒマラヤの片田舎で多くの献身的な人々と協力して活動してきました。彼らはたくましく有能で、ものごとのコツを心得ていました。経費はないに等しいのに、人々と親密な関係を築き、どうしたら役に立てるのかを熟知していました。救援活動に関わることが、彼らのリーダーシップ能力を高める機会となり、地震の悲劇が、ネパールを担う次世代のリーダーを養成する道へとつながるのではないかとも考えました。

懸念したとおり、人道支援として拠出された数百万ドルは国庫に集められ、執筆している現在でも、ほとんどは政治的混乱のせいでそのままになっています。

海外からの援助物資は空港に放置され、インドとの国境でも留め置かれました。そのような中、登山家のパサン・ラム・シェルパ・アキタと夫のトーラ・アキタをはじめとする数多くのネパール人の若者を含むウパーヤのチームは、十分な食糧、医薬品、建築資材を、速やかに被災地に届けることができました。ウパーヤと著名な登山家たちのサポートを得ながら、パサンは失業中のポーターたちを雇い、地震が襲った地域に道を建設しました。こうして人々は仕事を得て、援助物資は被災した村々に徒歩で運ばれたのでした。また、パサンはウパーヤが調達した資金でヘリコプターを借りて、ローという僻地の寺院から子供の修道僧を避難させました。寺院は孤立し、子供たちは何週間もまともな食事をとっていませんでした。

パサンの夫、トーラのチームは、何千もの防水シート、毛布、食糧、衣類を、地震の被災者に計画的に届けました。そして、いくつもの学校を再建し、尼寺、寺院、女性たちの集う場や老人ホームも一つひとつ建て直していきました。すべての村で、屋根は安全な建築資材で修復されました。医療サービスは、被災者と、ミャンマーから逃れてネパールに来たイスラム少数民族ロヒンギャの難民にも提供され、これは今も現地の若者主導で続けられています。

一方で、ネパールやハイチや南スーダンでの米国の援助プログラムにおいては、米国の建築請負業者が家屋を建設し、現地の労働者を雇用しませんでした。植民地主義的で、権威的、上から目線の姿勢があらわれており、分別のある利他性ではありません。一九世紀にアン・イザベラ・サッカレー・リッチが著した小説『Mrs. Dymond（ミセス・ダイモンド）』（未邦訳）の、有名な句を思い出します。「魚を分け与えても、一時間もすればまた空腹になる。魚の釣り方を教えるのが、親切というものだ」。真の利他性は、魚の釣り方を教えることだと思います。ネパールの若者のネットワークは、魚を釣れますし、他の人にその方法を教えることもできます。社会活動家として、教育者として、医師として、親として、政治家として、いかにして魚の釣り方を教えることができるのか。こう問い続けることは、利他性をエッジ・ステートとして理解するために大切だと考えています。崖を踏みはずして病的な利他性に陥るのは、自己中心的な理由で他者に尽くそうとするとき、十分な情報の裏付けなしに援助するとき、持続可能でない状況を援助がもたらしているときなのです。

3 利他性と他のエッジ・ステート

五つのエッジ・ステート（利他性、共感、誠実、敬意、関与）は、直接的にも間接的にも、相互に影響し共鳴し合って、私たちをときに支え、ときに行く手を阻みます。苦しむ人への健全な共感は、思いやり、気づかい、利他性を呼び覚まします。誰かがハラスメントを受け、社会の構造的な暴力に脅かされたり、実際に不当な扱いを受けたりしているのを見かけたら、利他の心を持って誠実に向き合い、介入せずにはいられなくなります。利他性は、献身的な関与のための強力な基盤でもあります。しかし、共感を適切な状態に保てなければ、自分が悩み苦しんで役立つことができなくなるか、自己防衛的で拙劣なふるまいをして、他者にも自分にも害を及ぼすことになりかねません。

利他的な行動が自分の道徳的感性と矛盾をきたすと、道徳的苦しみを感じることになります。病的な利他性にとらわれていると、当初は助けようとしていた相手への拒絶や軽蔑があらわれがちです。利他性が健全でないと、結果として燃え尽きるのは珍しいことではありません。一方で、好ましくない利他性を勇気を持って洞察することで、人生をコンパッションへ向かう良い方向へと変容させることもできます。この好ましくない利他性を、ウパーヤ禅センターの運営に携わるキャシー・ムーアは「援助という妄想の暴走」と呼びました。

二〇一六年の初冬、キャシーたちはウパーヤのコミュニティ活動の一環で、サンタフェのホームレスのシェルターを訪れ、二〇〇人の人々に食事を作って提供しました。翌日キャシーは、利他性について学んだある経験を書き記しました。

シェルターでの夕食の翌日、マーシー通りでホームレスの男性とすれ違いました。横断歩道の中ほどで目が合いました。すれ違いざまになぜかお互いの心が通い合ったのです。私は彼をまったく怖がっていないことに気がつきました。初めての感覚でした。不用心で大胆な気持ちだったから怖くなかったという意味ではありません。一五七センチメートルの小柄な女の身体で世界を生きていくのに、必要なだけの用心深さは私にもあります。その男性が微笑むと、長いサンタのような髭が笑顔に揺れました。私は会釈するようにうなずき返しました。とても自然で人間的で、魔法にかかったと言うほどではないにしても、とても奥深いものに感じられました。その後、歩き続けるうちに、罪悪感が冷たい金属の球のようにはらわたに湧いてきました。恥ずかしさよ、こんにちは。ホームレスの人に私自身の顔を重ね合わせられることが、私にとって、このとき初めての感覚であるとは、どういうことでしょうか？　恥ずかしくて当然です。ホームレスという存在から目を背けていたわけでは断じてありません。けれども、これまでは「他者化」していたということです。今までの私は、彼の中に私自身を見てはいませんでした。自分を救済者として見ていたのです。救いをもたらす心で向き合っていたのです。

そのことに気づくと、突然、これまでやってきたことがひどく悪質なものに感じられました。苦しみへの深い嫌悪感を覆い隠す、人助けという欺瞞に満ちた作り話。その根っこにあるのは、助けを必要とする人々よりも自分が高いレベルにいるという思い込みでした。自分は問題を直すことができると信じることで、苦しみから離れたところに自分を置いていたわけです。そう思うと、ひどく吐き気がしました。「救済できる」などというのは、私の妄想の暴走であり、その暴走が問題解決という妄想に私を向かわせていたように思えました。そして、なによりそれによって私は、自分と路上生活者のあいだの違いだけしか見られなくなっていたのです。[20]

ホームレスの男性と目が合い、触れあいの瞬間を共にしたことで、洞察力へと通じる扉がキャシーの前で開かれました。彼女は、助けること、直すこと、救うことは、利他性の健全なあり方ではないと認識するようになりました。その男性を「他者化」していたことに気づき、恥じ入って良心の呵責に苦しみました。「他者化」する見方は、エッジ・ステートの負の側面である軽蔑をいくぶんかともないます。キャシーだけではありません。ホームレスの人たちは、この社会の大半から「他者化」されています。こうした構造的抑圧の一端を見抜いたことで、キャシーは病的な利他性を超えてコンパッションへと導かれました。

キャシーの話は、レイチェル・ナオミ・リーメン博士の大切な教えを思い起こさせます。「助ける、直す、奉仕する、の三つは、人間の生についてそれぞれ異なった見方をしています。助けるときは、対象を弱いものとして、直すときは、壊れたものとして見ています。一方、奉仕する場合は、全体として捉えています」。リーメンは、援助というものは不平等の上に成り立っているとも説いています。「助けるとき、相手に与えるよりも多くを、相手から知らないうちに奪っている可能性があります。相手の自尊心、価値観、誠実さ、そして全体性を低下させているかもしれません。誰かを助けるとき、人は、自分の方が強く優位にあるように感じます。しかし奉仕するときは、自分の強さではなく、ありのままの自分自身で奉仕するのです。私たちのあらゆる経験を活用します。自分の欠点も、心の傷も、心の闇までもが、奉仕を行えるのです。全き自分が、全き相手と全きいのちに対して奉仕をするのです」。[21]

優れた利他性とは、結びつき、気づかい、受容性、他者の幸福への責任感が、徹底されて表れるものです。「助け」て「直す」ことで相手の自律性を奪ってしまわないよう、意識することで生まれるのです。他者が生き延びることと自分が生き延びることは切り離せない、という認識でもあります。ニコラス・ウィントンの勇気が、第二次世界大戦中に多くの子供を救出したように、無私無欲、非利己主義、勇気、寛容、相互関係性、そして万物への畏敬の念が、利他性の特性なのです。

深く取り組むべきは、しっかりとした人格の基盤を内面に形成すること、善意を装ったわざわいを認識できるようになること、罠にかかる前にそこから逃れる手立てを持つことでしょう。それでもいつのまにか、自己欺瞞、誤った動機、称賛への欲求の餌食になってしまうことはあります。そうなったと気づいたときは、失敗がもたらす謙虚さという、ありがたい贈りものを受け取る機会となることでしょう。

4 利他性を育む

一九九四年、五五歳の誕生日に禅の指導者バーニー・グラスマン老師は、妻のジシュ・アンギョ・ホームズや友人と、極寒のなか米国国会議事堂前の階段に坐り、エイズ危機の解決のための次のステップについて真剣に考えていました。バーニー老師たちは、既にニューヨークのヨンカーズで、グレイストン・マンダラという大規模な社会支援複合施設の創設に成功していました。グレイストン・ベーカリー〔ホームレスを含め、人々に仕事を提供する目的のベーカリー〕、HIVのクリニック、児童支援施設、放課後プログラム、低所得者向け住宅、コミュニティ・ガーデンなどが運営されている施設です。バーニー老師を知る誰もが感じるのは、彼のたゆまぬ利他性が革新性に満ちていて、常に新しい画期的なものへと彼が前進を続けていることです。

凍てつくような議事堂前の階段に坐って、バーニー老師とジシュは、後に禅ピースメーカー・オーダー（ZPO）という組織となる、仏教徒の社会活動の構想を練り始めていました。夫妻は、ZPOを構想するにあたり、次の三つの信条の実践を、活動の基盤に据えました。**「知ったつもりにならない（Not-Knowing）」「ありのままを見届ける（Bearing Witness）」「慈悲に満ちた行為（Compassionate Action）」**。勇気ある利他性を育てる道筋となる三つです。「知ったつもりにならない」は、自分自身についても全世界についても、固定観念を手放そうというもの、証人のように「ありのままを見届ける」は、この世界の苦しみや喜びのために、今このときに存在しようとするものです。このふたつの信条から生まれるのが「慈悲に満ちた行為」で、その実践の過程で、世界と自分自身に癒しがもたらされます。

ZPOの果敢な活動は今日も続いています。何日か路上でホームレスとして過ごし、ホームレスであることをありのまま見届ける路上リトリート。アウシュビッツを、証人のようにありのまま見届けるリトリートもあります。一一月の寒さの中、現地に数百人が集い、この三つの信条を実践することで、歴史に刻まれたこの世界の苦しみと、今も続く苦しみに向き合うのです。

一九九〇年代半ばに、私はZPOに共同創設者として加わりました。バーニー老師とジシュと私は他の数名の禅修行者と共に、三つの信条の実践を自らの人生の中心に据え、その可能性を門下生に伝えようと、懸命に取り組みました。数年後、私はウパーヤの仏教チャプレン養成プログラムにも三つの信条を取り入れ、仏教者としての視点、瞑想、行動を訓練する際の礎にしています。

三つの信条と照らしながら、次の問いについて考えてみましょう。目の前の苦しみを知り、それに圧倒されそうなとき、どうしたら知ったつもりにならずにいられるでしょうか。ありのままを見届けることが、単なる傍観者と変わらなくなるのはどのようなときでしょうか。慈悲に満ちた行為が求められているとき、「助ける」「直す」ようになってしまうのを食い止め、いかにして利他性の健全なバランスを保ち、崖からの落下を防げばよいでしょうか。病的な利他性の瀬戸際にいるとき、どうしたら健全な利他性の確かな足場に戻り、転落で打ちひしがれてしまわないようにできるでしょうか。

私の利他性が繰り返し試されたのは、凶悪犯罪者用の刑務所でボランティアとして活動していたときのことでした。受刑者への瞑想指導のため、ニューメキシコ州の刑務所へ最初に足を踏み入れたとき、第一の信条、「知ったつもりにならない」の実践の意味を深く理解しました。凶悪犯罪者を収容する刑務所の中にいるのが怖くて仕方なかったのです。受刑者は全員、複数の殺人を犯したギャングメンバーで、そんな彼らと関わることは不安でした。ボランティア向けの説明で、私たちが受刑者によって人質とされても、刑務所職員は救出の責任を負わないと告げられたことで、さらに不安はつのりました。

それでも、この何とも恐ろしい場での奉仕活動は、以前から望んでいたことでした。死にゆく人々の傍らでの数十年にわたる活動を経て、まったく馴染みのない世界から学ぶ必要があると感じていたのです。また、経済システム、人種差別、文化的排他性が、刑務所産業という構造的抑圧を増幅させていることも、痛感していました。米国の正義と不正に付随して生じている苦悩の中により深く飛び込んで、社会的な病を抱え込んだ被害者でもある彼らの役に立ちたいと思ったのです。

刑務所の「教え子」たちとの初顔合わせは、「知ったつもりにならない」について多くを学ぶ機会となりました。彼らを会議室に連れてきた刑務官が出ていくと、私と同僚の女性だけが、荒っぽい風貌の入れ墨をした十数人と共に取り残されました。大半がサングラスをかけ、頭を剃り上げて、刑務作業用のヘアネットで額をきっちりと覆った姿。皆、プラスチック製の椅子に、だらしない姿勢で股を大きく開いて坐っています。

禅僧として私も頭を剃っていましたが、ヘアネットは無く、もちろん脚はきちんと組んでいました！

彼らと輪になって落ち着かない心持ちで坐っているうちに、自分の恐れが、この無言で仏頂面の男性たちとの交流を妨げているのだと気づき、はっとしました。刑務所の「中」にいるのだから、気を楽にできるわけがないという、固定観念をただちに捨て去る必要がありました。まずは、チェックイン、つまり、どんなふうに過ごしているかから話を始めてみないかと、彼らに尋ねると、ひとりが唸るような声で了承しました。私は自分の呼吸に意識を向け、自分を落ち着かせました。そして、私たちの時間が始まったのです。

最初の男性は、ただ私を睨みつけ、私はうろたえました。ふたりめは、サングラスをかけていて、彼の目を見ることができませんでした。サングラスを外してもらえないかと、丁重に頼んだところ、さっと上にあげて、すぐに下ろし、血走った眼が一瞬見えました。私は笑みで応えるしかなかったのですが、そのとき輪にいたもう何人かも頬を緩めました。

次の人がサングラスを取って話すと、場が和らぎ始めました。順々に発言していくにつれ言葉数も増え、最後の男性はシャツのポケットから小袋を引っ張り出し、私に手渡しました。ヘアネットでした。袋を開けてネットを取りだし、頭にそっとつけると、部屋中が、笑いの渦に包まれました。こうして、知ったつもりにならないことの六年間に及ぶ実践が、米国内でもとりわけ厳しい刑務所で始まったのです。

いわゆる「専門家」でいるとすぐに、彼らと私は分け隔てられてしまう。あのときに気づき、今は身に沁みて分かっていることです。人は恐怖心があると、専門という壁を築こうとしてしまいます。刑務所での経験から、自分の先入観や経歴による思い込みを、きちんと見極めることが重要だと学びました。そうしたものが、大切な瞬間と自然に向き合うのを妨げるのだということも。知ったつもりにならないことの実践は、先入観があると決していたることができない領域まで視野を大きく広げ、結びつきと優しさをもたらす、利他性の基礎なのです。

ふたつめの信条、「ありのままを見届ける」の実践とは、全身全霊でそこに在ることです。あらゆる惨事にも、平常時にも、いかなる喜びにも、全身全霊で関わっていくこと。より深いレベルで言うと、周りの人々や世界、自分自身と、フィルターのかかっていない関係を保ち、手と心を開いた状態で共に在ることを意味します。

ネパールでウパーヤ禅センターの移動診療の活動をしていたとき、物質的には貧しい大勢の人々や怪我や病気の人を、ありのまま見届ける証人となりました。腐敗した政府や、環境の悪化、チベット民族が疎外される状況についても、ありのまま見届ける証人とならねばなりませんでした。チベットの人々を慈しみ、彼らの置かれた状況の真相に何度も寄り添いました。彼らのコミュニティに何が役立つのか知るために。こういったことをするためには、ふたつめの信条の実践が不可欠でした。

「知ったつもりにならない」と、「ありのままを見届ける」から、三つめの信条である「慈悲に満ちた行為」が生まれます。これは、禅師、雲門文偃（うんもんぶんえん）が言うところの「ふさわしいあり方で応じる」（対一説）とも解釈できます。[22] つまり、他者に恩恵をもたらそうと明確な意図をもって行動する（あるいは、あえて行動を慎む）という意味です。哲学者、ジッドゥ・クリシュナムルティはこのように記しました。「あらゆる行為は、関係性の中においてのみ、意味を持つ。関係性への理解なくしては、いかなる水準の行為も、軋轢を生むだけである。関係性を理解することは、行動計画のための調査よりも、はるかに重要である」。[23] 私はネパールに足を運び、ウパーヤの医療支援を数十年にわたって支えるなかで、「知ったつもりにならない」、「ありのままを見届ける」を基本としてきました。ヒマラヤの人々と育んできた関係性に根差して、活動を続けてきたのです。

三つの信条は、多くの人が歩みやすいと感じる方向性の逆をいくものです。ケアに携わる人は、ものごとを成し遂げることを優先しがちです。これは教育者、弁護士、社会活動家、親、そして私自身もそうです。また、人は他者を援助するとき、自分の専門性、知識、これまでの経験に頼りがちです。しかし、先を急がず過去に頼らず、今この瞬間に集中して向き合うことができれば、三つの信条が極めて有意義なかたちで私たちを導いてくれるはずです。私にとって三つの信条は、エッジ・ステートの力と向き合うための最も有力な「ウパーヤ（優れた実践の手立て）」です。本書で五つのエッジ・ステートとその実践を探究するにあたり、自分自身や他者の苦しみと向き合うための優れた実践の手段として、智慧とコンパッションを深め、自由を見出す道筋として、あらためてこの三つの信条について見ていきましょう。

知ったつもりにならない

では、具体的にどのようにして三つの信条を実践したら良いでしょうか。そのポイントを順番にご紹介します。

苦しんでいる人に役立ちたいと感じたとき、いつも私は、息を深く吸って気持ちを落ち着かせ、吐きながら身体を楽にします。そして、その人の苦しみと向き合いながら、自分に次のことを問いかけます。「先入観なく心を開いたままに保ち、早急に結論づけ行動しないようにするには、どうしたらよいだろうか。この状況において役に立ちたいと思う、本当の理由は何か。病的な利他性の落とし穴に陥っていないか。この瞬間に、害にならずに役立つために、必要な資質を自分は備えているだろうか」。問いかけてみて、恐れや批判、苦しみへの嫌悪感がでてきたときは、そのことを自覚し、呼吸に意識を向け、自らをグラウンディング〔意識をしっかりと身体に戻し、地に足がついた状態にすること〕させ、それから起きていることの前にただ在るようにすることで、心を開いた状態に戻ります。

さきごろ死の近い友人の病床にいたときのことです。彼の妻が突如、ベッドにもぐりこみ、横になっている夫の枕を勢いよく整え始めました。それから彼の腕をとんとんと叩きながら、何度も、あなたは大丈夫よ、と言うのです。私の見るかぎり、彼は「大丈夫」な状態ではありませんでした。それでも彼ら両方のために愛ある場を整え、「知ったつもりにならない」という信条を深く実践する必要があったのです。彼女は恐怖におののいていました。彼は精神的にも身体的にも悶え苦しんでいました。しばらくすると、ふたりとも静かになりましたが、彼女を夫から引き離さなければ、という衝動を抑えるのは容易ではありませんでした。一呼吸置いて地に足をつけることで、私は助け舟も忠告も慎み、ただそこに在ることができたのです。

ありのままを見届ける

「知ったつもりにならない」は、「ありのままを見届ける」の支えとなります。他者の苦しみに寄り添うため、そしてその苦しみを前にした自分自身の反応に気づくうえで、大切なのは、コンパッションと平常心を体現することです。地に足が着いた状態に、何度も何度も戻ること。自分は状況を肯定するのか否か、心の動きをしっかり観察することも不可欠です。証人のようにありのままを見届けるとは、ただ傍観するのではありません。むしろ、関係性の中にしっかりと在ることであり、あらゆる惨状とも向き合う勇気を持つことなのです。容易ではありませんが、実践を重ねることでできるようになってきます。

リタの話をしましょう。サンフランシスコのダウンタウンで、ある雨の日のことでした。ホテルを出てタクシーの列に並んでいたら、アフリカ系アメリカ人のホームレスの女性が私に近づいてきました。丈の長いスウェットシャツに剥き出しの脚。タクシーを待っているのかと尋ねられ、そうだと答えると彼女は、「わたしが善い人間だってわかるでしょ」と言いました。それから、私の絡子（菩薩戒を授かった禅僧が、首から掛けて胸前に着用するもの）を指差しました。そして「あなた、尼さん？」と言うので、私は一呼吸置いてから、彼女の目を見つめながらうなずきました。その瞬間、私は彼女と共に在り、目を背けず、急いで通り過ぎもせず、他者化することもなくいられる方法がわかった気がしたのです。彼女とつながりたい、ただ共に在りたいという気持ちが自然に生まれました。そうしようと思っていたわけではなく、ふたりに降り注ぐ雨の中、気づいたときにはそうなっていたのです。

それから、彼女はお金を恵んでくれと言いました。私は現金を持ち合わせておらず、そのことを穏やかに伝えました。目をそらしたり、彼女から距離を置こうともせずに。少しのあいだ、ただ穏やかに彼女と時を共にする存在であろうとしたのです。すると突然、彼女は苦痛に襲われ、涙と叫びの中に崩れていきました。私に怒鳴りちらすので、ホテルのドアマンが慌ててやってきて、「リタ、もういいだろ。さあ、行きな」と声をかけました。しかしリタはどこへ行くつもりもありません。それは私もでした。彼女のことが心配で、自分のことも心配で、この親密な瞬間が、私たちのあいだにあった壁を取り払っただけでなく、彼女自身から彼女を守っていた壁をも崩してしまったのだと気づきました。

本当に何もわからないまま、私はそこに立っていました。彼女の苦しみだけでなく、自分自身の困惑を、ありのままを見届ける必要がありました。彼女の苦しみは明らかで、それを和らげる力は私には皆無でした。私はただ、不器用ながらも、落ち着きを取り戻し、深く息を吸って、リタの混沌としたエネルギーをありのままに見つめ受け容れました。

この日、リタから得た教訓は、親密さは、十分に時間をかけて育んだ関係でないと、かえって苦しみをもたらしかねないということです。リタとの出会いと共に在ろうとして、私はできるかぎり三つの信条を実践しました。私の師、バーニー老師の言葉を思い出したのは、あとになってからのことです。「路上の人生のありのままを見届けるときは、私たち自身を差し出すのです。毛布でも、食べものでも、衣服でもなく、ただ自らを与えるのです」。[24] つまり、困惑も、愛情や敬意も含めた、自身のありのままをそっくり差し出すということです。リタと出会ったとき、どういうことになるか予測したり、結果をコントロールしたりするのは不可能でした。ただ彼女の苦しみから目を背けることができないことだけは、わかりました。

本当にリタの役に立つためには、どんな慈悲に満ちた行為が可能だったろうかと自問し続けました。単純な答えはありません。もしかすると、互いに役に立ったのだと言えるかもしれません。不完全だったと思われる相互の関係を振り返り、どうしたらもっと成熟したふるまいができたかと考えるのも、大切な実践の一環だと思います。どうすれば害を減らし、ひいては役立つかたちで直感と洞察力と経験を結びつけることができるだろうかと。かといって、わかりやすいポジティブな結果を欲することも、新たな問題を生みかねません。ありのままを見届けるとは、その状況すべてとあるがままに共に在るということなのです。

慈悲に満ちた行為

地に足をつかせ、身体を意識しなおすことは、三つの信条のいずれの実践においても大切です。リタの苦悩に出合ったときに、私がしたことでもあります。「慈悲に満ちた行為」をとる段階では、どの行動が最も状況にふさわしいかを察知するためにも、何もしないのが最も慈悲深い対応であると知るためにも、落ち着きが必要です。思わず飛び込んでいき、助けよう、問題を解決しようとする寸前で、息を吸って吐いて、身体に意識を向ける時間を少しとることで、そのとき必要とされていることに合った選択ができたということが何度もあります。立ち止まって、地に足をつけることで、自分自身を解き放つ時間が生まれるのです。

身体は、私たちにメッセージを送ってくれることがよくあります。何をするか、なぜするかのあいだに矛盾があるとき。やっていることが、自身の道徳倫理観に背いているとき。何もしないほうが良いかもしれないとき。あるいは必要とされたいという欲求のために奉仕しているとき。

身体を注意深く意識すると、崖を踏みはずしたときの肉体的な感覚がどのようなものかも理解できます。腹や胸の激しいこわばり、胸、喉、目、頭部のあたりの緊張、びくつき、うずきや痛み、手の冷え、発汗、逃げ出さんばかりの足の震え。やりたくないことをしていると、己と身体が分離しているように感じることもあるでしょう。頭の中で自分の行動を正当化することはできるかもしれませんが、気持ちの落ち込みや身体の緊張は真実を表します。呼吸と身体に意識を向け、その声をありのままに受け容れると、崖を踏みはずして病的な利他性の沼へ陥るのを避けられるでしょう。

三つの信条を実践すると、スピリチュアル・マテリアリズム、自己欺瞞、承認欲求といった利他性の陰の部分が露わになっていきます。少し足を止めて、自分の動機を振り返ると、感謝や称賛欲しさに行動していたと自覚するかもしれません。ちっぽけな自己を攻撃することなく認め、自分のうぬぼれや、満たされていない感情的欲求を認識して、良い教訓として受け取ればよいのです。他者に役立とうとする動機には、少しは無私であるところがあるはずです。行動する前に三つの信条を顧みれば、適切に役立っているのか、それとも単に助けて解決しようとしているのか、見分けることができるでしょう。

5　利他性の崖で見出すもの

仏教の中核的な教えである無執着は、利他性について考えるうえで重要な原理です。他者の苦しみに対峙したとき、それが家族や同僚、患者であれ、動物、人の集団、この地球であれ、役立つためには、誠実かつ親密さをもって苦しみと向き合おうとすることが求められます。いつ崖から転落してもおかしくないことを認識して、「知ったつもりにならない」を実践することも必要でしょう。ゆるぎない足場で周りの転落する人々を皆受け止めることができる、高潔なところにいつかはいたれる、というわけではないのです。私たちは皆、足場のない人生の無限の空間を、そろって落ちているようなものなのです。空中に浮いているあいだに、安定を保つことを覚え、拠りどころを無くした恐怖から解放されるよう、他者を支えることを学ぶものなのです。最終的にたどり着く場所に地面は無く、そこにあるのは、地面などないと知ったことから生まれる自由です。そこで、執着を手放しながらも親密さをもって、共に人生の無限の空間を旅するのです。

無執着は、無関心で気にかけないという意味ではありません。気にかけるからこそ、無執着でいられるのです。アルコール中毒患者などの回復のための叡智あるガイドライン「一二ステップのプログラム」は、「愛をもって距離を置く」という標語を掲げています。愛をもって心理的に距離を置くことは、期待という制約から私たちを解放します。他者への奉仕がうまくいかないと、失望、罪悪感、恥辱を感じることがあるでしょう。「良き死」を願って支えてきた死にゆく人が、困難な最期を迎える。早く刑務所から出られるように援助した受刑者が、高級時計を万引きして、またもや収監される。スーダンの子供の教育活動のため五年がかりで資金を集めたのに、校長が教師に給与を支払わずプロジェクトが崩壊。例をあげればきりがありません。結果を期待する執着心が、私たちを捉えて善良さの崖の上から引きずり下ろそうとするとき、三つの信条の実践が支えとなるでしょう。

利他性はまた、文化、人種、性別、性的指向、教育、階級、経歴が、バイアスや価値観となって、いかに私たちの行動を方向づけているか、また奉仕の相手を上回る力や特権を持つことが、いかに奉仕への期待を高めるかについて、目を向けることでもあります。知ったつもりにならないとは、自らのバイアスから目を背けることではありません。むしろ、この信条によって、自分の持っている固定観念が明るみに出て、気づきやすくなります。無意識のうちに他者を物扱いしていると、相手を憐みや力を示すための対象にしてしまい、利他性が病的なものになっていくのを目にすることになるのです。

相手との関係における手立てとして、もうひとつ重要なのは、境界を設けることです。これは利己的になるという意味ではありませんし、相手を避けるとか、「他者化する」（他人ごととして考え、ときに相手を下に置き、自分とは異なる部類と見なす）のとも違います。適切な境界を設けることは、共感疲労に陥るのを防ぎます。言うなれば、私たちは苦しんでいるその人自身にはなれない、と心に留めておくことです。苦しむ人に自分を同一化しすぎるようになったときは、三つの信条を実践することで、崖から落ちそうになっていることを認識し、共感をコンパッションへ変容させることができます。開かれていること（知ったつもりにならない）、苦しみと共に在ること（ありのままを見届ける）、心を込めて応えること（慈悲に満ちた行為）が、コンパッションを生むための強力な手段なのです。

何らかのコミュニティに属すことも、地に足をつけて現実的な考えを保つために有効な手立てです。オークリー博士は、外部からの目が必要だと言います。家族、同僚、スピリチュアルな活動グループであれ、奉仕している相手の属すコミュニティであれ、私たちのありのままを見る証人となってくれる人々は、表面的な利他の行動が害をもたらす前に（あるいは後に）、誤った道を修正してくれます。また、三つの信条の力を忘れないよう導き、困難から救ってくれる優れた師を持つことも、大きな助けになるでしょう。

このような実践と視点を重ねていくと、私心無く純粋に他者の苦しみに応じられるときがきます。そのときまで、私たちは実践の場で、三つの信条に基づいて行動し、経験から学んでいかなければなりません。己に正直で注意深くあれば、利他性の健全さは保たれるでしょう。

自己をあれこれ批判、判断するのではなく、自分自身に親しみや好奇心を持つことも大切です。明代の思想家、洪自誠（こうじせい）は『菜根譚（さいこんたん）』にこう記しています。「穢れを含む土壌は、無数の作物を育む。

澄みきった水には、魚は棲めない。ゆえに、成熟した人物とは、難点を然るべく含む者である」。[25] 思慮深い名言です。完璧に利他的な人は、いないに等しいのです。利他性は、私たちを崖に導きます。崖に立つならば、ことによると縁から落ちたとしても、結果として私たちの謙虚さと基礎となる人間性が育まれます。「多くの善き事を、意識せずとも行う者とならんことを」[26] という言葉は、利他性の核心をついています。私たちが謙虚で開かれた心のすべてをもって、知ったつもりにならず、ありのままを見届け、慈悲に満ちた行為を実践することができますように。

私自身も、崖から落ちたことで学んできました。適切ではない援助や問題解決の落とし穴にとらわれたこと。利他性の名のもとに行ったはずが、かえって不幸を招いたこと。過労による失敗を切り抜けたことや、過剰な共感、道徳的葛藤、良心の呵責、力関係の歪みを経験したこと。おそらく以前よりは、そのなかで得た智慧をもって奉仕できていると思います。

崖から転落しようとすべきではないのはもちろんです。しかし、落ちた場合にもがくことは、苦しみだけでなく贈りものも、もたらしてくれます。足を踏みはずし、その道のりから学びを得た人の話は、地にしっかりと足をつけて立ち続けた人の話に劣らず示唆に富んでいます。先に、アルコール依存の息子が家にいるのを許している夫妻について述べました。夫妻はいずれも崖から落ち、共依存の沼にはまっていたのは間違いありません。しかし、息子との闘い、夫婦間での闘いを経て、やがて難局から抜け出すことができたのです。

瞑想のワークショップに参加し、母親は、息子を長年こんな状態にさせているのは自分と夫なのだとひらめきました。夫にも状況を変えるための計画に協力してもらい、息子にお金を与えるのを止め、出ていくように伝え、玄関の鍵を変えました。これはある意味、愛による行為でした。息子は友達の家を泊まり歩きましたが、やがてそれもできなくなります。数カ月間ホームレスとして過ごし、刑務所を出入りし、悪循環に陥っているように見えました。母親は息子のことを聞いて心底心配しましたが、屈しませんでした。息子に与え続けることは、彼女や夫にとっても息子にとっても害になると分かっていたのです。この若者はどん底まで落ち、やがて必死で助けを求めるようになりました。

現在、彼は断酒をして一年半が経ちます。自分のアパートで暮らし、更生施設で仕事をしています。母親は、息子の断酒をうれしく思うばかりでなく、共依存を抜け出し健全さを取り戻す道のりで多くを学んだことを、喜ばしく思うと話していました。「母親として、私のすべきことは、息子の断酒のために最善を尽くすことだと思っていました。食事や住まいを与えるのも私の役目だと。けれども、本当にやるべきことは、愛情を持って断ち切ることだと気がついてから、いろいろなことが変わったのです。この教訓は忘れません。以前は依存症のことなんて何も知りませんでしたが、今はよく分かります。依存症の人や、彼らが愛する人への、コンパッションの気持ちで今はいっぱいです」。彼女が崖で学んだのは、共感と智慧だったのです。

利他性は私たちの人生に、目的と奥行きを与えてくれます。他者に役立ちたいという深く強い思いは、困難なときも、相手に揺るぎなく関わっていけるよう私たちを支えます。生きとし生けるものすべてを苦しみから救済するという菩薩の誓願は、私たちが自己中心的にならないよう導いてくれます。こうした強い思い、誓いを持つと、人はちっぽけな自己を離れて、自他の境界を越えた相互の結びつきに気づき始めます。

突き詰めれば、自他の区別も、奉仕する者と奉仕を受ける者の区別もないと分かるでしょう。私たちは、「木でできた操り人形」〔仏教で、無私、無欲で世に尽くす慈悲を象徴すると言われる〕として、世界のありように呼応する存在になりうるのです。人形の手足は、世界の苦しみと結びつけられた糸で動きます。春が訪れると雪が解けて水となるように、利他性に導かれ、自然に私たち自身も変容するのです。思いやりによる潤いが水分を与え、無限の利他性の種が芽吹き始めます。私たちの強い願いが己を含む生きとし生けるものすべての幸福に向けられるとき、思い煩いは落ち着きを取り戻し、自他の別を考えることも、成果を期待し執着することもなく、今このときに在ることができるのです。

ギリシア神話には、ケンタウロス族のケイロンがヘラクレスの毒矢に刺される物語があります。負傷したケイロンは治療法を探し求め、その過程で自分より苦しい運命にある者に自らの不死の力を与えることを選びました。傷を負ったことがケイロンを変容へと導いたのです。心理学者のユングは、著述のなかでこの神話に言及し、無限のコンパッションへと変容した苦しみの経験から発生した利他性の象徴として、ケイロンを取り上げ、「傷ついた癒し手」の原型としています。

傷ついた癒し手は、一切を心から排除することなく、受け止めようとします。そのためには崖の上で胸を張って立ちながら、努力と安らいの心を併せ持つことが必要です。死の迫った子供の傍らにただ坐って時を過ごすとき、難民たちが怯えているテントにいるとき、努力と安らいの両方が、見返りを求めずに相手に尽くし、結果がたとえ粗末であってもそこに在り続け、実践に心を向け続けるために必要なのです。努力と安らいを併せ持つとは、恐れを手放し、内山興正(こうしょう)老師の言うところの「思い手放し」(思考を手放し生命の実物に目覚めること)をすることです。このふたつを併せ持つことで、剥きだしの丸裸で目の前のいかなるものとも対峙する勇気と気力、身動きできないような苦しみの最中にも、心の奥底から己のすべてをさらけだす力が生まれるのです。

愛

先日、利他性とコンパッションについての講演を行ったあと、サラという高齢の女性が声をかけてきました。三七年間連れ添った夫が、アルツハイマー病であるという話でした。毎晩サラが夫をベッドに寝かせると、夫は彼女を見上げて、妻とは認識せず、ゆっくりとした口調で無邪気に「なんて優しいご婦人だ」と言うのだそうです。

そう語るサラの瞳には、自己憐憫も悲哀も、涙をこらえる気配も、一切うかがえませんでした。一呼吸置いてから、サラは静かに付け加えました。「その言葉を聴くのを、結婚生活のあいだずっと待ち続けていたんです」。

サラが夫のこの言葉を引き出すために介護しているわけではないのは確かです。夫の言葉は、彼女の溢れんばかりの思いやりを的確に表現しているようです。その後、彼女は、夫の世話をするのは人生でいちばんの幸せな時間だと打ち明けました。

自負心による奉仕や見返りを求める奉仕ではなく、愛による奉仕に、私たちは何よりも深い価値を置きます。アガサ・クリスティの『スタイルズ荘の怪事件』の一節を思い出します。「分かるでしょ。エミリーは、ああいう自分勝手な老婦人なのよ。とても気前がいいけど、いつも見返りを求めたわ。人にしてあげたことを、絶対に忘れさせないようにするの。だから、愛を失うのよ」。[27]

サラは愛を失いませんでした。ニュー・ハンプシャー大学の陸上競技のアスリート、キャメロン・ライルも愛による奉仕をした人物です。彼が米国骨髄バンクのBe The Matchというキャンペーンで口内の粘液採取の検査を受けてから二年後、ある患者と型が一致したので命を救うために骨髄をすぐさま提供してほしいと電話が入りました。一カ月後に優勝をかけた試合が予定されていましたが、骨髄採取のためには入院せねばなりません。彼はその年で大学を卒業するので、競技に出る最後の機会でした。でも、ライルは迷いませんでした。誰だって金メダルを目指すよりもドナーになることを選ぶだろう？　と。陸上のコーチががっかりするのではないかということだけが気がかりでしたが、事情が分かると、コーチもチームメートも彼の決断を惜しみなく支えてくれました。後に、この私心のない行動が注目を浴びると、彼は戸惑っていました。キャメロン・ライルは、試合を逃しましたが、愛を失いはしなかったのです。

この章でご紹介したウェスリー・オートリー、ニコラス・ウィントン、サラ、キャメロン・ライルは、皆愛を失いませんでした。ローザ・パークス〔アフリカ系アメリカ人による米国の公民権運動の象徴的な存在である活動家〕、マララ・ユスフザイ〔パキスタン出身の人権活動家。二〇一四年にノーベル平和賞受賞〕、リゴベルタ・メンチュウ・トゥム〔グアテマラの先住民族の人権活動家。一九九二年にノーベル平和賞受賞〕も、勇気をもって無私無欲で世界のために尽くし、死をも恐れずに苦しみと向き合う決意を貫いた、偉大な利他性を体現した人物たちです。

読者の方々や私が住む世界で経験することは、それほど劇的であったり、命が脅かされたりするようなものではないかもしれません。そしてそれは決して悪いことではないのです。それでも、愛を失ったり、人の役に立てる貴重な機会を避けたりはしたくないものです。

昨年、詩人のジェーン・ハーシュフィールドが、一〇世紀の日本の歌人、和泉式部の短歌を初めて読んだときの、人生が変わったかのような感動を語ってくれました。この美しい短歌は、危機、苦悩、柔軟性、勇気を表し、困難にあっても光を取り入れ、利他性を支える、目に見えない大切なものを詠っています。

かくばかり風はふけども板の間もあはぬは月の影さへぞ洩る[28]
(この荒れた家は風がひどく吹きこむけれども、屋根板のすきまから月の光が洩れてくる)

この短歌について、ジェーンは二〇一六年の講演[29]でこう語りました。「家がしっかりしていると、雨が洩ることはありません。でも月の光も差し込まないのです」。私たちの人生に生命を迎え入れ、他者を迎え入れ、世界を、そして闇夜をも迎え入れるべきなのでしょう。知識や恐れの屋根で覆って、月光を遮らないように。利他性は、まさにこの月の光を通すことであり、この隔たりのない荒れ地であり、この壊れた屋根なのです。

大切なのは、崖の縁で利己主義に滑り落ちる危険を自覚する力と、人生の脆さやその神秘から学ぶ力です。利他性が道徳に根付き、思慮深く、利己的でないとき、人は、「知ったつもりにならない」場である崖の上で立っていられます。利他性の良き友であるコンパッションと智慧と愛をもって、人間の心深くにある善なるものの導きに、自ら応えられる強さを培うのです。古家の屋根板のすきまから差し込む月の光に導かれるように。

第2章

共感

Empathy

共感は、ありがたい恩恵と迷惑な侵略的介入のはざまに、
いつも不安定に腰かけている。[1]

――レスリー・ジェイミソン
〔一九八三年生。米国の小説家、エッセイスト〕

ネパール北西部のシミコットの小さな医療施設で、何年か前に、ウパーヤの診療所の活動をしていたときのことです。ある朝早く、粗末な身なりの疲れ果てた様子の男性が、このヒマラヤの片田舎の医院に、汚れて悪臭のする包みを抱えて入ってきました。私たちのチームの中心となっている医師が近づくと、男性は黙ったまま、臭気を放つ古布の結び目を解きました。中から現れたのは幼い女の子で、大やけどを負い、頭も腕も、背中や胸も、ひどいことになっていました。名前をドルマといいました。

やけどを診察すると、白いウジが溢れるように湧いている部分があり、感染症を引き起こして赤くただれているところもありました。ドルマの父親は無言でしたが、その瞳

には、耐えがたい悲しみと深い絶望があらわれていました。ネパール人と欧米人の合同医療チームがすぐに集まって、女の子を木造の小部屋に連れて行き、ネパール人看護師が傷の洗浄を始めます。

大変な処置にのぞむ皆を支援しようと、後を追って私もその部屋に滑り込みました。小児麻酔薬はなかったので、ドルマの泣き叫ぶ声が一帯に響き渡りました。洗浄は非常に長い時間に感じられ、そのあいだ私は、この危機的状況に対処するネパールと欧米の看護師や医師たちのひしめく輪の縁に立っていました。

私はことの始まりから、医療チームと女の子だけでなく、私自身の心身の状態も観察していました。七〇年代に、マイアミ大学の医学大学院、レオナルド・M・ミラー医科大学の熱傷治療室のコンサルタントとして働いていたので、やけどの創面切除というものがどれほど痛みをともなうか、よく分かります。創面切除とは熱傷部位から、感染した細胞組織や壊死組織を取り除くことで、医療チームは熟練した技量を要する大がかりな処置を、この小さな女の子に施していたのでした。

私の心はドルマへと向けられました。手当てのあいだじゅう泣き続けるドルマ。彼女の涙を映す苦悩に満ちた父親の瞳。その場に立ち会いながら、私の心拍数は上がり、肌は冷たく湿っぽく、呼吸は浅く速くなっていきます。このままでは気を失ってしまうと思い、その部屋から出ていこうかとも考えました。しかし、この困難な処置を行っている彼ら彼女らのためにこの場に留まるのは私の責任だとも感じていました。数秒のうちに、私の内面は、堅く小さく握られた苦痛の塊のなかに閉ざされていき、今にも気を失いそうになってきました。ドルマが私の肌の内に入り込んだようで、彼女の痛みを知覚して圧倒されていたのです。

ある意味、この苦痛が私の目を覚まさせる警報となり、自分が危険な崖の縁にいるのだと気がつきました。それは私にとって馴染みのある場所です。この状況を乗り越える方法は、目の当たりにしていることを避けるのでも、目を閉ざすのでも、部屋をあとにするのでも、失神してしまうことでもないことが分かりました。ドルマへの自身の同一化がもはや制御できなくなっており、部屋に留まるためには、過度な同調から支援へ、共感からコンパッションへと移行する必要がありました。

このとき私が経験していたのは、共感疲労でした。他の人の痛みや苦しみを、自分のことのように感じてしまう苦痛の形です。それに気づいて、私は共感疲労を抜けてコンパッションへと転換するために生みだしたGRACEというアプローチ（の初期バージョン）を実践しました。詳しくは第六章で紹介しますが、簡単に言うと、GRACEは、以下の各頭文字を覚えやすく組み合わせたものです。

Gathering our attention　注意を集める
Recalling our intention　意図を思い出す
Attuning to self and then other　自らと調子を合わせ、それから相手と調子を合わせる
Considering what will serve　何が役立つか考える
Engaging and then ending the interaction　実行し、それから関わりを完了する

このアプローチを、シミコットの診療所の窮屈な小部屋で、共感疲労の高まりを制御し、自分自身をコンパッションに向けて開くために用いました。緊迫した危うい瞬間の中で、自分を捉え直し、深く息を吸ってマインドフルな状態になる。足もとに注意を向け、足が床を踏みしめている感覚に集中する。少し時間をとって地に足をつける（自らをグラウンディングさせる）。そして、手当てをしている皆と同じく、奉仕するためにここにいるのだと、しばし思い起こす。身体を意識したまま、大地にしっかりと根を下ろす。そうして、心拍数が落ち着き冷静になってから、改めてドルマに意識を向けました。そうすると、この小さな子は、何と良くがんばっていることだろう、と感じられました。こうしたすべては、せいぜい一分ほどのあいだに起こったことです。

それから、幼いドルマにとって（医療者にとっても）、この処置を耐え忍ぶのは途方もなく辛い経験ではあるとしても、医師や看護師や手伝いの皆がそろってドルマの命を救っているのだと思いいたりました。そしてそう思った直後、温かい気持ちが満ちてきて、ドルマを診療所に連れてきてくれた父親への感謝と、ここでドルマを死の危険から救った思いやり深いネパール人看護師らのチームへの感謝が、深くこみ上げてきました。部屋中を見回して、愛と強さをその場の皆に、とりわけドルマに送り届けました。

数時間のちに、父親が小さなドルマを腕に抱きかかえて診療所から帰っていくのを見送りました。ドルマの表情は明るく穏やかでした。ドルマの瞳も父親の瞳も輝いていました。父親の表情は若返ったように見えました。彼には感嘆を覚えました。ずいぶんな距離を歩いて、娘を診てもらおうと連れてきたのです。ふたりの肩を抱き、お辞儀をして、父親の手に娘の今後の回復を促す薬があるのを確認しました。

私は午後には診療所に戻り、死の近い老女の傍らに坐り、息苦しそうな彼女の額に、私の右手を置きました。それから、慢性閉塞性肺疾患の女性のもとに寄り添いました。彼女も死が近づいていました。こうした仕事で診療所の一日は過ぎていきます。まるで生と死の波が今という岸辺に寄せては返すように。

やがて夜が訪れ、診療所が閉まると、来訪者用の空き地に張った自分のテントに戻りました。そこから何かを学ぶようにと、私たちにもたらされた命。自分はそれぞれの命に接岸する小舟のようだと感じました。ヒマラヤの闇と静けさのなかで、私は眠りに落ちました。

共感という、他者の経験を自分自身に取り込む力は、人間が基本的な性質として備えているもので、友人や家族との関係、社会、この地球を、健全に機能させるために重要な力です。共感は、人の心をより良い方向に育みます。自分を開き真っ直ぐな状態で共感を抱き続けることができれば、私たちは共感の大地にしっかりと立っていられるでしょう。

ただし、共感の崖(エッジ)では、微妙なバランスが求められます。共感はいともたやすく共感疲労へと転じます。他者の身体、心、思考に、自分を過度に同調させてしまうと、簡単に崖から転げ、共感疲労の暗い沼へと落ちてしまいます。共感をエッジ・ステートのひとつとして認識すれば、共感疲労の兆しに気づき、沼に深く落ちてしまわないうちに、長くはまり込んでしまう前に、道を正すことができるはずです。

1 共感の崖にて

「共感（empathy）」という言葉は、古代ギリシア語の「empatheia」に由来し、これは「in（内）」と「pathos（情念）」を意味する語が組み合わされたものです。[2] この古代ギリシア語を一九世紀にドイツの哲学者が借用して、内面を感じとることを意味する「Einfühlung」というドイツ語をつくり、このドイツ語が後に英語に訳されて「empathy（共感）」となりました。[3] 対人関係における共感は、私たちのほとんどが備えている能力で、他者を自らの意識の中に取り込み、それによって、他者が身体的、情動的、認知的に経験するであろうことを感じとる力です。

共感は、言葉の由来のとおり、「他者の内面を感じること（feeling **into** another）」です。一方、コンパッションは、「他者のために感じること（feeling **for** another）」[4] であり、他者に恩恵をもたらす行動を起こしたいと切望する気持ちをともないます。多くの場合共感はコンパッションの前兆であり、コンパッションの一部ですが、コンパッションではありません。共感が良い状態であるためには度を越さないよう適度に保たねばならないのに対して、コンパッションは、過剰になることはありません。

対人支援に携わる人のあいだでよく「コンパッションによる疲労」という言葉が使われることがありますが、私の経験ではそのようなことはありません。コンパッションを共感と混同しているのです。事実、神経科学者や社会心理学者は、「コンパッションによる疲労」と言われているものは、共感の過剰な高まりや、共感疲労のことだと言います。コンパッションは私たちを疲弊させません。コンパッションは力の源として、私たちの意欲を支え他者に恩恵をもたらします。そして、一方の共感も、人間性の基本となる不可欠な特性です。共感がなければ、私たちの人生は排他的で狭いものとなり、さらには自己陶酔や唯我論的姿勢にいたります。共感があれば、自意識を脇に置いて世界を広げることができますし、想像力が私たちを豊かにするのです。

共感という能力の本質は、他者の経験に同調し、それを自らに取り入れ、理解し、一体化することです。ウォルト・ホイットマンの詩に、共感を見事に表現した一節があります。「私は怪我した人に、どんな具合かとは尋ねない。私自身が怪我人になる」。[5]

共感的になるというのは、他者の感情を内面で共有するだけではありません。人は他者の肉体が経験していることや、他者が何をどう認知しているかについても、共鳴し合うことができるのです。私は共感には、身体的共感（ソマティック・エンパシー）、情動的共感（エモーショナル・エンパシー）、認知的共感（コグニティブ・エンパシー）の三つがあると考えています。社会心理学者は、このうち情動的共感と認知的共感を重視します。しかし私は瞑想実践と対人支援の経験から、身体的な共感も可能であることを目の当たりにしてきました。そしてこの分野の研究も増えつつあるのです。

身体的共感

「身体的共感」とは、他者の肉体的な感覚と強く共鳴し合うことです。たとえば、母親が赤ん坊の空腹を感じる、看護師が患者の痛みを感じる、誰かが腹を殴打されるのを目にした人が自分も身体を歪めるなど。これは親しい友人間にも起こるようです。私のアシスタントのノアと山歩きをしていたときの話をしましょう。木の枝が私の顔を打ちつけたところ、ふたりそろって「痛い！」と声を上げたのです。あたかも私だけでなくノアも枝に当たったかのようでした。この現象について、科学的に深い究明はなされていませんが、親しい人同士で身体的経験の共有が速く自動的に起こることは、ある程度は裏付けられています。

身体的共感について最初に教えてくれたのは、ブディでした。ブディはヒマラヤ山脈を長年私と一緒に歩いてくれているヤクの放牧者です。彼と私は互いに言葉が通じません。ネパール西部、フムラ郡の小さな村出身の彼は、学校教育を受けておらず、住まいである山々から得たものが彼の知識のすべてです。何年間も、村を見下ろす山の尾根でヤクを放牧してきました。

ブディは、私の同僚のテンジン・ノルブーから、ネパールの高地で私が山歩きをするときの「用心棒」となるよう頼まれました。私の安全と落下防止の役目を負ったのです。足がすくむような山道や、縫うような細道を何百マイルも一緒に歩くうちに、ブディは私に身体的に同調してきたようで、私が転ぶ前に支えてくれるようになりました。付き添いである寡黙なヤク飼いの男性が、その身体感覚の内に私を取り込んだ状態を見事に保っているのは、実に不思議なことです。

身体的共感は、有る人から無い人までさまざまな程度で起こります。人によっては、他者が身体的に何かを経験している場にいても、自分の身にはほとんど何も感じません。一方で、他者の身体的な感覚を、自分の身に起こったかのように極端に敏感に感じとる人も少数います。

ジョエル・サリナス博士はマサチューセッツ総合病院の神経学者で、「ミラータッチ共感覚」と言われる感覚を持っており、他者の身体が経験していることをはっきりと感じることができます。研究者のマイケル・バニシーとジェイミー・ウォードによると、ミラータッチ共感覚者の脳は、社会的認知（対人関係や社会的出来事の認知）および共感に関する部位の灰白質が大きい一方、自分と他者の識別能力に関する部位が小さいそうです。[6] 他者の身体的知覚を自分のことのように感じて、容易に呑み込まれてしまうというミラータッチ共感覚者の感覚に照らすと、腑に落ちます。

ジョエル・サリナス博士は、彼の患者が体験する身体的感覚に圧倒されないようにするために、自らの呼吸の流れに意識を向けて、自分を落ち着かせることを習得しました。また、医師としての自分の役割を思い出し、他者に役立つという目的を心に留めるようにしました。感覚の高まりをコントロールする方法として、他者と自分を鏡のように重ね合わせているときの感じ方と、自分の身体への通常の刺激に反応するときの感じ方の、微妙な違いにも気づくようになりました。感覚をメタ認知することで、他人の身になったときに感じる身体的感覚は過ぎ去っていくものだと気づいたのです。ニュートラルな人や物に意識を向けることもありました。こうして、彼は鏡のように身体が共鳴する自らの経験を、患者のためにいかに役立てるかを考えるようになりました。[7] サリナス博士が患者の身体感覚への過剰反応を乗り越えるために行ったことは、ネパールでやけどの創面切除を施されるドルマの傍らで、私が圧倒されかけたときに行ったことと、それほど遠くはないと思います。

身体的な同調は、他者を理解しケアを施すための手段となります。しかし、肉体的な痛みに苦しむ相手との一体化は度を過ぎると、他者の苦痛に自らが脅かされる恐怖を感じることになり、膨大な知覚情報に溺れてしまいかねません。そうなると、すべて放り出すか、完全に閉め出すしかなくなり、苦しみによる圧迫から逃れて自らをきつく閉ざし、ある種閉じこもるようなかたちで、自分を守ることになります。

極端な過敏さと、その対極である他者に対する無感覚・無関心のあいだにある、中庸の道をいかに見つけられるかが重要だということです。また、「背筋をしっかり、体の前側（おなか）を柔らかく(strong back, soft front)」しておくことも大切です。これは精神的な落ち着きとコンパッションの双方を併せ持つ状態を身体的に表したもので、他者の身体的な経験に寄り添い、それを取り込み、そして手放す際に、大きな助けになるでしょう。

情動的共感

最も身近な共感のあり方は、「情動的共感」です。他の人の感情的な経験を共有するには、相手を客観視するのではなく、その人の感じていることを自らに取り込む力が必要です。つまり、自分の中に他者の気持ちを住まわせるようにするのです。ただし、ときにこの力は、私たち自身のウェルビーイング（心身の健康）を犠牲にすることもあります。

ウパーヤがヒマラヤで開いている移動診療所には、毎年大勢の村人がやってきます。二〇一五年の秋、ネパール北西部のドルポ郡、ヤラコットの村の近くで、私はペマという若い女性の傍らに坐っていました。彼女は夫に背負われて、急勾配で曲がりくねった埃っぽい山道を下り、ヒマラヤ地域の山村に設けたウパーヤの診療所までやって来たのでした。ペマは数週間前に自宅の屋根から落ちて大怪我をしてしまったのだそうです。首から下を動かすことができなくなっており、ふさぎ込んでいました。無力感に覆い尽くされた彼女の表情は、黒い仮面のようでした。ウパーヤのチームが、彼女の状況を時間をかけて聴き取り注意深く診断している際に、私が胸を締めつけられるように感じたのは、カトマンズに移れば治療のために必要な医療支援を受けられる、とチームが提案したときでした。ペマの抵抗と不安と失望を、私は感じとったのだと思います。医療チームが方策を検討しているあいだ、ペマと夫は静かに話し合っていました。そしてふたりは、同じような怪我をした村人がカトマンズに移ったが、そこで亡くなったのだと話してくれました。そして費用はすべて私たちが負担すると提案しても、彼女はお金を心配していました。

ペマはまた、消え入りそうな声で、食欲もないし飲みものも喉を通らないと話してくれました。排泄が難しくなっているからでした。それを知った私たちは、食欲不振に効く薬を渡し、チームの看護師がペマの夫に、カテーテルを彼女に挿入する方法と、かん腸の仕方、褥瘡（床擦れ）の手当てについて伝え、ペマの心身の苦しみをどうやって和らげるか、夫と意見を出し合いました。

一時間ほどのち、ペマが村へ帰るのを手伝おうと申し出ましたが、彼女と夫は静かな口調で断りました。村人仲間がペマを抱えて、妻を気づかう夫の背に担がせ、一行は村に向かう山道をゆっくりと登っていきました。私はこの謙虚な一団が、夕刻の淡い日差しのかなたに消えていくのを見ていました。ある意味、彼らと共に歩いているような感覚で。

このときペマの無力感として受け取った感覚に圧倒されてしまうこともありえたでしょう。心は重く沈んでいましたが、自分がしっかりと今ここに在る感覚を持ちながら、この状況で彼女のために最良の支援は何かということだけを考えていました。そして、私たちのチームは、焦らず落ち着いて、誠意と思いやりをもって対応し最善を尽くしたのだと思いました。ペマの状況に対して過剰に反応することなく、彼女にカトマンズ行きのプレッシャーをかけて、私たち側の不安を和らげるようなことはしなかったからです。可能なかぎりの医療的支援を提供し、彼女と夫が決めたことをサポートしたのです。

　ペマとの時間のあいだ、私は落ち着きを保ち、彼女の中で起こっていることを感じとることと、私自身に起きていることを、はっきりと識別することができました。この自他の区別によって、他者の感情に呑み込まれそうになるのを避けることができるのです。また、ペマの経験を、本当の意味で私が理解できるわけではなく、できるのは感じとって想像することだとも分かっていました。当然ながら、私が何かを決めてかかってはいけませんし、彼女に関して私が知り得ない部分があることを尊重しなければなりません。

　二年後の二〇一七年の秋に、医療チームはヤラコットの村に戻ってきました。村の近くの松林に続く川沿いの小道を大きく右に曲がると、驚いたことに、そこには杖をついた小柄なペマがいました。あいさつを交わしながら、彼女の目は潤んでいました。夫は彼女のもとを去りましたが、ペマは食欲の回復とともに、気持ちも持ち直したそうです。彼女の兄がインドに連れて行ってくれて、手術を受け、身体の機能もいくらか回復したようでした。私たちは再会を喜び合いました。

　誰かの痛みや苦しみを自分のものとして取り入れると、相手への理解につながることもあれば、呑み込まれてしまって傷を負う場合もあります。私がペマと出会って経験した共感は、愛と苦悩が入り交じったものでした。私はペマには、気づかいと思いやりの姿勢で応じ、ペマの感じることと自分の気持ちを、識別することができたのです。

健全な情動的共感は、思いやりに満ちた世界を生みだします。社会的な結びつきや、気づかい、洞察力を育むこともできます。しかし、情動的共感はうまく調整できないと、共感疲労や燃え尽きの原因となり、引きこもりや無関心にもつながります。

共感はコンパッションではありません。結びつき、共鳴、気づかいは、必ずしも行動につながるわけではないからです。けれども、共感はコンパッションの一要素として大切なものです。健全な共感が世界から消えたら、心のつながりが失われ、私たちは、滅亡の危険にさらされてしまうでしょう。

認知的共感

「認知的共感」は、他者視点取得（パースペクティブ・テイキング）、あるいは読心術としても知られ、他者の視点を通じてものごとを見て、他者の立場に立って、他者の身に乗り移るような能力とされています。しかし、私の考える「認知的共感」は、自分の意識や考え方を拡げ、相手の視点やマインドセット、世界観や現実を自分の一部にしたかのように、他者の経験を取り込むことです。

他者視点取得をするのは通常は良いことですが、相手の脆弱なところをついて操ろうとする人に悪用されることもあります。極端に他者視点取得をしてしまうと、人は自分自身の視点や善悪の判断、道徳的な指針を失くしてしまうことがあるのです。こうした精神状況は、ヒトラー時代のドイツで起きたことの、ひとつの要因かもしれません。当時の人々は各自の道徳的基盤を失い、総統であるヒトラーの視点で社会を捉えるようになったのです。同様のことはカルト教団や政党内でも起こりうるでしょう。このような危険性があるにしても、他者視点取得は社会で生きていくうえで重要な能力です。他者をステレオタイプで捉えたり、別世界の者と見なしたりするのではなく、個々の人として認識する助けになるからです。[8]

かつて、危ういところで相手を「他者化」せず結びつきを感じることができ、他者視点取得のおかげで命を落とさずにすんだのでは、ということがありました。一九六九年、私はフォルクスワーゲンのマイクロバスでサハラ砂漠を横断していました。滑りやすく車が沈んでしまいそうな砂の上を何時間も走る辛い長旅で、どこへ向かっているのか分からなくなることもしばしばでした。

アルジェリアとマリの国境付近で、気づくとアルジェリア軍の血気盛んな兵士たちに取り囲まれていました。怖いどころではありません。長いブロンドの白人女性は、彼らが騒ぎを起こすには格好の標的だったのです。兵士のひとりが上官を大声で呼んで、ワーゲンバスに外人女性がいると伝えました。アドレナリンが湧きあがりました。呼ばれた男が私の車に近づいてきたとき、私は自然と、彼を自分の意識の内に取り込みました。すると、彼が私の取り調べを始めようとしたそのとき急に、彼の目を通じてこの状況を見ているように感じられたのです。この状況についてじっくり考えている時間はなく、戦略を練る余裕もありませんでした。ただ彼に対して悪い予感を抱き、私は獲物のように見なされ、そうした扱いを受けるのではないかと思い込んでしまう代わりに、彼が私の一部だと感じ、安全だとも感じました。私たちのあいだにひとときの結びつきができたように思えて、私は質問に片言のフランス語で礼儀正しく答えました。自分は人類学者でマリに行くためにサハラ砂漠を横断しているのだと。数分のうちに取り調べが終わり、ほっとしました。そして私は、夜通し走っても果てしない砂の世界へと解放されたのでした。

一時間ほど走ると、道もなく広大な砂漠で、車が止まってしまいました。運転を続けるには車を砂から掘り起こさねばなりません。幸い、荒れ果てた軍の駐屯地からは十分に離れており、暗闇の中でひとりきりでした。先ほど起こったことを振り返る時間ができたわけです。おそらく、あの上官との親密な一瞬が、不幸な事態を防いだのだろうと考えました。彼を「他者化」せず、脅威とも敵とも見なさなかったのが、良い結果をもたらしたのだろうと。彼の目が私の目となった不思議な瞬間が、それを可能にしたのでしょう。私は獲物ではなく仲間として見てほしいと彼に対して思い、旅を続けたいと願い、そしてそれが現実となったのです。

ひざまずけ

他者視点取得について、もうひとつ思い出すのは、イラク戦争で多数の死者を出しかねなかった事態を阻止したある中佐の話です。二〇〇三年四月三日、クリス・ヒューズ中佐（現在は准将）は、第一〇一空挺師団の二〇〇名の兵士を率いて、聖地、ナジャフに入りました。ナジャフを解放し、アリー・シスターニー師を保護するのが目的でした。イスラム教シーア派の宗教指導者であるシスターニー師は、スンニ派の大統領サダム・フセインにより自宅軟禁下に置かれていたのです。米兵はイマーム・アリー・モスク付近の通りを行進していきました。黄金色のドーム型の屋根が乾いた空にそびえ立つ、シーア派の聖地としてイラクでは特に重要なモスクです。

大勢のイラク市民の男たちが米兵を見に集まっていました。友好的かと思われた彼らの雰囲気が突然、がらりと変わりました。群衆が師団めがけて押し寄せてきて、激しい怒りの声をあげ、拳を振りかざし石を投げだしたのです。ヒューズが後に知ったことですが、フセイン率いるバース党の扇動者が、米兵の進軍はモスクを侵略し聖職者を捕らえるためだとデマを流したためでした。師団は何日かまともに睡眠をとっておらず、重装備で身を固めており、思わぬ事態の展開に恐れおののいていました。[9]

ヒューズは、兵士が誰かひとりでも発砲したら、間違いなく多くの死者を出すことになると感じました。

すぐに気づいたのは、イラク人の目には、彼らにとって最も神聖なモスクを、米兵が軽んじているように見えるのだろうということです。明らかな解決策として、敬意、そして平和を示すジェスチャーをとることが浮かびました。

そこで彼は驚くべき行動に出ました。ライフル銃の銃口を地面に向け、そのまま高々と掲げたのです。発砲する意図はないと群衆に示すためでした。師団にも命じました。「全員、笑顔だ！　銃を向けるな。ひざまずけ。落ち着くんだ！」[10]

兵士たちは、ヒューズの顔をうかがい、彼が正気を失ったのではないかと、いぶかしげに視線を交わし合いながらも、命令には従いました。重装備の防護服姿で、片膝をつきライフル銃を地面に向けて笑顔を浮かべたのです。罵声を浴びせ続けたイラク人もいましたが、多くは引き下がって腰を下ろしました。笑顔を返した人もいました。共感による心の共鳴の瞬間です。

ヒューズは、起立し退去するよう拡声器で師団に指示しました。「我々はここから撤退する。市民が自ら落ち着きを取り戻すのを待つ」。また、イスラムの伝統的なジェスチャーで「平安あれ」という意味の、胸に手をあてる姿勢をとり、群衆に「どうぞ良い一日を」と呼びかけ、そして撤退したのです。

ヒューズとその部隊は、静かに行進して宿舎に戻りました。人々の興奮がおさまると、シスターニー師は、ナジャフの人々にヒューズの兵士を迎え入れるよう求める声明を発表しました。[11]

事の一部始終をＣＢＳ放送の従軍カメラマンが記録しており、後にヒューズはＣＢＳにこう語りました。「重要度で言うと、あのモスクのために連合軍に対抗するのは、イラク全土のシーア派にとどまらないでしょう。おそらく少なくともシリア、場合によってはイランの人々も立ち上がるはずです」。

まさに切羽詰まった瞬間にイラク市民の視点を得たヒューズの力が、無数の命が犠牲となるのを防いだのです。そして、彼は「一発も発砲せずに勝利をおさめた」[12]英雄として絶賛されました。

ヒューズは、どちらの側にも被害を出してはならないと腹で直感し、ハートでも感じ取ったに違いありません。実際に彼がとった行動は、訓練で身につけたものではありませんし（軍の司令官が「ひざまずけ！」などと指導するでしょうか）、どう対応するか時間をかけて戦略を練って生まれたものでもありません。ヒューズがそうであったように、健全な共感は、結びつきを生み、適切な行動に人を導きます。自らを開いて他者の経験を取り入れる視野を広げ、戦術ではなく、共感と直感に従うようにすればよいのです。加えて、ヒューズの行動は、ものごとを違う角度から見る、想像力のひらめきによるものでもあると思います。その恩恵が途方もなく大きいのは、結果を見れば明らかです。

通身これ手眼

「公案」は、禅宗の師の言行や問答を記録したもので、求道者としての精神を示しています。以下の公案は、禅師の道吾(どうご)と雲巌(うんがん)の問答です〔『碧巌録』第八九則〕。

雲巌「観音菩薩様はあれほどたくさんの手や眼を使って何をなさるのですか」
道吾「夜寝ているときに、後ろ手でずれた枕を探り当てるようなものだ」
雲巌「分かりました」
道吾「どのように分かったのだ」
雲巌「偏身(へんしん)これ手眼(しゅげん)(身体中に手と眼がある)、ということですね」
道吾「八割しか理解しておらぬ」
雲巌「師のお考えは？」
道吾「通身(つうしん)これ手眼(身体そのものが手と眼なのだ)」[13]

このやりとりは、謎めいた感じが少々あるかもしれませんが、まず念頭に置くべきは、菩薩は、仏教において共感、利他性、コンパッション、智慧を表しており、この世に繰り返し現れて人々を苦しみから救うと誓った、悟りを求める存在だということです。菩薩は、痛みと苦しみに満ちたこの世界を永遠に後にすることができるにもかかわらず、他者を救うため、悲惨な荒野でもあり美しくもあるこの世に生まれ変わることを選んだのです。

コンパッションの菩薩である、観音菩薩の姿は、無数の腕と手を持ち、それぞれの掌に眼があるのが一般的です。無数の手は、優れた手立てを意味し、眼は智慧を表します。

この公案では、年下の僧、雲巌は、菩薩があのように多くの手や眼をもつのはどういうわけかと尋ねます。道吾は決まりきった答えを示さず、共感、コンパッション、智慧が、今この瞬間にも心の内から自然に生まれることについて、思索を深めるような返事をします。夜中に枕を探り当てるようなものだと。私たちは枕を動かそうと夜間に意識することはありません。枕を動かすとき、考えてその行動をするわけではない。ただ自然と手が動く。それと同じだと答えたのです。

これについて、インドの僧侶シャーンティデーヴァ（寂天）は、『入菩薩行論』の八章九九節で、次のように言っています。「苦しむ人を助けるのを拒むのは、足の棘を抜くのを手が拒むようなものである。足に棘が刺さったら、手は自然に足に伸びて棘を抜く。手は足に、助けが必要かと尋ねることはない。手はこれは自分の痛みではない、などと足に言わない。手は足に感謝してもらおうとは思わない。手も足も、同じ身体の一部であり、同じ心に属しているのだから」。

道吾の言葉には、菩薩が人々に差し伸べるコンパッションは、天性の本来的なものだという含みがあります。「夜」という表現も実に的確で、夜の闇は、自他の区別をことごとくあいまいにすることをうかがわせます。まさに、私たちは皆、同じひとつの身体なのだと……。

雲巌は道吾の言葉を理解したようです。しかし、道吾は、いったい何が分かったのかと尋ねて、試します。雲巌は、菩薩の身体はどこも手と眼で覆い尽くされていると答えます。

道吾は、即座に雲巌の理解が足りないと見てとりました。浅はかで表面的な答えです。道吾は、彼を正してこう言いました。「身体そのものが、手と眼なのだ」。菩薩の肉体と精神のそのすべてが、手や眼そのものなのだということです。

ドルマの泣き声を聞いたとき、ペマを見守ったとき、アルジェリアの軍人の眼を見つめたとき、私は「良い菩薩となるために、共感的でいたほうが良い」などと自分に言ってはいません。むしろ彼らの経験が、即座に私のなかにみなぎっていきました。共感は抱こうと思って生まれるものではないのです。

そうは言っても、ドルマとの経験では、共感疲労に呑み込まれないように、私の感じ取り方を意図して調整せねばなりませんでした。調整すると、コンパッションの生まれる余地ができました。ここに共感がエッジ・ステートである由縁があります。共感の人生における価値は、計り知れませんが、呑み込まれないようにするために、その大きさや深さを計る必要はあるということです。

2　共感の崖を踏みはずすとき——共感疲労

私たちが苦しんでいる人に同化し過ぎてしまい、ホイットマンの詩にある「怪我人」となってしまったら、なにが起きるでしょうか。ごく一時的に他者の苦しみを感じたり理解したりするだけではなく、身体的に、情動的に、場合によっては認知的にも、他者の苦しみと深く融合し、その感覚を手放せなくなってしまったら、人はどうなるのでしょう。

苦しむ人との一体化があまりに強いと、自分の感情によって、援助している相手の苦痛を鏡映しにしたような苦悩へと突き落とされてしまいます。相手の苦しみに自分が呑み込まれてしまうと、共感疲労によって私たちは無感覚になり、背負いきれないほどの苦しみから自分を守ろうとして相手を見捨てることにもなりかねません。ストレスや燃え尽きの症状もあらわれます。

共感疲労と深い関係を持つものとして、「二次受傷」や「代理受傷」があります。いずれも、外的要因による間接的な心的外傷（トラウマ）であり、他者の苦しみと共に在る医師、弁護士、人道支援ワーカー、聖職者らがその苦しみで飽和状態になってしまうときに見られます。二次受傷は突然あらわれることがあり、代理受傷は状況の蓄積にともなって生じます。いずれも、共感を調整しきれなかった結果として起こる傷です。

私の同僚の仏教者は、二〇〇一年九月一一日の同時多発テロのとき、ワールドトレードセンターの被害者や救援ワーカーの話を傾聴していました。寝る間も惜しんで、大混乱の真っ只中で、同僚ら聖職者たちは被害者や支援者を支えるために最善を尽くしました。彼女にとって何よりきつかったのは、瓦礫を取り除いて遺体を回収する作業をしていた人々を支えることでした。彼らの話を聴いて心的外傷を負った彼女は、何年ものあいだ苦痛を意識の外に手放すことができず、同時多発テロ事件後の年月、あたかも悲惨な事件とその余波を追体験しているかのように、繰り返しそのことを語り続けていました。

人道支援ワーカーや、支援を専門とする職業に携わる人には、共感疲労に陥る傾向が特に目立ちます。支援している相手と同じ身体症状や精神症状があらわれてくることもあります。この現象は珍しいことではありません。臨床心理学者のヤエル・ダニエリは一九八二年の論文で、ホロコースト生還者のカウンセリングを行ったセラピストの、情動的な反応について述べています。それによると、複数のセラピストが、患者から聴いたのと同じ悪夢を頻繁に見ると語っていました。セラピストのひとりは、患者の前腕にある収容者識別番号の入れ墨を見たとき、慌ててその場を去って嘔吐したことを明かしました。複数のセラピストが、ホロコーストを生き延びた患者を避けるようになり、生還者と対面せざるを得ない場合も、収容所の体験を聴くのをひどく恐れていたそうです。[14]

こうした状況は、家庭内暴力や性的虐待の被害者を支える弁護士や、自然災害の被災者を支えるソーシャルワーカーからも聴いたことがあります。親しくしている仏教者で、ハリケーン・カトリーナのあとに、ニューオーリンズに出向いて被災者の支援を行っていた人がいます。彼は避難所となったスタジアム、スーパードームでの一部の人々の状況は、とても受け容れられるものではなかったと、自分自身も被災者になった気がする、ニューオーリンズには怖くて戻れないと、不安そうに語っていました。被災者が経験した恐怖に、彼自身も溺れてしまったようでした。

ハリケーン・カトリーナの三年後の二〇〇八年四月、私はスーパードームを訪れ、彼が話したことを考えていました。「最終避難所」とも呼ばれる場所に数千人が収容され、地獄と化したスタジアムで、何が起きていたのでしょう。私がその日そこを訪れたのは、作家のイヴ・エンスラーによる、女性と子供への暴力根絶を訴える国際的な活動、Vデイの一〇周年記念の集まりに参加するためでした。来場した三万人ほどの人々のうち、数千人はハリケーン・カトリーナのあと、スーパードームに閉じ込められていた人でした。

滞在中、多くの女性たちから、スーパードームで閉じ込められているあいだに性的暴行を受けたと聴きました。トイレが故障したためスタジアムの地面に排便せざるを得なかったと言う人もいました。皆、ここでの経験によって、恥辱を感じ怒りを抱えていました。そして、出会った女性のほとんどは、スーパードームから「救出」されて以来、ニューオーリンズには戻らず、その周辺の街で生活を立て直していました。

女性たちが次々と語るのを聴けば聴くほど、私は彼女たちが感じてきたことに、より敏感に反応するようになりました。ヒエロニムス・ボスの地獄絵か何かのなかにいるような気分でした。ほどなく、自分が共感疲労の坂を滑り始め、ハリケーン・カトリーナの汚水に落ちてしまいそうになっていると気がつきました。

ニューオーリンズに旅立つ前に、私は誓いを立て、しっかりと地に足をつけて、カトリーナの結果として何が引き起こされたのか、「ありのままを見届けよう」と決めていました。苦しみの洪水の只中で自分を保つには、この大災害は自分の実際の経験ではないと心に留めて、舟に乗ることを諦めるのではなく、舟を操って波に乗らねばなりません。ハリケーンとその後の余波を乗り越えてきた女性たちの力になるという目的を意識して、落ち着く必要がありました。自分のエネルギーを維持するために、十分な睡眠ときちんとした食事、スーパードームの近くの公園での散歩を心がけました。

女性たちには、ゆっくりとしたペースで話をすることも勧めました。彼女たちの物語を何らかの気づきへと共に変容させるためです。この驚くべき女性たちに、どうやってこの苦難を乗り越えてきたのか、必ず尋ねるようにしました。彼女たちの強さはどこから来たのか。自暴自棄にならずに子供たちを守り続けていられたのはどうしてか。苛酷な状況にもかかわらず、母親や兄弟姉妹のためを思って留まっていられたのはなぜか。苦しみに満ちた話をするなかで、自身の内なる力や人とのあいだに生じる力に目を向けることで、元気が湧いてきた人もいたようです。もし話を聞きたくないからといって、相手が語れないようにしてしまったら、あるいは語られた体験に恐怖感で応じたり目を背けたりしたら、人間本来の美徳である共感の力は抑えられ、奪われてしまうでしょう。

苦しみを抱えてきた人に話をしてもらうときには、その人に再度、心的外傷を与えないように注意する必要があります。苦しかったできごとの振り返りが、語り手と聴き手の双方のためになることもあれば、そうでないこともあるのです。深い痛手を負いつつ生き延びてきた人々と共に在るとき、私はいつも、彼らの助けになったのは何か、どうやって人生を立て直してきたのか、耐えがたい困難のときに支えとなった内なる力は何か、そう問いかけて語ってもらっています。

共感疲労と、それにともなう二次受傷、代理受傷は、私たちの内にしばしば過剰反応と恐怖感の嵐を巻き起こします。その勢いは、自分自身や自分の世界観が打ち砕かれるほど強いものです。しかし、自分自身にも他者にも忍耐強く気を配りながら向き合えば、その物語を惨劇から英雄譚（えいゆうたん）へと変容させることができます。過去の傷が、現在と未来を癒す薬となるのです。

共感とコンパッションの違い

友人のマチウ・リカールはチベット仏教の僧侶で、何十年もヒマラヤで修行しています。彼は、この何年かにわたり科学者たちと協力して、瞑想が心と身体に与える影響を調査する実験に関わってきました。中でもある実験は、共感疲労の優れた例証であると同時に、共感とコンパッションの違いを明らかにするものです。

二〇一一年、ドイツの代表的な学術研究機関であるマックス・プランク研究所で、神経科学者のタニア・シンガーとそのチームに案内されて、マチウはｆＭＲＩ（磁気共鳴機能画像法）装置に身を横たえると、他者の苦しみに深く思いをはせて共感を抱いてくださいと言われました。前の晩、マチウはＢＢＣ放送でルーマニアの孤児に関するドキュメンタリーを見ていました。食べものは与えられ衛生も配慮されているものの、人間的な愛情に触れることが皆無に等しいため、健康に育っていくことのできない子供たち。その苦難に満ちた状況に、心をかき乱されていました。

マチウは孤児たちについて、こう語っています。「愛情を受けることがないと、ひどく無気力になり弱ってしまう。子供たちの多くは何時間も、何をするでもなくただ椅子を揺らしながら過ごし、実際に孤児院で死亡する例が珍しくないほど、健康状態が悪い。身体を洗ってもらうときでさえ、ほとんどの子が痛みに身をよじり、ちょっとなにかに当たっただけで手足を骨折してしまう」[15]

ｆＭＲＩ装置の中で、マチウは自らの心をこの子供たちの苦しみに浸し、彼らをはっきりと思い描き、その一員であるかのように悲惨な状況を感じとっていきました。気持ちの重ね方を調整したりはせず、子供たちの痛みと苦悩をできるだけ深く感じるままにしました。ほどなく彼は共感に呑み込まれ、疲れを感じ消耗してきました。

このような張り詰めた状態で一時間過ごしたあと、マチウは、このまま共感を続けるか、コンパッションの瞑想に切り替えるか、選ぶように言われました。「一切迷うことなく、コンパッションの瞑想を選びます。共感的に共鳴しすぎて、精根尽きたような気がしますから」。[16]

彼はコンパッションの瞑想を始め、引き続き孤児たちの苦しみに気持ちを向けました。ただし今度は、孤児が抱える極度の苦悩を思い浮かべつつも、愛情、思いやり、気づかい、そして利他の気持ちを、意識的に湧きあがらせました。

実験が終了すると、マチウはコンパッションの瞑想中の自らについて、子供たちに奉仕したいという強い願望を抱き、心温かく前向きな状態だったと述べました。これは、先の共感（実際には共感疲労）による疲弊や衰弱とは、著しく対照的です。

彼の脳にも、この際立った相違が反映されていました。脳のスキャン結果では、共感をしていたときは、苦痛に関わる神経回路網が活性化していました。この部位は、自分の苦痛と他者が苦しむのを目にしたときの感情的要素（感覚的要素ではなく）の双方に関係するとわかっているところです。一方、コンパッションの瞑想では、別の神経回路網が活性化していました。前向きな気持ちや、母性的な愛、つながりといった感情に関わる部位です。この共感とコンパッションの劇的な違いは、研究者を驚かせました。[17]

後にマチウは、コンパッションの瞑想のあいだ、愛情と優しさが満ち溢れ、それに続いて爽快な活力を感じたと話しています。「コンパッションの瞑想に移ると、私の精神的な状況は大きく変わった。苦しむ子供たちのイメージは鮮明なままであったが、共感疲労を引き起こすことはなくなった。その代わりに、子供たちへの無限の愛が自然に湧き起こり、彼らに歩み寄り慰めをもたらそうとする勇気を感じた。さらには、自分と子供たちを隔てる距離が、完全に消え去っていた」。[18]

マチウが経験したことは、ネパールで出会ったひどいやけどに苦しむ少女、ドルマとの経験に似ています。あのとき私は、共感とコンパッションの神経学的な相違を知りませんでした。しかし、ドルマの苦痛と一体化している状態から、彼女の命を救おうとしている人々への感謝に満ちて落ち着いた状態へと切り替える必要があることはわかりました。そうして切り替えたあとは、マチウのように、内に湧きあがるコンパッションによって活力がよみがえるのを感じたのです。

タニア、マチウとその研究チームは、この実験はコンパッションの研究における重大な転機であると発表しました。共感とコンパッションの違いを神経生物学的に示す説得力のある証拠を集めたばかりでなく、双方の状態を経験したマチウ自身が大きな差異を自覚したことに多大な意義があったのです。

行き過ぎた共感反応

マチウの実験の数年前、私はマインド・アンド・ライフ・インスティチュートのワシントンでの対話会に参加しました。ダライ・ラマ法王や、教育学、神経科学、社会心理学の専門家らも参加した会です。そこに参加していた社会心理学者のナンシー・アイゼンバーグが、共感を喚起させる要素の関係性を、興味深いモデルで示しました。共感が一方では疲弊へと進み、もう一方では健全なコンパッションへと進む要因を分析したものです。

子供を対象とした調査から、アイゼンバーグ博士は、人が他者の苦しみに直面するとき、三つの流れがあることを明らかにしました。それらの流れが三つ編みのように絡み合って、私たちの内面で湧き起こる共感のレベルを高めるのだと言うのです。博士の調査によると、苦しんでいる人と共に在るとき、私たちの中では、相手の感情を感じとり、相手の視点で状況を捉え、自分の過去の同じような経験を思い出す、この三つが起こっています。これらの流れが絡み合った結果、共感の高まりが生じ、これを調整しないと、共感疲労が引き起こされるのです。博士は共感疲労を、他者に役立とうとするよりも他者を避けるようになる回避的な情動反応と捉えています。

博士は共感疲労にともなって生じる、いくつかの反応も特定しています。脅威となる不快で困難な経験から、自分を守りたいがために行う意味での「援助」（典型的な例は、病的な利他性です）。

回避行動（拒否や無関心）や、苦しむ人を見捨てるといった嫌悪からくる反応。見捨てるのは、一緒にいるのがあまりに苦痛だからで、逃避的な反応の一種であり、恐れが根底にあります。対話会ののち、博士のモデルを整理して医療関係者や教育者らに、共感と共感疲労と向き合うためのツールとして伝えました。伝えるなかで、このような個人的苦痛の結果として生じる、何らかの恐れを根底に持つ反応には、少なくともあとふたつ、道徳的な怒り（義憤）と、麻痺（思考の停止）があることに気づきました。

アイゼンバーグ博士は対話のなかで、過度の共感反応が制御されれば、他者への健全な関心が活性化し、そこから思いやりやコンパッションが生まれると説きました。また、社会心理学者のダニエル・バトソンとの共同研究を通じて博士は、一定の状況において、コンパッションを感じる人の方が、共感疲労に苦しむ人よりも役立つ行動を起こしやすいことを明らかにしました。[19]

他者の経験を自分の経験に取り込むことはとても重要です。一方で、自分が他者にはなれないことを認識すると、落ち着きを保つ余裕を持ち、少なくとも多少謙虚になることができます。他者と一体になることと、他者と自分を区別すること、両方が重要なのです。後者が抜け落ちてしまっているかぎり、共感疲労を避けることはできません。[20]

アイゼンバーク博士のモデルとバトソン博士の研究は、苦しみと出合ったときの反応の複雑さについて理解を深めるうえで、計り知れないほど大きな助けになりました。そしてこの研究によって私は、共感疲労を避けるには共感を適切に調整しなくてはいけないという確信を強めたのです。

感情の鈍化と盲目化

一方で、他者の苦しみへの反応が生じないこともときにはあります。たとえば権力は、まるで脳が深刻なダメージを受けたかのように、共感を抱く力を鈍くします。二〇一七年七〜八月号の『アトランティック』誌の論文は、次のように端的に述べています。

歴史学者のヘンリー・アダムスは、権力とは「罹患者の思いやりを殺す、ある種の腫瘍」だと表現した。これは隠喩であり医学的な根拠はないが、カリフォルニア大学バークレー校の心理学教授、ダッカー・ケルトナーによる、研究室内外での長年の実験結果に通じる。彼が二〇年にわたる研究を経て明らかにしたのは、被験者の中で支配権力を持つ者は、まるで脳に外傷を負っているかのように衝動的でリスク認識が甘く、ことさら顕著なのは他者の視点でものごとを見る力が劣っているということだ。[21]

また、感情の盲目化、すなわち、自分自身の感情も他者の感情も読みとれない場合があります。神経科学者のタニア・シンガーのチームは、失感情症（アレキシサイミア）と言われる、自閉症と関連する症状を調査しました。アレキシサイミアは、自分の感情や身体の中の感覚を自覚して言葉にするのが困難であることが特徴です。この症状に苦しむ人は、他者の感情を見分けることにも困難を感じます。[22] この分野の研究によって、私がこれまで医療関係者と働くなかで直感的に感じていた点が裏付けられました。つまり、自分の身体的経験を感知する能力は、他者の身体的・感情的経験を感じとる能力と関係する、ということです。言い換えれば、自分の体内の変化を感じる力の欠如は、他者に共感する能力も小さくしうるというわけです。

タニアたちは、さらにもうひとつ重要な研究結果を得ています。自分の体内の動き（心拍数や呼吸など）に意識を向けると、共感に関わる神経回路網のスイッチが入るというものです。[23] この注目すべき研究は、身体的感覚に集中する力（瞑想者が高度に発達させようとしている力です）が、共感を深める力を養いうることを示唆しています。

長年、医師や看護師が、患者の対応に追われ、空腹感、排泄、睡眠など自身の身体的な欲求を無視しがちなのを見てきました。また彼らの多くが、共感的になることは基本的には避けるべきだ（「プロらしくないから」という理由で！）と教育されたと話していました。同時に、診ている患者たちとの真の結びつきがないと気づいていて、医療従事者としてのあり方に疑問を感じていました。このようなことを度々聴くなかで私は、健全な共感を育む術を人々に伝える重要性に気づいたのです。身体的気づきは共感する力と関係があると知ってから、医師を対象としたウパーヤの訓練プログラムのカリキュラムを見直して、身体的な実践や身体との調和を重視した内容を盛り込み、健全な共感の力を高められるようにしました。

親切か余計なお世話か

レスリー・ジェイミソンは著書『共感が試されるとき（The Empathy Exams）』（未邦訳）で、「共感は、ありがたい恩恵と迷惑な侵略的介入のはざまに、いつも不安定に腰かけている」[24]と記しています。共感疲労が起こるとき、共感を抱く側も、共感の受け手の側も、双方向でこの迷惑な侵略を受ける恐れがあります。自他の境界があいまいだと、どちらの側にも害が及ぶ可能性があるのです。一方で、自他があまりに遠く分け隔てられていては、相手を他者化してしまい、思いやりの気持ちを失いかねません。

『ハーパーズ』誌のインタビューで、ジェイミソンはこう語っています。[25]

共感を台無しにして厄介なものにしているあらゆることに、興味がありました。他者の人生を想像することが、いかに横暴になりうるか。罪悪感や責任からうまいぐあいに逃れることにつながりうるか。人はいかにして共感を抱くことで、実際には何もしていないのに良いことをした気になるのか。……人に同情を寄せるのが心地良く感じられるのは、自分の気分が良くなるからではないか。このように、共感にはたくさんの危険がつきまといます。共感は、独善的で自己陶酔的なものなのかもしれません。共感は、私たちの倫理的思考を惑わせたり、乗っ取ったりしてしまうものなのかもしれません。こんなに厄介だと分かっているにもかかわらず、共感の大切さを擁護しようなどと思うでしょうか？　私はむしろ、その厄介さを認めることによって、共感を擁護したいと思います。

発達心理学者のポール・ブルームは、共感がいかに倫理的思考を誤らせるかについて、さらに詳しく述べています。私たちは、自分たちとは異なる人々を犠牲にして、いわゆる「仲間内」での一体感や共感を抱きうるというのです。「共感は、見知らぬ他人よりも近くの人々を好むよう、私たちを誘導します。……よく考えてみれば、方向性を示す案内役としては非常に悪質だと、すぐに分かります」。[26]

倫理的な面で言えば、一般に悪者と見なされている人に共感を抱くことは、許されるのかという争点もあります。二〇一三年のボストンマラソンのテロ事件のあと、爆発物を仕掛けたジョハル・ツァルナエフの気持ちを思い描いた詩をミュージシャンのアマンダ・パーマーがブログに投稿すると、殺すと脅迫を受け、保守とリベラルの双方のジャーナリズムからの非難にさらされました。[27] 一方で、作家や映画製作者が異端の登場人物への共感をうまくかきたてると、それは優れた芸術表現と見なされます。たとえば、ナボコフの小説『ロリータ』やテレビドラマの『ブレイキング・バッド』(悪に転落する元教師を描いた米国人気ドラマ)のように。そして、他者の考え方、特に自分とはまったく異なる人々の考え方を理解することは、社会の変革をもたらす重要なきっかけでもあります。

共感が厄介なのは、他者の経験に私たちが結びつきを持ったとしても、それが現実に即しているのか、それとも私たちの憶測、願望、期待、錯覚でしかないのか、不確かなことです。ジェイミソンはこうも記しています。「あまりに確信を持って誰かの痛みを想像することは、想像できないのと同じくらい害悪となる」。

謙虚さを保つことは、苦しむ人との関係性を築いていくうえで重要です。カンタベリー大主教だったローワン・ウィリアムズは、ハーバード大学の講演で、共感とその基盤である謙虚さについてこう述べています。「倫理的に意義がある共感の表現は、『あなたの気持ちはよく分かる』ではなく、『どんな気持ちか、とても想像もつかない』と言うことでしょう」。[28] この「知ったつもりにならない」という境地にいれば、他者の経験と真にひとつにはなれないと気づき、共感的な反応をうまく調節できるようになるのです。

友人でバーニー・グラスマン老師の妻のイブ・マーコは、彼女の気持ちを理解していると思い込む人々から共感を受けたときのことを、雄弁に綴っています。バーニーが二〇一六年一月に脳卒中を起こしたときのことです。慰めの言葉と助言があらゆるところから浴びせられました。バーニーのことや自分のことで手いっぱいの状況で、彼女はこう記しています。「バーニーの脳卒中以来三四日かけて得たいちばんの教訓は、ただ辛抱強く状況を見つめ耳を傾けることがいかに難しいかということです。本当に多くの人が、『怖かったでしょう！』『どんなに辛いことかしら』などと私の気持ちを代弁しようとします。……何が分かるというの？　そう言いたくなります」。

イブはこう続けています。「私だって他の人々がこう考えたり感じたりしているに違いないと、憶測することはあります。『共感入門――相手の気持ちを想像して、すぐに共感する方法』というような本に書いてありそうな定型句を言ってしまっていたかもしれません。『とても嫌な気持ちでしょうね！』などと。実際に相手はそういう気持ちだったかもしれないし、そうでなかったかもしれません。何で相手の気持ちが分かるのでしょうか？　尋ねてもいないし、答えを聴いてもいないのに」。

イブは、好ましかったことについても記しています。「何よりありがたいのは深く耳を傾けてくれることで得られた沈黙でした。向かいに坐って、もしくは電話の向こう側で、辛抱強く私がじっくり考え、何らかの感情がようやくあらわれて声に出して話せるようになるまで、待っていてくれることです。……落ち着かない沈黙を、お詫びや、発言の撤回、後悔の言葉でとりつくろってはいけません。雨が降ってきたと天気の話をしたり、コーヒーのお礼を言ったりする必要もありません。自分が知りたいことを相手が考えているあいだ、沈黙をそのままに、相手が答えを示すまで待つのです」。[29]

イブが求めているのは、耳を傾け、他者の苦しみを理解していると決めてかからないようにすることです。「知ったつもりにならない」、「ありのままを見届ける」、すなわち、夫であるバーニー老師が基礎を築いた、禅ピースメーカー・オーダーの信条のふたつを実践するよう提案しているのです。謙虚さとは、自分の能力とその限界を認め、自分流の憶測や解釈を可能なかぎり排して、心を開き他者の経験を尊重することなのです。

3　共感と他のエッジ・ステートの関係

共感は、他のエッジ・ステートとも絡み合っています。共感疲労を抱えていると、他者の苦しみを和らげようと英雄じみた介助をしてしまう可能性があります。こういった介助は、病的な利他性の傾向があり、容易に燃え尽きに転じうるものです。自らを損なうばかりでなく、奉仕している相手を機能不全に陥れ、相手の主体性を奪うことで、害を与えてしまう恐れもあるのです。さらに、共感と関連して踏みはずしやすいエッジ・ステートとして、誠実さは、道徳的苦しみへと傾きがちです。不正行為や構造的な暴力のある状況では、苦しむ他者と自分を重ね合わせ過ぎて、道徳的葛藤や憤りを感じやすくなります。そして次第に、回避、麻痺、燃え尽きへと陥っていきます。また、レスリー・ジェイミソンが述べているとおり、共感は侵略的になりかねません。これは敬意の崖を転落したときに起きる軽蔑の明らかな実例です。

京都で日本人の教師と関わったときのことを思い出します。私のコンパッションについてのプログラムに参加していた彼は、生徒たちの苦しみに自分が押しつぶされてしまうと言って嘆いていました。燃え尽きて、共感疲労と道徳的苦しみの崖を踏みはずしたようでした。厳しい競争にさらされる教育システムに閉じ込められて、生徒たちは常に強い不安とストレスを感じているのだと、彼は言いました。当時の彼は、生徒の苦悩と自分の苦悩の境をほとんど見失っていたのです。

多くの生徒が教育システムによって、社会との関わりを一切絶ってしまう「引きこもり」になることを余儀なくされていると、彼は考えていました。彼によると、男性を中心におそらく百万人の日本人が、社会に出ることなく実家で暮らしており、この現象の原因のひとつは日本の教育のあり方だと断言しました。学校から求められる厳しい指導方法をとることによって、教師である彼自身も、生徒の心の孤独感や社会的な孤立の深まりを助長しているのではないかと気に病んでいるようでした。気持ちはふさぎ、疲弊し、自信を失い、生徒の苦しみに自分も一体となっていました。もう教師を続けられないとも感じていました。生徒と同じように精神的に参ってしまい、孤立へと向かっていたのです。

競争を煽るテストを実施し、日本の教育システムの求めに応じるかたわらで、いかにして共感疲労や心の葛藤をコントロールしたら良いのか教えてほしいと、頼まれました。そこで私たちは、時間を費やして、落ち着きを取り戻すエクササイズを試み、状況を再評価する方法を探り、第六章で後述するコンパッションへと向かうための取り組み、GRACEなども行いました。ただしこうした内省的な実践は、耐えがたい状況に適応するためのものではないと、彼には十分理解してもらいました。彼の苦悩は、現実に起こっている問題に対するもっともな懸念を反映したものであると思うと伝え、彼の押しつぶされそうな気持ちを、問題に対する現実的な反応として捉えるように勧めました。彼がすべきこととして重要なのは、まずは自分のバランスを取り戻し、脆弱でない確かな場所から、行動を起こすことでした。

4 共感を育む

共感を育み、維持していくために欠かせない、四つの実践があります。最も簡単なひとつめは、身体に意識を集中させて、しっかりと地に足をつけ（自らをグラウンディングさせ）、身体的な感覚とつながる力を向上させることです。ふたつめの実践は、傾聴。三つめは、自分の共感的な反応を取り仕切れるようになること。四つめは、想像力を養って、他者化してしまいがちな相手を人間として捉えなおすことです。

共感と体内で起こっていることを感知する能力の関係を実証した研究を知ったことで、私の共感やコンパッションのトレーニング方法は変わりました。たとえば、ボディスキャン瞑想をすると、身体的経験との調和を高められ、それによって他者の経験を感じとる受け皿が広がり、共感をしやすくなります。ボディスキャン瞑想とは、身体の各部位に意識を向けるというとてもシンプルなものです。坐った姿勢でも、仰向けになった姿勢でもできます。身体のそれぞれの部位に順番に意識を集中させながら、ゆっくり時間をかける方法と、身体全体に意識をさっと駆けぬけさせるような、速やかな方法があります。

最初は、呼吸に注意を向け身体を安定させます。それから、まず足もと、脚、骨盤、腹部、胸へと意識を向けていきます。続いて腕から指へ、首から頭へ、そして頭皮。そうしたらゆっくりと意識を下方に導き、背中を経て足まで戻ります。しめくくりにもう一度呼吸を意識し、少しのあいだ、頭も心も開かれた静けさでリラックスします。

ボディスキャンは落ち着きの実践であり、慌ただしい心を離れて自分の身体を取り戻すことができます。スキャンしているあいだ、私たちはより身体を受け容れ、そのつながりの中で自らを解放できるようになります。体内を感じとる経験を通じて、自分の気持ちや直感も深く知ることができ、さらには、他者の経験を感じとる力も磨かれるのです。

傾聴

共感を育むふたつめの実践は、相手の話に耳を傾けることです。本当の意味で聴くということは、自己陶酔や自己欺瞞から抜け出し、注意散漫にならず、持ち歩いているハイテク機器に心を奪われることもなく、心を開いたままにし、今この瞬間に好奇心を持っている状態です。自らの経験を開いて他者を受け容れることは、多様性を受容するパワフルな試みとなります。他者の話をしっかり聴き取るには、身体と心と頭で聴かねばなりませんし、自分の個人的な経験や記憶のフィルターを取り払って、耳を傾ける必要があります。

実践するのに、相手はよく知っている人でも知らない人でもかまいません。自分の意識を少しずつ広げて、相手を受け容れます。このとき、地に足をつけ平静さを保ちます。自らを相手の経験に向けて開くと、どのような身体感覚や感情が自分の内に湧き起こるか、観察しましょう。そして、良し悪しの判断やバイアスを捨て去っているか、好き嫌いではなく、好奇心で心が満たされているか、確かめてください。

相手の声を聴くことで、その人の経験に向けて自分の意識がより生き生きと開きやすくなるでしょうか。その人の声は何を表現していますか。言葉の背後に何が聴こえますか。耳を傾け、相手の前にしっかり在ることで、その人の人生の深い所に入っていけるでしょうか。その人の表情の裏で、胸の内で、頭の中で、起こっているであろうことを感じられますか。その人が何らかのかたちで自分の中に存在すると感じますか。

感じられたら、相手の存在を、自分の中から解き放ってください。今この瞬間に、自らの内に湧きあがることを、何であれ感じ、心を開いてリラックスしましょう。

共感を適切に導く

共感は多くの場合、コンパッションの重要な要素で、適切な方向に導かれるべきであり、そのためには自分と他者の違いを念頭に置く必要があります。これは、仏門に入った者からの助言としては奇妙に聞こえるかもしれません。私はどちらの真実も同時に持つべきものだと考えています。仏教は、自他を区別しないことを重視しているという見方もありますから。私たちは他者と結びついていると同時に、互いに違う者なのだと。自らの感覚を果てしなく広げつつ、個としての自分も受け容れるという、絶妙なバランスで歩みを進めねばなりません。

このバランスを失う瀬戸際にあるときは、他者を気にかけてはいても自分はその他者ではない、と思い起こすための言葉を唱えるのもよいでしょう。以下は、私が他者の苦しみと向き合うときに、よく支えとしている言葉です。

「私の思いやりと存在を無条件に差し出せますように。感謝されることもあれば、無関心や怒り、苦悩で迎えられる場合もあると承知のうえで」
「愛情を注ぐことができますように。人生の成り行きや、苦しみや死はコントロールできないと承知のうえで」

「真の施しができるよう、内なる資質を見出せますように」
「心安らかに、期待を手放せますように」
「ものごとを、ありのままに受け容れられますように」
「他者の苦しみに対するのと同じように、自分の限界もコンパッションを持って見られますように」

これらの言葉は、仏教指導者のシャロン・サルツバーグから学びました。崖でつまずき共感疲労に陥りそうなとき、自分を立て直すのを助けてくれる言葉です。

人間性の回復に向けて

四つめの実践は、ジョン・ポール・レデラックが考案したものです。ジョン・ポールは社会学者で、紛争解決のために価値観・組織・関係性を変容させるコンフリクト・トランスフォーメーションの専門家で、ネパール、ソマリア、北アイルランド、コロンビア、ニカラグアで、暴力と構造的抑圧の問題に関わり、平和構築の役割を担ってきました。人生をかけて、人々の共感、敬意、理解、互いへの認識をよみがえらせることで、人間性の喪失や暴力に代わるものを探究し、遂行してきた人です。この実践を、彼は「リヒューマニゼーション（人間性の回復）」と呼びます。彼が説明するところによると、リヒューマニゼーションは、まず他者をひとりの人として認識し、そして他者のなかに自分を見出し、互いに同じ人間であることを認識するために、道徳的な想像力を養うことを意味します。他者の苦しみを感じ（つまり、共感）、人間の基本的な尊厳をあまねく尊重することでもあるでしょう。

ジョン・ポールは想像力には四種あるとしています。ひとつめは「孫世代への想像力」です。未来の私たちに向けて想像力を働かせ、自分の孫と敵側の孫が仲良く未来を共有できる姿を思い描くべきだという意味です。敵も含まれているネットワークのなかに自分がいると想像する力を養う必要があります。その際、自分の中に敵対する人を受け容れるのですから、共感は不可欠です。こうした想像力があれば、現状の対立やバイアスのかかった考え方を超えて、状況を捉えることができるようになります。これも認知的共感のひとつであり、公益のために行動を起こし、視点の違いを理解する原動力となります。憎しみや相手を物として見てしまうこと（擬物化）から抜け出すための道筋にもなりうるでしょう。

ふたつめの想像力は、苦しんでいる敵方、自分たちとはまったく異質の敵方の人々と接していくうえで、知ったつもりにならないこと、あいまいさも受け容れること、相手への好奇心、探究心、そして謙虚さを持ち合わせていることで生まれます。思いもよらない可能性にまで心を開いていくときに必要な想像力、ちょうどクリス・ヒューズ中佐がイラクで行ったようなことがそれにあたるでしょう。

三つめの想像力は、これまでと違う新たな未来を思い描くことで、ジョン・ポールはこれを「クリエイティブな想像力」と呼んでいます。関係者すべての人間性が回復された、変革の可能性が創造されるような未来を、いかなる困難も顧みずに、心に思い描く力です。この想像力には、揺るぎない決意と、類を見ないほどの忍耐強さ、恐れや焦りに屈しない能力が求められます。それらをもってしてはじめて、これまで可能だと思っていたよりも広がりのある地平まで想像できるようになるのです。

四つめは、「リスクの想像力」です。つまり、結果が保証されていないリスク、未知のものと共に在るリスク、境界を越えて接触するリスクを想像し、好奇心と強さをもって不確実性と対峙することです。非人間化や擬物化、苦しみを終わらせる努力をしながら、自分の属すコミュニティや自分自身の心の抵抗に対峙するための勇気と愛を持ち続けるのです。

想像する力と健全な共感は、ものごとを広く多様に見晴らす視野をもたらし、耐えがたい苦しみが当たり前になってしまわないよう、抗う力を呼び起こします。共感と想像力というふたつの生態系が重なり合う領域に身を置けば、命の多様性を自らの経験として受け容れ、勇気をもって状況に身を委ねていけるのです。

5　共感の崖で見出すもの

マインド・アンド・ライフ・インスティチュートの神経科学とコンパッションについての集まりが日本で開催されたときのことです。ダライ・ラマ法王に、私の知人の医師が、乳がんを患う女性を無私無欲でケアしていることを話しました。ダライ・ラマ法王は両手を合わせ、頭を垂れて、瞳に涙を浮かべました。しかし、その後すぐに医師の立派な仕事を思う優しさに満ちた表情に変わったのです。共感とそれによる苦渋がうかがわれたひとときから、コンパッションと喜びへと、法王が切り替わるさまを目の当たりにした素晴らしい瞬間でした。

ダラムサラにある法王公邸を訪問したときには、法王が会話の内容も感情も極めて俊敏に切り替えられるのを目にしました。公邸は、チベット人の巡礼者がインドへの長く危険な道のりを経て、参拝に訪れる場所でもあります。科学関連の議論が私たちのあいだで白熱している最中などに、チベットの難民が姿を現すことがありました。チベットの人が法王に敬意を表すスカーフを捧げると、法王の眼差しは瞬く間に和らいで、訪れた人を見つめます。そしてその難民の手を取り、その人の中に入り込み、彼らのために祈って励ましの言葉をかけていました。その一呼吸のちには、議論していた仲間のもとに戻り、神経経路や意識の特質といった専門的な話が再開されるのです。精神活動の敏捷(びんしょう)

さが、如実にあらわれていました。

神経科学の論文で実証されているように、瞑想を実践する人は、行わない人に比べて精神的な柔軟性が高く、また思考の反芻（思考が頭にこびりついて離れないこと）が少ないと言われます。利己的でない動機のもとに行われる瞑想は、私たちの主体的な経験、他者の経験を（共感をもって）感知する能力を向上させます。また、瞑想によって、自動的に情動反応が抑えられ、ものごとをあらためて捉えることで、思考や感情を手放しやすくなります。神経科学者のアントワン・ルッツ博士によれば、優れた瞑想者は感情刺激を受けると、習熟していない瞑想者と同じくらい、場合によってはより強く反応しますが、冷静さを取り戻すのは未習熟者より速やかなのだといいます。[30] ルッツ博士は、注意の調整に関する論文の中で、「オープン・モニタリング瞑想」、すなわち、何かに集中することなくただ今このときに対して意識をオープンにする瞑想をすると、思考の反芻で凝り固まる傾向が抑えられ、心の柔軟性が高まるようだと記しています。[31]

神経科学者、ガエル・デボルドと彼女の研究チームは、心の平静と瞑想について調査を行ってきました。ルッツ博士の調査結果と同様に、デボルド博士は、瞑想の効用のひとつは、「高まった情動反応からの迅速な解放と、平常心への速やかな回帰」[32]だと発見しました。こうした瞑想の力は、一時的な共感疲労を、平静さとコンパッションへと切り替えるのを容易にします。

ツェリンというブディ・ガンダキ川で溺死したネパールの少年の写真を持って、法王のもとに行ったこともあります。川堤で上方から大きな石が崩落してきて、私たちのチームのアメリカ人医師が川に突き落とされたことがありました。彼女は命を落とすところでしたが、ツェリンがヒマラヤの激流に飛び込んで、彼女がつかまれるように板を差し出したのです。ツェリンは泳ぎが得意でしたが、医師の向かいで板につかまりながら、激しく渦巻く流れの中に巻き込まれてしまいました。そして、医師は助かりましたが、ツェリンはモンスーンで勢いを増した容赦ない流れに呑まれて下流に消え、命を失ったのです。

若いカナダ人が、医師を岩場まで引きずり戻しましたが、ツェリンの姿を目にすることは二度とありませんでした。良き友人を失ったことを知って、とてつもない衝撃の波が私たち皆に押し寄せました。

その後まもなく、私はツェリンの写真とカターという儀礼用スカーフを携えて、ダラムサラを訪れたのです。少年の母親の代理として、彼女の息子の幸多き転生を、ダライ・ラマ法王に祈ってもらうために。法王にツェリンの話をするあいだ、時間が止まったかのようでした。法王は集中力に溢れしかも優しい眼差しをしていました。私たちを取り巻く空間は静まりかえり、周りの人々がスローモーション映像のように感じられました。私が話し終えると、法王は言いました。ツェリンは優れた菩薩に生まれ変わる、私心のないコンパッションの行動で他者の命を救ったのだから、と。その言葉こそ、私が必要としていたものでした。ツェリンの母親のもとに持ち帰る、贈りものとなる言葉でした。

精神状態を機敏に切り替えるダライ・ラマ法王の力（瞑想によって養える能力です）を身につけることができれば、崖から共感疲労へと落ちていくことは少なくなるでしょう。こうした精神の柔軟性は、他者の苦しみに出合ったときに、心の内に余裕を持ち、自他の区別をはっきりと保つ助けになります。私たちの瞑想では、思考、感情、身体の感覚が、主観的な経験をドタバタと通り過ぎるのを観察することを学びます。自分の感じ方と一体化してしまうのではなく、ただ観察できるようになるほど、他者の苦しみに蝕まれるのを避けることができます。

それでもときには崖から落ちるでしょうが、もし落ちたとしても、すべてが失われるわけではありません。共感疲労に陥ったがゆえに、他者の苦しみも自分の苦しみも終わらせようと、コンパッションの行動へと駆り立てられることもあるでしょう。ある程度の共感の高まりや苦痛は、コンパッションの行動を起こすために必要なのです。ただ、疲弊をもたらし、他者への思いやりから遠ざかってしまうような共感疲労の沼にはまって抜けられなくなるのは避けるべきです。他者と自分のあいだの距離を広げすぎることなく、自他の区別を学べれば、共感は、他者に役立とうとする際の良い味方となるでしょう。

最後に共感に関するひとつの洞察をあげると、おそらく私たちが他者の内側へと入り込むことのできる度合いは、自分が他者を受け容れる度合いを超えることはない、ということです。他者が自分の内側や心のなかに入り込むのを受け容れることで、自分自身がより大きくなり、より徹底的に受け入れるようになった分だけ、他者のなかにも入り込めるようになるのです。共感は、小舟に乗って苦しみの岸辺に接岸するばかりではなく、大海原であろうとする姿勢です。共感の恩恵は、苦しみの海原に溺れてしまわないかぎり、私たちを豊かにしてくれることでしょう。そして、智慧を媒介として錬金術のように変容した共感は、私心なく他者のために行動するエネルギーとなるのです。

共感の存在しない世界は、他者に対して何も感じない世界です。他者に何も感じないということは、自分自身に対しても何も感じないということです。他者の痛みを共有できれば、利己的どころか残忍でさえある無関心の狭い谷間を通り過ぎて、智慧とコンパッションの広く雄大な景観へと導かれるでしょう。

私は、共感は人の基本的な善良さから生まれる、人間にとってなくてはならないものであるとも感じています。偉大な哲学者、アルトゥル・ショーペンハウアーはこう言いました。「私自身のものでも私の関心事でもない苦しみが、あたかも自分自身の苦しみであるかのように、私を行動に駆り立てるほどの力で直に私に影響を及ぼしうるとは、いったいいかなることなのか」。共感は、健全であれば、行動を呼び起こすきっかけとなります。個人の不快感を抑えるためではなく、世界の苦しみの解放という大きな恵みのために。

第3章

誠実

Integrity

誠実さなくして、自由はない。

父の口から過去の話が溢れ出したのは、亡くなる二日前のことでした。それまで私たち姉妹は、父から第二次世界大戦中の体験を聞くことはなく、家族の中でも意図的に避けてきた話題だったのです。それが突然、父が吐き出さなくてはならない毒のように当時を語り始め、そのときのことが明らかになりました。

父は海軍の戦車揚陸艦ＬＳＴ‐３９３の指揮官として、シチリアへの侵攻やサレルノへの上陸といった重要な作戦に関わっていました。一四〇人の部隊と共に、イタリア人やドイツ人の戦争捕虜を、地中海を渡って北アフリカの収容所へ移送する任務もありました。イタリア上陸後、勇猛な兵士たちが敵陣に入り込み、イタリア兵を殺害してその耳を切り取ったと、父は死の床で語りました。忌まわしいことに、戦艦に持ち帰った耳の数によって兵士たちの評価が決まったのだといいます。

米国南部のクリスチャンの家庭で育った父は、命の尊厳を守るよう教えられてきました。「敵」も含むあらゆる命についてです。しかし、父の指揮のもとに行われていることには、彼が育んできた人間としての誠実さに反することもあったのです。死が近づく中で父は、悪評を買ったある誤射事件についても明かしました。シチリアへの侵攻作戦中のことです。国籍不明の航空機が域内に入ったとの知らせが、司令船に届きました。疲れ切っていた兵士たちは慌てふためいて、連合国の航空機の一群を、敵の枢軸国側の戦闘機だと誤解しました。味方であるという明確な合図がないという理由で、その航空機を戦艦からいっせいに砲撃し始めたのです。父は、敵機だという確信が持てず、むやみに発砲する乗組員を抑えようとしましたが無理でした。連合国軍側の一六四人が死亡し、三八三人が負傷したといいます。

話を聴いて、私は父が道徳的苦しみを、戦時中と戦後数十年にわたって重く抱えていたのだと知りました。道徳的苦しみは、感情の複合体です。仕事仲間で、ジョンズ・ホプキンズ大学の医療倫理・看護の寄付講座教授であるシンダ・ラシュトン博士は、「道徳的な害悪、不正、失敗に対して感じる、葛藤や苦悩」と定義しています。[1] 道徳的に苦しむのは、私たちに誠実さと良心があるからです。他者によって、あるいは自分自身によって、誠実さと良心が侵されたときに、感じる痛みなのです。

悲しいことに、父はその苦しみに何ら対処することなく生涯を過ごしてきました。困難な状況でも価値観を貫いて生きようと努め、堂々としていました。まさに死にゆくときになって初めて、自分から、胸中に封印していた苦悩と恥辱を表したのです。この苦悩は、老境に差しかかる者の心に、秘かに憂うつ感と失望が巣食う要因となっていたはずです。

父は誠実であることを大切にしていました。誠実さとは、正直であること、道徳的・倫理的な原則を遵守することです。オックスフォード英語辞典の「integrity（誠実）」の定義のひとつに、「分離せずに一体となっている状態」[2]というものがあります。誠実さが損なわれると、私たちの内部は分裂し、自分の価値観から切り離されたように感じるのです。父もそうだったに違いありません。

自分の言動や行動を価値観と一致させていられるとき、人は誠実さの高い崖（エッジ）の上に立っていられます。しかし、信じている価値観にそぐわない行動をせざるを得ないとき、道徳的苦しみへと崖を踏みはずしてしまいます。踏みはずした先では、虚無感、恐れ、怒り、嫌悪によって、感情的にも身体的にも精神的にも衰弱していってしまうのです。

父の話を聴いて、私たち姉妹は彼が長く秘めていた苦難を深く理解しました。迫りくる死によって抑制が解き放たれ、精神の深い部分が目覚めたのでしょう。感情と熱のこもった告白でしたが、死を恐れてはいないようでした。人生を締めくくる過程の一部として、父は戦時中に良心が侵された経験を私たちに伝えたのです。勇気、尊厳、自制心といった人間的な価値について、何かを教えようとしていたように感じます。たとえば、彼自身や射撃手の衝動を抑制できた、あるいはできなかったという話をすることで。

当時起こったことを話し終え、しばしの身体の変調ののち、父は安らかな眠りにつきました。私たち姉妹は、父の苦悩をじっと見つめ、父が手放すことができるように、彼の真実を受け取りました。最終的に、父が自分を責める気持ちや恥じる気持ちを手放して死を迎えたことは、私たち皆にとって良き贈りものとなりました。

1　誠実さの崖にて

私は道徳哲学者ではありません。それでもなお誠実さと道徳の本質を探ることは、私の人生と仕事において重要な部分を占めてきました。人類学者としての研究では、道徳の基盤はひとつではなく、善か悪かの見解は文化によって、そして個人によっても異なると知りました。そして仏教からは、誠実さを理解する新たな方法、苦しみというレンズを通して誠実さを見ることを学びました。他者や自分自身に苦しみを与えているとき、誠実さは脅かされ、他者の苦しみを和らげれば、誠実さは維持される、という考え方です。

誠実であるということは、道徳・倫理原則に沿う生き方をまっとうすることです。「道徳(morality)」や「倫理(ethics)」という言葉にはさまざまな定義がありますが、誠実さについて探究する本章では、「道徳」は、尊厳、道義心、敬意、思いやりの判断基準となる個人の価値観、「倫理」は、社会や組織の指針として有意義で建設的な原則が体系化された、社会・組織の一員として守るべきことを指すこととします。

価値観というものは、人格に反映され、誠実さを強化することもあれば、壊すこともあります。誠実さなくして、自由はないのです。私はこれまで、誠実さの崖がいかに崩れやすいかを見てきました。

他のエッジ・ステートよりも、さらに脆いかもしれません。道徳的苦悩を味わい、崖から突き落とされ、滑って転んで、苦しみの深淵を経験することが、誠実さを強化し実行するために、しばしば必要だからです。そのため、本書で取り上げる誠実さに関する話の多くは、苦しみの要素を含みます。また、「道徳的感性（道徳的な葛藤やジレンマを感知する能力）」や「道徳的識別力（どの行動が道徳にかなっているかそうでないかを見極める能力）」が際立つ話でもあります。作家のジョーン・ディディオンは、害悪のどん底にあっても動じない美徳を持ち続ける人を、「道徳的胆力（moral nerve）」[3]という言葉で表現しました。この「道徳的胆力」も、このあと多くでてくることになります。

道徳的胆力と、徹底的な現実主義

公民権運動のリーダー、ファニー・ルー・ヘイマーの人生は、誠実さがエッジ・ステートであること、そして誠実さの崖の上で力強くあるために勇気と智慧とコンパッションが助けとなることを示す、胸を打つ実例です。幸運にもファニー・ルー・ヘイマーを知ったのは、「ミシシッピー・フリーダム・サマー」と呼ばれる一九六四年の有権者登録運動のときでした。彼女も私も、人種差別廃止を目指す組織、ＳＮＣＣ（学生非暴力調整委員会）のメンバーだったのです。一九六五年に物理学者のデイビッド・フィンケルステインと私は、ニューヨーク市でSNCCの資金集めのためのイベントを企画し、そこでの基調講演をファニー・ルーに依頼しました。

グリニッチ・ビレッジで行われたイベントの夜、私たちは皆、身を乗り出すようにして、彼女が語る人種間の平等のビジョンに耳を傾け、その力強く歌うような声に聴き入りました。ファニー・ルーは自分の人生についても語ってくれました。シェアクロッパー（奴隷解放後の分益小作人）である綿花栽培労働者の家庭で、一九一七年に二〇人の兄弟姉妹の末っ子として生まれたこと。[4] 六歳のときプランテーションで綿摘みの仕事を始めたこと。一三歳になるころには、一日に九〇〜一三六キログラムもの綿を摘んだといいます。暮らしは厳しいどころではない苛酷さで、彼女も家族も食べものに事欠く貧しさでした。[5] 結婚してからは、夫とのあいだに子供はありませんでしたが、貧困家庭から子供をふたり引き取って育てました。一九六一年、四四歳で、腫瘍の摘出の手術を受けたときのことです。白人の医師は、州内の貧しい黒人の人口を減らそうという残酷な方策にのっとって、彼女の承諾なしに不妊手術を行いました。

一九六二年、プランテーションの農園主の命令に逆らって有権者登録をした結果、ファニー・ルーはシェアクロッパーとしての仕事を失いました。そして、SNCCに関わるようになり、有権者登録や識字率の向上に取り組むようになったのです。よく知られている彼女の言葉で、こんなものがあります。「私に分別があったなら、少しは恐れを感じたかもしれません。しかし、いったい何を恐れると言うのでしょう？　殺されるだけのことです。物心ついたときからずっとじわりじわりと痛めつけられてきたのですから」。[6]一九六三年に冤罪で投獄され、受刑者からも警官からも、こん棒で死ぬほど殴られたときのことも、彼女は語りました。[7]命を落としかねない怪我を負いましたが、むしろそれによって彼女は決意に燃え、道徳的な憤りに火がついたのでした。

ファニー・ルーの話を聴いて、電撃が走りました。確固たる誠実さ、道徳的胆力、そして信念によって、直面した困難をくぐりぬけてきたのは明らかでした。彼女の行動は、自身の信条に忠実なものでした。彼女自身がこういう表現をしたわけではありませんが、道徳的苦しみを少なからず経験していたのは確かでしょう。南部の田舎で、村の人々が侮られ殴られ殺されるのを見てきた彼女のような状況にあれば、誰でもそうなっていたはずです。

ファニー・ルーは、自らが恐ろしい暴行を受けたにもかかわらず、決して屈することがありませんでした。それどころか自分の苦しみを人類の利益のために活かし、命を脅かされたにもかかわらず分断された人種のどちら側とも勇気を持って連携したのです。グリニッチ・ビレッジでの夜、公民権運動を魂の道と見なして、自らの誓いを実践し続けるのだと力説しました。彼女が大きくはっきりとした声で、こう言ったのが耳に残っています。「Show up――現場に姿を現して。（中略）これは、人間性の回復を目指し、道徳的な想像力をたゆむことなく働かせながら、徹底的に現実主義を実践することなのだから」。ファニー・ルー・ヘイマーは、私にとって模範であり、人生で特に強い影響を受けた人のひとりです。彼女の並はずれた勇気と誠実さを、よく思い起こしています。

ファニー・ルーの仲間に、社会活動家、歴史家であり、SNCCのアドバイザーだったハワード・ジン博士がいます。彼は、ファニー・ルーの道徳心が放つ威光と、先の見えない不確実性やひどい暴力にも屈しない強さを、心の底から尊敬していました。彼女の魂に感化されていたのは間違いありません。彼はこのように記しています。

逆境のなかで希望を抱くことは、ただの愚かな空想ではない。希望は、人類の歴史が、単に残酷なばかりではなく、コンパッション、献身、勇気、思いやりの歴史であるという事実に基づいているからだ。

複雑な歴史のなかで何に目を向けるかという選択によって、私たちの人生は決まる。歴史の暗部だけに目を向けると、私たちが行動を起こす力は破壊されてしまう。一方、人々が偉業を成した時代や場所を思い起こすと――そういった時代や場所は数多くある――私たちは行動するエネルギーを得て、独楽(こま)のごとく激しく回るこの世界の向く方向を変えることができるのではないかと、多少なりとも感じられるのだ。

そして、たとえ些細なことであっても行動を起こすならば、ユートピアのような壮大な未来を待つ必要はない。未来は現在とひとつながりだ。人間のあるべき姿を考えながら今を生きること、私たちを取り巻く悪に果敢に抵抗しながら今ここに在ることそれ自体が、驚くべき勝利なのである。[8]

ファニー・ルーの人生は、まさに勝利でした。道徳的胆力と、誠実さ、徹底的な現実主義を実践した稀代の手本と言えるでしょう。

誓いに従って生きる

誠実さの中核となるのが「誓いに従って生きる」こと、つまり自分の最も深い価値観を自分自身との約束として守り、良心を持って、自分本来の姿につながる力です。誓いに従って生きると、道徳的感性が高まります。つまり、他者との関わりや組織において、何が道徳に影響するかを見定め、問題に取り組むための洞察力や勇気を持つことができるようになるのです。

誠実さが人生そのものとも言える、ファニー・ルーのような生き方もありますし、私たちのような普通の人間の日常の意思決定でも、誠実さは垣間見ることができます。レジの人にお釣りを多く渡していますよと伝える。嫌がらせを受けているイスラム教の女性のために行動を起こす。人種差別的な親戚の叔父さんに、子供たちの前でそのような発言をしないよう求める。こういった行動も、誠実さと言えます。

こうした状況に対して、はっきりとした態度を取るのをためらい、気づかないふりをすることもあるかもしれません。あまりにひどい状況では、他者が被っている害から目を背け、わざと知らないふりをしてしまうこともあるでしょう。道徳について無関心になり、特権的な立場に安住してしまうこともありえます。しかし、このような防御的な態度に陥らなければ、苦しみを終わらせるという決意のもと、一歩踏み出し害悪と向き合うこともできるはずです。

私たちの背筋を支えるのは、道徳的胆力であり、善意の原則を守る勇気です。誠実であるために必要なのは、道徳的感性です。そして自分の価値観に忠実でいるには、「背筋をしっかり、体の前側（おなか）を柔らかく」すること、つまり平常心とコンパッションを体現することも必要です。また、自分の見解が主流派と対立するときには、拒絶、批判、非難、怒り、責めを受け容れるだけの広い心も求められるでしょう。自分の信念を貫くなかで、命を落とすことすらあるかもしれないのです。

親戚の叔父さんは二度と口をきいてくれなくなるかもしれませんし、イスラム教徒の女性を守ったために家の壁に落書きをされるかもしれません。もっと悪いことが起こる可能性もあります。しかし、これが「誓いに従って生きる」ことなのです。

多くの人は、誓いを立てることを嫌がります。自分を束縛する規則のように思えてしまうのでしょう。規則を破るのが性に合っているという人もいます。誓いなんてあまりに宗教的な感じがする、あるいは特定の宗教に属することを良しとしない人もいるでしょう。誓いを守る理由は、特に見当たらないから、どうでもいいという人もいます。しかし私たちは、急激に心理社会的な状況が変化し、軽蔑、虚言、暴力やもっと悪いことが日常化していく時代に生きています。そんな時代だからこそ、誓いを持つことで、自分の深いところにある価値観に忠実に生き、自身の本当の姿を思い起こせるのだと、心に留めておくことが重要なのです。

立てた誓いは、価値観を具体的に体現するために、私たちの態度、考え、この世界での在り方に反映されます。誓いとは基本的に、私たちが互いや自分自身に対してどのように在るか、どのようにつながるか、どのように奉仕するか、どのように世界と向き合うか、に関するものです。誓いを実践し体現すること、それは自らの誠実さを世に映すことであり、人間だからこそ直面する内外の嵐にあっても、安定と意義をもたらします。

誓いは、旧約聖書のモーセの十戒や仏教の教えに従うように、決まった言葉どおりに行うこともできます。あるいはコンパッションを誓いとし、柔軟に状況に見合ったかたちで行うこともできます。また、智慧を持つことを誓いとして、自他や社会を分断させたり二元論的な見方をするのを改めることもできるでしょう。大切なのは、誓いが、ほとんどの人にとって、自身が認識しているよりもはるかに広い展望をもたらすということです。誓いが私たちの人生の誠実さを支え、この世界を守ってくれるのです。

誓いには個人的なもの、自分の人格を保つために守らなくてはいけない自分なりの約束のようなものもあります。私の場合、奉仕活動に打ち込んだ母の人生から大きな影響を受けました。幼いころから私の個人的な誓いは、弱い者を見捨てないことと、他者の苦しみがなくなるように常に努めることでした。

また、宗教的な修練から得る誓いもあります。「人から自分にしてほしいと思うことを、人に対してせよ」という黄金律や、仏教の「良くないことを慎む、良いことは進んで行う、一切の幸福を願い精進する」、という三聚浄戒（さんじゅじょうかい）などです。こうした誓いは、自分以外の人々とも共有でき、生涯を神聖なものとする礎となります。

この世界で生きていくための実用的な教訓が、誓いとなることもあります。礼節や社会の協働を育むような、慣習や規範などです。たとえば、敬意をもって他者に接する、丁寧に語りかけ、他者に言及するときも思いやりを忘れない、人生という贈りものに感謝するなどといったことが、あげられるでしょう。

私たちの利己的な部分を変容させてくれる、特別な誓いもあります。エゴに焦点を当てた誓いです。自分のなかの破壊的な感情にもかかわってくるので、自分への厳しさが求められます。このエゴを抑える誓いが教えてくれるのは、利己主義はまったく役に立たないということ、これに尽きます。欲深くあったり、憎しんだり、人を欺いたりすることが、最大の関心事だという人はあまりいないでしょう。それでも、私たちはどうしても身勝手になってしまうときがあります。エゴを抑える誓いは、塩の塊が大洋に溶けていくように、私たちの自己中心性を溶かしていくものなのです。

ウパーヤ禅センターでは、毎朝の勤めや修行期間に懺悔文（さんげもん）を唱えています。これもエゴを抑える誓いであり、自分が他者や自分に及ぼした害を振り返るよう導いてくれます。「いにしえより私が重ねてきたあらゆる悪業（あくごう）は、始まりもない太古からの、欲、憎しみ、過ちから生じたもので、身体・言葉・心によって行われたものです。私は今、それらをすべて懺悔します」。このように唱え、償うべきことを思い起こします。「atonement（懺悔）」という言葉は、まさにこの誓いにふさわしく、「at－onement（ひとつにする）」、すなわち、私たちの人生すべての真実をひとつの全体として振り返る営みを意味します。ばらばらの断片を、勇気と誠意ある和解によって互いにつなぎ合わせるのです。

究極の誓いは、より優れた存在として生きることを目指す、悟りをひらくという誓いです。すべては移り変わること、互いに関わり合っていること、自分を手放すこと、そしてコンパッションに目覚めさせてくれる誓いです。この誓いは仏教徒にとって、智慧とコンパッションを体現するブッダに帰依することを意味します。帰依するとは、「ブッダになる（悟りを開く）」修行を積むことに他なりません。また仏教徒は、ダルマ（仏法）に帰依します。ダルマは、害を与えることなく、無私の心で尽くし、目を覚ますように私たちを導く、ブッダの教えであり価値観です。このダルマに帰依するとは、精一杯教えの具現化に努めるということです。そして、もうひとつ、仏教徒が帰依するのがサンガです。サンガは、悟りへの道を求める仲間の集まりのことです。中には、面倒な人、たとえば地方議員だとか、義理の父親、無礼な社長などもいるかもしれません。そういった人々を含むサンガと向き合うことで、私たちはあらゆる人や物と無縁ではいられず、周りとの関わりによって生きているということを知るのです。

キリスト教徒にとっては、主イエス・キリストに帰依し、八福の教えに従って愛と謙虚さを体現し生きることが誓いとなるでしょう。先住民族にとっては、大地と天空に帰依し、生きとし生けるものを敬い尊ぶことであるかもしれません。信仰の対象が何かにかかわらず、誓いは、誠実さを保ち道徳心ある人格の成長を支えるものとして、実践すべきことなのだと思います。教え子たちにはいつもこう言っています。「今こそ、ブッダになるときではありませんか？」

では、どうしたら誓いに従って生きることができるでしょう。ひとつの方法は、とりわけ抵抗を感じる場所に、あえて踏み込んでいくことです。何より恐れている場所に赴き、誓いと価値観を守り続ける強さを試すのです。ファニー・ルー・ヘイマー、マララ・ユスフザイ、ジェーン・グドールは、いずれも誠実さの崖に立ち続ける女性です。彼女たちは人種差別、性差別、環境破壊、世界の経済格差によって引き起こされる、構造的な苦しみの厳しい現実に向き合ってきました。まったく先の見えない不確実さの中にあっても、苦しみを終わらせるために誓いに生き、守り続け、実践を積み重ねてきたのです。その道徳的胆力と道徳的感性によって、彼女たちは「背筋をしっかり、体の前側（おなか）を柔らかく」保ち、禅で言う「対一説〔場面にふさわしい真理に沿って応じるという意。『碧巌録』第一四則より雲門の言葉〕」の姿勢で苦しみと向き合ってきました。智慧を介した勇気と誠実さを持っていたとも言えるでしょう。これこそが、誓いに従って生きるということだと思います。

2 誠実さの崖を踏みはずすとき——道徳的苦しみ

道徳的苦しみは、基本的な人間の善良さに基づく信条を、逸脱する行為に関わるときに生じる害です。その現れ方には、少なくとも四つの形があります。まず「道徳的葛藤」は、道徳的に問題があると気づき、改善しようと心に決めているにもかかわらず、内外からの制約によって行動を起こせない場合に生じます。次に「道徳心の損傷」は、道徳を大きく侵害する行為を（特に戦争や犯罪など生死に関わる場面で）目撃したり、それに関与したりした結果として被る心理的な傷です。恐怖と罪悪感と恥辱が膿のように入り混じって、心を蝕みます。

一方「道徳的な憤り（義憤）」は、社会規範に反する者への憤りを、外に向けて表現するものです。この憤りには、怒りと嫌悪の両方の反応が含まれています。そして、倫理に背く行為に対する憤りは、行動を起こし正義と責任を追及するよう私たちを駆り立てます。四つめの「道徳への無関心」は、もはや何も知ろうとしなくなったとき、また、害をもたらす状況から目を背けるときに生じるものです。

この四つの道徳的苦しみがすべてあらわれている例として、ヒュー・トンプソン・ジュニアの話をご紹介しましょう。彼は、私の父と同じジョージア州出身の兵士で、ヘリコプターを操縦するパイロットでした。一九六八年三月一六日、南ベトナムでのことです。偵察飛行していたトンプソンは、米兵によるすさまじい暴挙の現場に遭遇しました。兵士たちが、ベトナム人の男も女も、子供も乳幼児も、見境なく陵辱し無差別攻撃と殺害を行っていたのです。後にソンミ村虐殺事件として知られるようになった現場でした。この状況で、トンプソンとふたりの乗員は、驚くべき誠実さと勇気を見せました。彼らは着陸して、殺戮をする米兵たちを止めにはいり、やめなければ攻撃すると脅迫しました。そして、トンプソンは自ら民間人を安全な場所へと護送したのです。罪のない村人への制御を失った暴力を目の当たりにしたことによって生じた憤りが、少しでも人々の命を救い、加害者に責任を課させようとする力となったのでしょう。

ベトナム派遣軍の司令官のウィリアム・C・ウェストモーランドは、殺戮をした米兵たちを「お見事」と褒めたたえ、「敵に大打撃を与えた」と記しました。[9] しかし後年、回顧録には、事件についてこう述べています。「乳幼児や子供、母親、老人を、無防備と分かっていながら殺害した場面が、恐ろしいスローモーションの悪夢となって、一日中つきまとった。殺戮しても平気な顔でいる冷血漢の影にとりつかれた」。[10]

事件の直後、トンプソンの功績に対して殊勲飛行十字章という勲章が与えられましたが、彼はそれを投げ捨てました。その表彰は「強硬な敵の砲火に直面しながらも」英雄的であったと彼を称賛し、砲火が米兵によるものであったという事実が除外されていたからです。将校たちが自分を表彰して口止めしようとしているに違いないと考えました。この口封じもまた倫理に反することです。一九六九年にトンプソンは殺戮を命じた将校たちを批判する証言をしましたが、後に彼らは赦免され無罪となりました。[11]

その後何年もトンプソンは、ソンミ村虐殺事件の調査や裁判での証言について、米軍や政府関係者の多くから中傷を受け、一般市民からも非難されました。英雄的な行いをしたにもかかわらず、虐殺とその後の隠蔽による苦しみが、彼から消え去ることはありませんでした。道徳心の損傷で痛手を負い、心的外傷後ストレス障害（ＰＴＳＤ）、離婚、ひどい悪夢、アルコール依存症に苦しみ、六二歳で亡くなりました。

自分の誠実さを貫き民間人の命を救うには、上官の命令に逆らわねばならないと気づいたとき、彼は「道徳的葛藤」を感じたはずです。そして、「道徳的な憤り（義憤）」は、正しいことをするべきだと彼を駆り立てました。しかし、「道徳心の損傷」による苦しみが、その後の彼の人生につきまとい、おそらくアルコール依存症の誘因となりました（あらゆる疾患は、状況の否認や、感覚の鈍化、その結果としてある程度の無関心、つまり「道徳への無関心」をともなうものです）。

それでも人生の終盤になって、トンプソンはようやく英雄と認められました。あのような状況で稀に見る行動をとった勇気が評価され、彼とヘリコプターの乗員に正式な軍人褒章が授与されたのです。

私はヒュー・トンプソンについて、海軍特殊部隊の一員だった教え子を通じて知りました。彼はトンプソンが軍における倫理について語った講演に参加していました。その講演でトンプソンは、軍人褒章を授与された一〇日後に、虐殺から三〇年を経たソンミ村の集落を再訪し、当時の生き残りであるベトナム人女性と会ったときのことを話したのだといいます。彼女は、ベトナム人を射殺した兵士たちがトンプソンと一緒にここに戻ってくることを祈っていた、そうしたら彼らを許すことができる、と言ったそうです。この女性も、村人が強姦され拷問を受け殺害されるのを目撃して、道徳心の損傷を負っているのは間違いありません。しかし、彼女は心の傷を許しへと変容させることができたのです。

虐殺の加害者たちが、事件を背負ってどのようにその後を生きたかも知るとよいでしょう。道徳的に無関心にならないかぎり、彼らも苦しんできたはずです。二〇一〇年、下士官のひとりは、処刑されるのが怖くてあんなことをしたのだ、と語りました。「戦闘中に『できない、そんなこと無理だ、命令には従えない』と言ったら、壁に立たされて射殺される」。[12]

この下士官が恐怖を持ったのは事実でしょうし、殺すか殺されるかという状況に置かれた人というのはコンパッションを向けるべき対象です。それでもなお、誠実さの崖の上に立つことができたのが、ヒュー・トンプソンでした。道徳心の損傷と憤りが、許しがたい行為に直面したときに行動を起こす勇気とエネルギーを彼に与えたのです。

道徳的葛藤

数十年にわたり、終末期医療に関わってきましたが、多くの医療関係者が私に打ち明けたのは、延命措置による患者の負担が、延命の恩恵を上回ってきたときに抱える、「道徳的葛藤」でした。心肺蘇生──患者に苦痛を与え、効果がないことも多い──を、余命いくばくもない患者に施すことを求められたと言う医師たちもいます。また逆に、ある医師は、在庫不足という病院側の事情に抗えず、血液製剤を必要な患者に投与しなかったことがあると明かしました。多くの医療関係者が語ったのは、どのような治療介入が実際に有効かチームで議論しても、その最善の道を進もうとすると、病院の方針や患者の期待と食い違って妨げられてしまうという状況です。そのうち、人によっては燃え尽きを起こして、道徳への無関心に陥り、ケアする力を失っていきます。

数十年にわたって医療関係者と関わってきたなかで、日常的に道徳的葛藤を抱えている人たちもいました。何年か前に、同僚と私は、心臓疾患集中治療室に務めている看護師チームへの助言を求められたことがあります。チームは道徳観に混乱が生じ崩壊しそうでした。心臓移植を受けた患者を九カ月のあいだケアしてきたところでしたが、移植した心臓がうまく機能せず、ロイというその患者の健康状態は急激に衰えていました。

むろんロイとその妻は、彼の寿命を延ばせることなら何でもしようと必死でした。担当の心臓外科医は、自分が勧める治療をしていけばロイは良くなるだろうと、楽観的な見解を示していたのです。

しかし、そうは事が運びませんでした。何カ月にもわたって、ロイは苦痛をともなう壊疽部位の切断、褥瘡、度重なる傷口の消毒とガーゼ交換、反復性肺炎、それに薬剤耐性菌による感染症、人工呼吸器をつけたままの苦しみに耐え忍んでいました。ロイの苦痛は手の施しようがなくなり、彼は無言のまま絶望に沈んでいきました。

看護師たちは、身体的にも精神的にも傷を負ったロイに対応しようとしていたものの、徐々に葛藤が生じてきたと話しました。ロイの病室に行くのは耐えられない、ケアするとかえって彼を苦しめる気がするから、と言う看護師も数人いました。ひとりは、壊疽の処置をしたとき、その腐敗臭のために、ロイの病室を出たところで嘔吐してしまったと明かしました。他の看護師も、職務を果たしてはいても、患者の苦痛をひどく痛ましく思っていました。何人かは、無感覚になってきており、トランス状態にあるかのようにただ業務をこなしていると言っていました。ロイはどうかと言えば、暗い沈黙の底にありました。九カ月にわたってロイが苦しみ、看護師たちが道徳的葛藤を募らせたのち、結局は集中治療室でロイは亡くなりました。

看護師の話を聴きながら、ヒポクラテスが提言した医学が向かうべき三つの目標、「治癒、苦しみの緩和、病に凌駕（りょうが）された者の治療の拒否」を思い起こしました。経験豊富な看護師たちは、まさにロイは病に凌駕されていると感じていました。ロイに施すようにと指示されているケアは、効果がないだけでなく害を与えているように思えました。問題をさらに深刻にしたのは、担当の外科医が看護師の懸念を考慮に入れておらず、外科医と病院の方針に、看護師たちが抑圧を感じていたことです。

患者を避けたことを罪深く感じ、恥じている看護師もいました。完全に心を閉ざし、道徳への無関心に陥っている人もいました。道徳的な憤りを感じ、あの外科医のふるまいは倫理違反に等しいと非難する声もありました。誰もが道徳的葛藤に苦しんでいたのです。

私たちとのミーティングで、看護師たちは、延命が最優先の医療システムの中で、いったいどうすればよかったのかと問いかけてきました。このような状況下で、患者を放棄したくなったり、道徳への無関心や憤りに陥ってしまう情動的な反応から、どうやって抜け出せばよいのかと。彼らは、ロイをケアしているあいだ自らの誠実さが著しく損なわれたように感じ、コンパッションある看護をしようという自身の価値観と原則に背いてきたと思っていました。道徳的胆力も失っており、自らの誇りと誠実さを取り戻す方法を必要としていました。

私と同僚は、看護師たちの話をしっかりと聴き、彼らが互いの話を聴きあうための支援をしました。経験したことを別の枠組みで捉えなおす方法を伝えました。これまでと違う道筋を見つけようとしたのです。そして、許しを見出すことを提案しました。自分への許し、お互いへの許し、外科医と病院への許しです。

この話はそれで終わりではありません。以来二年間にわたって私の同僚がこのチームに関わり、道徳心の回復力（レジリエンス）を養えるよう支援しました。看護師たちは瞑想を行うことで、強い負荷のかかる状況下での精神的な柔軟性、落ち着き、洞察力の向上を目指しました。彼らはまた、各自の価値観を分析するとともに、病院が指針としている原則についても検討しました。そして、自分の信条が、病院の思惑と合致するとはかぎらないと理解しました。個人の誠実さを損なう行動をしたあと、苦しい感情が長く留まり続ける、「道徳心への後遺症」という概念についても探究しました。この後遺症は倫理的ジレンマにつきものだということ、そして後遺症を受け容れることが回復力（レジリエンス）を身につけるために重要であることを認識していったのです。

彼らにとって、こうした一連のプロセスは、精神的な癒しとなるだけに留まりませんでした。道徳心の回復力（レジリエンス）を学ぶことが、チームの力を引き出したのです。チーム主導で病院の方針が改められ、心臓疾患の患者が衰弱していく場合は、適切な緩和ケアが提供されるようになりました。本書の執筆時点でも、ほとんどのメンバーがこの心臓疾患集中治療室で共に仕事を続けています。

道徳心の損傷による苦しみ

道徳的葛藤はそれほど長くは続きませんが、道徳心の損傷は、回復に時間を要します。しかも、回復できたとしたらの話です。道徳心の損傷は、誠実さが侵された結果として生じる、心理面、精神面、社会面の複合的な傷です。良心に背く行為を目撃したり、それに関わったりしたときに生じます。軍隊に所属する人にはよく道徳心の損傷が見られますが、理由は明らかです。ソンミ村虐殺事件の下士官のように、多くの兵士が、組織の命令と異なる自らの信念や価値観を押し通すのは無理だと感じているのです。そうした状況では、自らの誠実さの枠組みは崩れて、間違っていると思う命令にも従ってしまうでしょう。また、深刻な害悪に直面して、自分の良心が止めるようにと叫んでいたとしても、その行動に踏みだせないでしょう。

「道徳心の損傷」という言葉は、受けた傷だけではなく、それによる長期間に及ぶ心理的なダメージも意味します。損傷を負った人は、場合によっては生涯にわたって矛盾を抱えた不協和の感覚に苛まれ、抑うつ、恥辱、罪悪感、社会からの離脱、自己嫌悪に陥ります。道徳心の損傷が怒りや嫌悪を引き起こすと、道徳的な憤りに火がつくことや、依存性のある行為にはまって道徳への無関心につながることもあります。

疎外感も、道徳心の損傷に苦しむ人に顕著な特質です。軍の配属先から市民生活に戻った人は、同僚や友人や家族から隔てられているように感じます。一般の市民は軍で務めるというのがどういうことか知らないので、軍隊での経験をなかなか理解できません。軍隊経験者は、命令によりやらざるをえなかった任務を、周囲が批判的に見るのではないかと恐れるのです。道徳的でないとも思える、もしくは明らかに道徳的でない行為をしていたら、英雄として褒めたたえられることにも強い不安を感じるでしょう。

もちろん、道徳心の損傷を経験するのは、軍の関係者だけではありません。票を得るために嘘をつき、自らの誠実さを損ねたと気づいた政治家。環境破壊に加担することで道徳心が損なわれたと感じる石油ガス会社の従業員。生徒たちに何がなんでも試験に合格するよう無理強いした結果、彼らに害を与えていたことに気づいて罪悪感を抱く教育者。こうした人々も傷を負います。そして、害を防ごうとした人、その害を目撃した人も傷を負うのです。この社会にいかに多くの道徳心の損傷があるかを認識することは、より適切にこの問題に対処するために必要なことでしょう。

私は二〇〇一年一一月六日の夜、道徳心の損傷を負いました。テリー・クラークがニューメキシコ州立刑務所内で薬物注射による死刑に処せられたときのことです。極刑――殺人に対する刑罰としての殺人――という制度は、関わった人の多くに道徳心の損傷をもたらします。死刑を阻止しようとする人まで傷を負います。私の心をかき乱すこの制度は、今なお米国の三一の州で存続しています。これは私の人生の永遠の課題です。

テリー・クラークは、一九八六年の初め、六歳の少女の誘拐と強姦で有罪判決を受けました。その年の夏、保釈金で自由の身になると、九歳の少女を強姦し殺害し、数日後に犯行を認めました。ニューメキシコでは一九六〇年代から受刑者の処刑は行われていませんでしたが、陪審員はクラークに死刑の判決を下しました。

彼は獄中から控訴手続きを進めていましたが、一九九九年に控訴を取り下げ、死を待つことにしました。その決意を覆して控訴手続きを再開するようクラークを説得する活動に、私は加わっていました。処刑されないように彼に働きかけたのです。むろん、成功しませんでした。

クラークは苦しんでいるように見えました。私と同僚は、彼の独房の前のコンクリートの床に坐り、食事を出し入れする小窓越しに会話しました。小窓はあるものの、威圧的な金属製のドアが彼を私たちから隔てていました。彼は低く押し殺した声を出すだけで、独房内はいつも煙草のけむりが充満していました。

処刑の日の夜、五〇人ほどの私の教え子や友人が、サンタフェ近くの車もまばらな幹線道路沿いにある刑務所の前に集まりました。冷え込む夜の闇の中、剥きだしの地面に黙って坐り、抗議をしました。その場にいたのは、私たちだけではありません。近くでは殺害された少女の家族や近隣の人々が「クラークに死を！　クラークを殺せ！」と叫んでいました。しばらくすると、私たちの沈黙が影響したようで、人々は静かになり、讃美歌「主我を愛す」を歌い始めました。そして、誰もがそのときを待ったのです。

午後七時半、刑務官が外に現れて、テリー・クラークは死刑に処せられたと告げました。私たちの一団は、さらに深い沈黙に覆われました。気分が悪くなりました。処刑を支持する人たちの歓声が聞こえ、さらに吐き気を催しました。クラークが凶悪犯罪に関わったのは分かっています。それでも、殺人の処罰として殺人を行うことを甘んじて受け容れるわけにはいきませんでした。ブッダの教えは非暴力です。ブッダは殺人者を罰するよりも更生させようとしました。その教えに従い、仏教徒の大半は、極刑は非倫理的だと思っています。殺しゆえの殺しでは、誰も罪から解放されません。多くの仏教徒は、「正当な殺人」という概念にも反対します。それを認めてしまったら、正当でない殺人も常態化しかねないと考えるからです。

ニューメキシコ州立刑務所の本部である州矯正局では、四〇年以上も死刑が執行されていなかったため、単独で処刑の準備ができず、テキサス州から来たチームを立ち会わせる必要がありました。

刑務所関係者の多くが私に個人的に語ったところでは、彼らの監視のもとにこの処刑が行われることについて、それぞれが道徳的な懸念を感じていました。

クラークの刑が執行された日、彼はとても怖がって鎮静剤を欲しがるほどだったと聴きました。処刑が行われたとき、死刑囚棟の心理学者のひとりは怯えたクラークに見つめられて涙を流したといいます。死刑囚棟でテリー・クラークに関わっていた私の仲間たちは、人が変わったようになってしまい、ついに矯正局を辞めました。

処刑に関わった人々の話を聴く機会はあまりありませんが、その多くは苦悩を長く引きずっています。「最初の処刑でスイッチが入れられたとき、私は人を殺したのだと自覚しました。それは大きなトラウマとして残っています」。アレン・アルト博士はガーディアン紙にこう語っています。[13] 一九九〇年代半ば、当時、ジョージア州矯正局の長官だったアルトは、電気椅子による処刑を五回にわたって命じました。「その後も何度もそれをやらなくてはいけない状況があり、やがてどうにも耐えられなくなりました」。

こうした計画された殺害によって、アルトは自分が「最も卑劣な人間よりさらに低い」レベルにまで貶められたように感じたといいます。五回めの処刑のあと、アルトは苦悩のあまり長官の職を退きました。今でも、彼の指示によって命を落とした者たちにとりつかれていると感じています。「彼らの名前は覚えていませんが、今も悪夢に彼らが現れるのです」。[14]

アルトと共に処刑に関わった何人かは、トラウマを克服するために心理療法が必要となりました。処刑の関係者で、のちに自殺した人を、個人的に三人知っているとアルトは言います。彼らは道徳心への後遺症を受け止めていくことができず、結果として道徳心の損傷によって死を選んだのです。道徳心への後遺症により、悪夢に悩まされ、心が休まることがなくなると、人はひたすら苦しみを感じます。アルトは辞職し、命を絶つ人もいました。身体的な痛みが体内の異常を示しているように、道徳的苦しみは、誠実さが侵されていることを示します。つまり、苦しみが生じたときは、自分の価値観に忠実になれるよう、態勢を立て直すべきときなのです。離職したアルトや私の知人のように、誠実さに反する状況から自らを遠ざけることもできますし、並行して構造的な暴力を変えようと取り組んでいくこともできます。

道徳的な憤りによる怒りと嫌悪

次に道徳的な憤りについて見ていきましょう。一九六〇年代のある夏の夜、当時住んでいたニューヨーク市のビルを出たところで、ぎょっとする場面に出くわしました。男性が女性に向かって怒鳴りちらしていたのです。突然、男は脇に停まっていた車のラジオアンテナをもぎ取り、それを鞭にして女性を叩き始めました。考える間もなく、私はふたりのあいだに割って入り、男にやめなさいと叫びました。憤りのあまり、自分の身の安全は考えていませんでした。男性が女性を虐待する事態が私に火をつけ、行動していたのです。

「道徳的な憤り」は、目にした道徳の侵害に対する、怒りと嫌悪の反応と定義されています。あのとき家の前の通りで、私は身体的暴力だけでなくジェンダーによる暴力も目撃しました。暴力に遭遇したとき我が身に生じた感覚は、五〇年経った今も残っています。それは戦慄が走るような憤りと憎悪でした。ふたりのあいだに入って行くことを阻むものは一切ありませんでした。

ふたりのあいだに立ちはだかった私は、心臓が高鳴っていました。女性は急いで礼を言って、その場から逃げていきました。男性はアンテナを通りに投げつけ、私に怒鳴りつけて立ち去りました。振り返ってみても、暴力を止めようとしたとき、自己中心的な動機で行動したわけではないのは確かです。周りから称賛されたいとか、自尊心を高めたいなどと、利己的なことを考える余裕はありませんでした。目の前の恐ろしい事態に介入せずに通り過ぎるなど、とてもできなかったのです。私を行動に駆り立てたのは、にわかに心の底から湧き起こった道徳的な憤りであり、それはコンパッションともつながっていました。

長年にわたって、道徳的な憤りが、政治、社会活動、ジャーナリズム、医療、そして私自身の経験の中に、ときに適切に、ときに不健全に現れるのを目にしてきました。深く追求していくと、道徳的な憤りは（病的な利他性のように）、「善い」人と思われたいという秘かな欲求の表れとして生じる場合もあると分かってきました。人は道徳的に立派なことをすると、他者の目には信頼と尊敬に値する人物として映ると思っているのかもしれません。また、「自分が正しくて相手が間違っている。自分のほうが道徳的に優れていて、他者は道徳的に堕落している」というように正義に基づく憤りを感じると、自我を十分に満足させることができますし、自分の過失についての罪悪感からも解放されます。

社会評論家のレベッカ・ソルニットは、道徳的な憤りの利己的な側面の実態について、ガーディアン紙のエッセイ「誰もがヒーローになれる——選挙戦の年に送る手紙」に詳しく描いています。彼女は、左派の極端な人々は「娯楽のための敵意」にとらわれがちだと言います。つまり、彼らは善きものに対抗する格好の敵を作りあげては、その敵に先進的なところがあっても、ときには明らかに相手のほうが優れていたとしても粗探しばかりして、道徳的な憤りを、まるで勝負事のゲームのようにしてしまう、と指摘したのです。こうした姿勢は、大義を推し進めることにはなりませんし、築いてきた連帯をむしろ弱体化させてしまいます。[15] 突き詰めていくと、この「娯楽のための敵意」がリベラル派と極左派の溝を深め、二〇一六年の米大統領選挙の結果に少なからず影響を与えたのではないかと思います。

「娯楽のための敵意」のようなかたちで表れる道徳的な憤りは、蔓延しやすく、中毒性が高く、いいかげんで、人を蝕むものです。はじめのうちは刺激になりますが、増大していくと疲れきってしまい、それこそ敵の思う壺です。怒りを覚え感情的になってむやみに興奮すると、人はバランスを崩し始め、ものごとをはっきりと見つめる力を失うようになります。そして、崖から道徳的苦しみへと転落しやすくなるのです。

そうは言っても、多くの人は、害悪の責任を負うべき人々を放置するのは、自らの誠実さに反すると感じます。道徳が侵害されているのを目にしたら、傍観者ではいられないし、保身のために目を背けることもできない。誠実さを貫くには、権力に対して真実の声を上げねばなりません。私は、このような道徳的な憤りを「筋の通った義憤」と呼んでいます。

筋の通った義憤は、エッジ・ステートである、利他性、共感、誠実、敬意の要素を含みます。一九八一年に神経科学者のフランシスコ・ヴァレラとプリンストン高等研究所長のハリー・ウルフと共に、ある霊長類の研究所を訪れました。地下の実験室では、数十の小型のケージにアカゲザルが入れられていました。ハリーと私がそのうちのひとつに近づくと、サルの頭蓋骨の頂部が切断され、脳が露わになっていました。電極が、この小さなサルの脳に直接取り付けられているのです。かわいそうに、サルは手錠をかけられて身動きもできませんが、苦痛と恐怖に満ちた目がすべてを語っていました。私の横でハリーは腰を落とし、サルと向かい合って床にひざまずきました。許しを請うているかのようでした。私は震えながら立ちつくし、サルの目を見つめました。この小さなサルの苦痛を自分のなかで感じ、慰めを送りました。

その後、このような研究を行うのは道徳に甚だしく反していると思うと、フランシスコに話しました。動物が神経科学の研究過程で犠牲になるのはよくあることですが、私はあのサルに出会って、非常に大きな道徳的な憤りを感じました。なにかが私のなかで殻を破ってでてきたようでした。そして自分の怒りと嫌悪を、苦しみをなくす決意を深めるための糧としようと決心したのです。動物実験を見つけたら断じて放っておくまいと心に決めました。フランシスコも、その後ほどなく動物を使った研究から手を引きました。ハリーがどうしたかは、じきに連絡が途絶えたので分かりません。しかし、あのサルとのつながりが絶えることはありませんでした。四〇年近くたっても彼は私の中で生きています。

私がサルに抱いたのは、心の奥深くからのコンパッションでした。それとともに、実験室で抱いた複雑な感情には、身をよじるような嫌悪感も含まれていました。人に近い感覚を持つ生物にあのようなことをする、人間の残酷さを嫌悪しました。道徳的な憤りの特質として重要な点のひとつは、倫理の侵害を感じたときに生じる嫌悪感です。社会心理学では、嫌悪感が道徳的な判断力に与える影響について研究されてきました。ある研究によると、模擬裁判で、気分が悪くなるような臭気に陪審員をさらしたところ、被告人に対して厳しい評決が下されたのだといいます。嫌悪感によって、陪審員の道徳的な憤りが増幅され、それによって厳しい判決となったと考えられます。[16] 別の研究では、嫌悪を強く抱く傾向がある人は、自分の仲間内の人間に魅力を感じ、外部集団の人間に対しては拒否的な態度を取ると分かりました。[17] 道徳的な憤りが、二極化を際立たせ、自分と他者の溝を深めてしまう理由となりうるのでしょう。

道徳的な憤りを抱いたとき、人の内面では相反する反応が起こることがあります。怒りによって攻撃性が高まる一方で、嫌悪によって社会に背を向けるようになるのです。社会から離脱すると、仲間内に引きこもり、外部集団を他者化して避けるようになります。倫理学と法律の学者であるマーサ・ヌスバウムは、同性婚の禁止や、トランスジェンダーの人の公共トイレ利用を制限するバスルーム法など、嫌悪感によってLGBTを差別する法律を「嫌悪による政治」と表現して批判しました。彼女は、そのような政治は、偏見、不寛容、抑圧を助長するとしています。

倫理学者のシンダ・ラシュトン博士は、こう述べています。「道徳的な憤りは、ある集団が結束を強める接着剤となりうる。自分たちのアイデンティティ、職業、価値観、信仰、あるいは誠実さを脅かす相手に対抗して、連帯感を持って団結するようになるのだ。道徳的な憤りは蔓延しやすいので、野放しにすると、差異を際立たせ、結びつきや協調ではなく分断を煽ることにもなる」。[18]

長年さまざまな社会利益に関する取り組みをしてきた中で学んだことがあります。個人の抱く好意や恐れというものが、道徳的問題のある事態への対応の仕方に、いかに影響を及ぼしやすいかということです。かつて関わっていた組織の不正を明らかにする必要に迫られて、悩んだことがあります。CEOは長年の友人でしたから、彼のことも気にかかったのです。彼に直接、懸念を伝えましたが、不正の常習は変わりませんでした。最終的には道徳的な義務を感じて、スタッフの扱い、プロジェクトの実施、資金の運用に関してCEOが不正を行っている懸念があることを、理事会に直に報告しました。CEOである彼への好意が、断固とした行動に出るのを遅らせたのは確かです。けれども、結局は迷ってはいられないと思いました。状況に嫌悪を感じ、公言できないでいた自分に失望したのです。

合理的思考はもちろん重要な役割を果たすものですが、大抵の場合、最重要ではありません。ハーバード大学の心理学教授、ジョシュア・グリーンは、「道徳に関する思考が成り立つために必要なのは、それが社会の中で実際に役立つかどうかである。道徳に関する思考は、頭の中で行われる機械的処理ではない」[19]と述べています。最終的に、理事会で事を明らかにするよう私を後押ししたのは、概念的思考ではなく、私の良心でした。

ある聖職者は、自らの勤める若年層が服役する刑務所の問題について次のように記しています。「このようなことを述べるのは実に心苦しいのですが、このシステム内で、更生のためのケアだと言われているものを見ると胸が痛みます。システムそのものが暴力的にできており、暴力を誘発するのです。若者たちのそのような苦しみを目の当たりにして、私は動揺し、苛立ち、憤り、深い恥辱を感じました」。この聖職者は共感疲労、道徳心の憤り、罪悪感に苦しんでいました。

憤りは、ある意味で、実験室での動物虐待や、若者をおろそかにする刑務所といった、道徳を逸脱する行為に対するもっともな反応です。そこまで深刻でない道徳的問題、たとえば組織の不正などですら、怒り、嫌悪、筋の通った義憤を生じさせます。道徳的な憤りは、一時的なものとして制御されているなら、倫理的な行動へと駆り立てる効果があります。世界には、憤るべきことが山ほどあります。その怒りをエネルギーにして、不正に立ち向かわねばなりません。強い感情は、私たちが非道徳的な状況を認識する助けとなり、不正があれば介入し、決然と立ち上がり、他者の利益のために自分の命さえ危険にさらす気にさせるのです。

しかし、道徳的な憤りが、利己的かつ慢性的で抑制がきかない場合——世界を見渡すレンズそのものが憤りとなる場合——は、その憤りは中毒的で、対立を引き起こすものになるでしょう。また、相手を辱めたり、非難したり、独善的な態度をとったりすることによって、自分を道徳的に優位な立場に置くのも考えものです。短期的には満足感があっても、長期的には他者から自らを孤立させるからです。それに、過剰な憤りを常に抱えていると、潰瘍やうつなど、身体、思考、心に深刻な影響が及びます。また、他者からの自分の見え方にも、大きく影響します。詰まるところ、道徳的な憤りは、その結果が有益か害悪かにかかわらず、自分自身だけでなく、周囲との関係や社会にまで影響を及ぼすということです。適切な判断力、意図を見抜く洞察力、感情を制御する能力のいかんによって、道徳的な憤りが有意義となるか否かが決まるのです。

道徳への無関心と、心の死

私たちが住む世界には、過激な暴力や構造的な抑圧が溢れており、道徳的苦しみを感じる機会には事欠きません。企業の汚職や政治の腐敗、女性や子供への虐待、難民の危機、人種差別、経済的不正、環境破壊、路上生活者の問題に、どう応えたら良いのでしょうか。問題を数え上げたらきりがありません。道徳の侵害に向き合っていくために必要とされるのは、苦難から目を背けるのを当たり前にしている心理社会的な価値観とふるまいを認識し、変容させていくことです。

「まともな人」と思われなくてはいけない、という罠にとらわれないようにすることが、肝心だと思います。大抵の場合、自身の深い価値観に忠実であるためには、周囲からの拒絶、もしくはそれ以上に悪いことが起こるリスクを負わねばなりません。作家のサラ・シュルマンは、あまりに多くの人が、社会における道徳の侵害を直視せず、特権を享受するために常識や品性をないがしろにする「心の中産階級化」を選んでいると指摘します。自分も他者も気まずくなりたくないからと対立を嫌って、苦しみの現実を避けているうちに、暴力的な社会システムが勢いを増していっているのです。今日の世界で、多くの人は、道徳に反した状況を解決しようとすることなく、「心の中産階級化」を選んできました。「真実が明るみに出ることは、優位な地位にある者にとっては、とてつもなく危険だ」とシュルマンは記します。「この社会では、特権を持つ者の幸福は、責任逃れによって成り立っている」。[20]

そしてこれが、道徳的苦しみの四つめである「道徳への無関心」です。目を背け、思いやりを忘れ、故意に無知でいることで、他者の苦しみを無視し、自らの周りに壁を築いている状態です。「私は無関心が恐ろしくてならない」とは、ジェイムズ・ボールドウィン〔アメリカ黒人文学を代表する作家〕の未完原稿『Remember This House（この家を忘れない）』にある言葉です。「心の死、それがこの国で起こっていることなのだ。心が死んでいる人々はずっと見て見ないふりをして自らを欺いてきたので、私を人間だとはまったく思っていない」。[21]

私はフロリダ州南部にある「ホワイトタウン」と呼ばれる場所で育ちました。ユダヤ人もアフリカ系アメリカ人も住むことが許されない排他的コミュニティです。私たち家族とそのコミュニティは、閉鎖的な小さな世界で生きていました。「ホワイトタウン」の線路をはさんで向かい側には、「カラードタウン」がありました。

平日はいつも、父が運転するフォード・サンダーバードかリンカーン・コンチネンタルで線路を渡ってカラードタウンに行き、グランド・アベニューとは名ばかりの狭い道で、リラ・ロビンソンを乗せるのが常でした。一九四六年、四歳で私が重病を患ったときから、我が家ではリラを雇っていました。リラは、アフリカにルーツを持つバハマ人で、家事や料理をしてくれていました。そして年月を重ねるうちに、私たち家族に溢れる愛の力と強さをもたらす存在となったのです。

リラが最初にやって来たとき、私はコーラル・ゲーブルズ（ホワイトタウンの正式名称）が、排他的なコミュニティだとは知りもしませんでした。水の中にいると知らずに泳いでいる魚のように、私たち家族は、人種差別、階級差別、特権の中を、そして自分たちの宗教こそが唯一の宗教だという思い込みの中を、泳いでいました。生活に浸透している人種差別に気づいていませんでした――あるいは見ないようにしていたのかもしれません。最悪レベルの無関心――他者を偏見をもって自分と関係ないものと見なし、目を背け、特権的な閉ざされた場で生きることによって生まれる無関心――に侵されていたのです。

病状が回復してくると、私も一緒に父の車に乗って、ウェスト・ココナッツ・グローブ（カラードタウンの正式名称）にリラを迎えに行きました。今でも、揚げ物の匂い、品薄の小さな家族経営の店、使い古した車、そして、心地良い音楽とコミュニティの温かさを覚えています。ホワイトタウンの白人だけの小学校や、ゴルフやビリヤードやバーのあるカントリークラブとは、まったく違う世界でした。ふたつの世界の顕著な違いを感じずにはいられませんでした。それでも自分の住む世界のほうが「恵まれている」と十分に確信していたわけではありませんでした。

リラの給料は知りませんでしたが、彼女が三人の娘と暮らしている場所を見て、わずかな額に違いないと分かりました。彼女の住まいは、「コンクリート・モンスター」という、薄汚れた中層ビルにありました。ウェスト・ココナッツ・グローブの再開発の失敗例とも言える場所でした。カビだらけで害虫がはびこるコンクリートの部屋は、暑い時期になると熱で焼けるような室温になっていて、いつも優しいリラ、愛するリラのことが、私は心配でした。

彼女がお祖母さんは奴隷だったと話してくれたとき、唖然としました。通っていたメリック付属校では奴隷制について教わりませんでしたが、それがどういうものか、そして、非常に悪いことであるのは知っていました。家庭内で奴隷制が話題になることはありませんでした。聞こえてくるのは、ゴルフや、ガールスカウト、ビジネスの話でした。

リラと私は、まったく違うふたつの星に住んでいるかのようでした。しかし、互いの世界は交わっていたのです。私たち家族が住む世界は、リラの世界を搾取し、「他者化」することによって成り立っていました。リラは彼女の人間性によって、知らぬうちに私の目を開かせ、私たち家族を人種差別の厳しい現実から遠ざけている、白人の特権に気づかせてくれました。そして、このことが今の私を形成し、いかに無関心が世界に悪影響を与えているかという気づきを深めることになったのです。

無関心の殻に閉じこもってしまう、他の例も見てみましょう。ひとつは孤立という殻に閉じこもってしまった例です。何年か前、特殊部隊に所属していた教え子から、戦闘員として道徳心の損傷を負い、その苦しみと向き合うのを避けるために孤立することを選んだというメールが届きました。その後やりとりを続けるなかで、彼から届いたメールには、退役軍人として戦争のトラウマを解消するために閉ざされた孤独の中へと逃避するうちに、孤立が無関心に変容してきたことが綴られていました。

自分で戦争を起こしておきながら、それを経験することから逃げる、そんな奴らの作った戦争に、私は身を投じるよう命じられてきました。戦争が生みだすのは犠牲者だけであることを、私はこの目で見てきました。米国は今まで、イラク戦争における正確な民間人犠牲者数をおおやけにしていません。それに、戦争が自国の兵士やその家族に与えた悪影響に対して、適切に対応しようとしません。ある意味で、私もまた、そうした見えざる犠牲者のひとりです。自分の状況をどうにかしようと、ひとりになるために山に籠りました。孤独の中で瞑想し、書物を読み、仏法を熟考したことはとても有意義でしたが、コミュニティや目的を失ってしまいました。孤立は徐々に癒しを超えて、私は孤立に依存するようになっていきました。そして無関心の中に安住するようになったのです。

この男性は勇気を持って、無関心から抜け出し、他者への奉仕を探究する術として、ウパーヤのチャプレン養成プログラムに参加しました。彼は多くの癒しを必要としていました。関わった任務について語るのを聴いて、戦争によって非常に深く傷ついたのが分かりました。その話を聴いて、道徳心の損傷を負い、無関心に逃げ込むとはどういうことか、その機微を理解しました。彼の道徳心の損傷には、罪悪感、恥辱、自己嫌悪、そして拒絶も見られました。しかし最終的に彼は、自身の勇気とコンパッションを再発見しました。その回復への意志には感服せざるを得ません。

ジェイムズ・ボールドウィンは、無関心に対抗する手段についてこう記しています。「直面したすべてのことを、変えられるわけではない。しかし、直面しなければ、何も変わらない」。[22] 特殊部隊にいた彼は、ウパーヤのプログラムに参加して、自分を防御している孤立から抜け出し、苦しみに直面したのです。

私自身、無関心の誘惑に抵抗して、一九六〇年代の公民権運動に参加し、人種差別という恐ろしい不正に直面せざるを得なくなりました。そして、さまざまな苦しみが屍のように横たわる場所に赴くことが、そうした場にいる人々を深く理解するためには必要だと分かりました。二〇代の初めに、ニューオーリンズの精神病棟でボランティアをしたこと。ベトナム戦争などの反戦運動、死にゆく人の傍らに寄り添い、刑務所で瞑想を教え、原子爆弾が製造された土地であるロスアラモスや、アウシュビッツを訪ね向き合ったこと。これらのすべてが、私の生まれながらの特権を、肌からこそげ落としていったのだと思います。

このような道のりを、バーニー・グラスマン老師は「一か八かの跳躍」と呼びました。一か八か飛び込んでいけば、自分を変容させることができますし、うまくいけば、害悪を及ぼす組織や文化を変容させる助けにもなれるでしょう。ただし、思い切って飛び込むことや、死と隣り合わせの場――

シリアの現状、刑務所、病など——に身を置くには、意志、決意、耐久力、そして愛と智慧が必要です。そうしてこうした環境で、道徳的な人格は形成され、真の誠実さが生まれるのです。

3 誠実さと他のエッジ・ステート

道徳的苦しみは、病的な利他性、共感疲労、軽蔑、燃え尽きなどエッジ・ステートのあらゆる有害な側面につながる原野でもあります。

二〇一六年の夏、ウパーヤで修行するコショ・デュレルと、ウパーヤのホームレス体験プロジェクトを立ち上げたジョーシン・バーンズは、修行中の九名の参加者と共に、およそ六七〇〇人が路上で暮らす都市[23]、サンフランシスコで路上リトリートを実施しました。一章で述べたように、バーニー老師が始めたこの路上リトリートは、ホームレスとして生きる現実に修行者が思い切って飛び込み、人々を抑圧し続ける社会システムの威力を、より深く理解するためのものです。参加者は、路上で眠り、お金や食べものを乞い、無料の食事提供所で食事します。歩いてまわり、人と会えば誰とでも話をします。麻薬取引や盗みや飢えを、ありのまま見届けます。そして、こうした状況で感じる自らの脆弱さに接するのです。参加者の多くが、この社会の階級的偏見、人種差別、道徳への無関心を、至近距離で目にすることで、道徳的苦しみを感じます。そして、「知ったつもりにならない」「ありのままを見届ける」の実践に駆り立てられ、多くの場合「慈悲に満ちた行為」へと向かう意欲もかきたてられるのです。

このサンフランシスコでのリトリートのために、コショとジョーシンは早めに現地に行き、食事提供所と、路上で安全に眠れる場所を探していました。コショはテンダーロイン地区を歩いたときのことを、こう記しています。「路上生活者の数の多さに衝撃を受けました。薬物使用、ごみや汚物、崩れかけた建物、崩れたように身体を投げ出した人々の多さにも」。

コショとジョーシンは、グライド・メモリアル教会の食事提供所に行ってみることにしました。かねてから人種や階級の問題、ＬＧＢＴＱの権利に関わってきた、進歩的なメソジスト教会です。しかし、食事提供所は期待したようなものではありませんでした。コショによると、その地下食堂は、コンクリートの床に金属製のテーブルや椅子が置かれ、威圧的にそびえ立つ壁は「衛生的に見せようと水色に塗装されているものの、汚れていて、水を抜いたスイミングプールのよう」でした。五〇〜一〇〇人の人が食事券の順番に従って食事をし、無言でうつむいたまま食べ終えると、次の順番の人々が食べ始められるようにすぐに出ていかされていました。

コショとジョーシンは、この状況に動揺したといいます。おそらく共感疲労と道徳的な憤りが相当大きかったのでしょう。それから、ふたりはシヴィック・センター地区にある国連プラザと呼ばれる広場に向かいました。「そこでは、人々が噴水のそばでコカインを吸っていました。障がい者が車椅子で動いたり、ただ休んでいたりしていて、精神疾患の患者は当てもなくさまよっていました。コンクリートに坐って喋っているだけの人もいました」。

コショは広場の碑に刻まれている、国連の世界人権宣言の前文に目を留めました。「人類社会のすべての構成員の固有の尊厳と平等で譲ることのできない権利とを承認することは、世界における自由、正義及び平和の基礎であり、人権の無視及び軽侮は、野蛮行為などをもたらしてきた」。

この言葉とサンフランシスコの路上の現実があまりに対照的だったことが、コショを目覚めさせました。「通りを行く若い会社員は、ほとんどが男性で、ヘッドフォンで耳をふさぎスマートフォンに見入って、他の人には見向きもしません。『これはもう、世も終わりだ。狂っている。あまりに悲しいじゃないか』と思いました。テンダーロイン地区とは線路を挟んだだけの真向かいにある、ハイテク企業の本社……そこに勤めているのであろう彼らには数十万ドルや数百万ドルの収入があるのでしょう。南側の地区はどのブロックも再開発が進み、ガラスやプラスチックや金属の無機質なデザインの現代的なビルに、特権階級が住んでいます。テンダーロインの路上生活者は、家賃の急騰を目の当たりにしてきました。高騰するこのあたりで住まいを得るには、ワンルーム・マンションに月に一五〇〇ドルも払うか、運良く行政からの援助を受けるかのどちらかです。僕の道徳的な憤りを、少し分かっていただけるのではないかと思います」。

彼は続けます。「ただ、自分の精神の倫理的な部分には、反感や憤怒を持ち続けないことを誓っていました。生じてくるすべての感情、思考、感覚に気づくことも誓っていました。そして、すべての経験――広場で起こっていたすべてのこと――をこの身に浸み込ませることが、自分を変容させると信じていました。自分のバイアスと先入観を明らかにして、解放しようと試みたのです」。

これはコショにとって、そしてほとんどの人にとっても、たやすいことではないでしょう。彼の言葉から、私が一〇代のころ、ようやく痛ましい問題を理解し始めたときのことを思い出しました。階級と人種が私たちを分断し、深い苦しみの源となっていること。特権を持つ人が直接的であれ間接的であれ、貧しい人から搾取することで、特権を持つ人の世界と貧しい人の世界は交わっていること。たいてい持たざる者が、特権ある人々に奉仕していること。この事実を知ったとき、私は怒りと嫌悪を感じ、無力感に襲われました。しかし、これが私を目覚めさせるターニングポイントにもなりました。構造的・制度的に抑圧されている人々のために奉仕する必要があると気づいたのです。構造的な暴力を生みだしている思い込みや制度を変容させねばならないと思いました。また、人種差別とその産物である害悪の醜い真実は、私たち皆に責任があることも見えてきました。しかし、好むと好まざるとにかかわらず、無意識のうちに社会から特権を与えられているような状況の私たち白人が、その特権から抜け出すことがありうるのか、確信を持てませんでした。むしろ与えられたものを活用して、特権のない人々の助けとする方法を学ぶことができるのではないかと考えました。こうした状況で起こりやすいことである、病的な利他性に陥らないように注意する必要もありました。

コショは私の経験に似たものを味わったのではないかと思います。彼はこのように言っています。「私には階級差によって火が付く引き金があるんです。この引き金を引き続けていこうと思います。それはこの人生三〇年で見てきたこと、感じてきたことによって高まった怒りの現れです。私の視野を狭めていたのは、恐れだろうと思います。ものごとを『自分たち対他者』として見ると、痛みが気にならなくなり安心できますが、そうして特権と抑圧の罪悪感や痛みを避けようとすると、そこから執着（苦しみ）が生まれます」。

そして、コショは、道徳的な憤りを変容させることは、問題を解決してあげることではないと学びました。「路上リトリートに参加する多くの人々のあいだには、助けたい、問題を解決したい、犠牲者たちを救済したいという衝動がありました」。コショは、道徳的な憤りや共感疲労を和らげるために、人は病的な利他性の誘惑へと駆られることを認識していました。「参加者が、自分の食べもののために恵んでもらったお金を、物乞いしている人に与えようとすると、助ける側と助けてもらう側を区別してしまうことになります。ここに、苦しみが生じます。たまに、一流企業の若手社員たちを攻撃してやりたいという、革命的な願望を持つ参加者もいます。一定の条件がそろうと、私もこういった英雄伝的なシナリオにとりつかれることがありました。……解決したいという衝動、戦いたいという衝動、どちらも私が路上で暮らすなかで湧き起こりました。軽率に反射的に援助すれば、路上の人ではなくなってしまいます。戦いに身を投じれば、実際には攻撃していなくても、自分のなかに分断が生まれてしまいます。僕の心も身体も、路上の人とのあいだに境界を引いて、その地域を分断するのに加担してしまいうるし、実際に加担してきました。でも、今は他のやり方があると思っています」。ここで「敬意」が重要な要素となります。このような状況下で重要な道標となる、道理と誓いに対する敬意、貧しい人であれ特権がある人であれ、自分以外の他者に向ける敬意、そしてこのような切迫した場面では脆く崩れやすい、自分への敬意が、必要となるのです。

コショは次のように説明します。「路上リトリートでは、行動を思いとどまること、善悪についての型にはまった見解を捨てること、知らなければいけないという気持ちを手放すことが、促されます。この過程で、重要な機会が浮き上がってきます。ものごとをただありのままに、罪の意識や誰かを非難するフィルターを通さずに見るようになるのです。この実践を経て私が感じたのは、怒りの下にあるのは、病の苦しみや加齢や死に対する嘆きであり、さらにその下にあるのは悲しみであるということです。こうした感情は、深くつながった感覚、一体感を持っているからこそ引き起こされるのだと感じました。そして、慈悲に満ちた行為が純粋な動機から湧き起こることを知り、裕福でも貧しくてもあらゆる隣人と友情を深め、必要なものを与え、必要なものを受け取ろうと思うようになりました。

互いを癒し自分自身を癒す、深い関係を築こうと思ったのです」。

道徳的な憤りから出た反射的な行動は、自分自身にも、援助しようとしている相手にも害を与えやすいものです。コショは、道徳心の損傷と道徳的な憤りは、共感疲労が原因で起こりやすく、病的な利他性を引き起こす可能性があると学びました。道徳心の損傷と憤りによるふるまいは、気づかないうちに相手への軽蔑となり危害を与えかねませんし、次々に現れる苦しんでいる人を助けられていないと感じると、燃え尽きにもつながります。コショがホームレスの人々と共に在るために行った思慮深いアプローチは、物理的もしくは精神的な死と接する場で勇気をもって試練に身を置きながら、健全なエッジ・ステートを養うための気づきを与えてくれます。

4 誠実さを育む

人は毎日のように道徳的なジレンマに直面します。非常に込み入ったものもあれば、些細なものもあります。どのようにしたら、誠実さの崖の脆い縁を踏みはずすことなく、しっかりと立っていられるでしょうか。道徳的苦しみの沼に滑り落ちたとき、コンパッションの岸辺にどうしたら戻れるでしょうか。胸が張り裂け、傷口から良心が失われていくときは、自分の心だけでなく、苦しむ人の心、そして害を与えている人の心も、深く見つめましょう。これが、苦しみの真相を認識し、苦悩と尊厳のどちらも見渡せる、誠実さの高い崖の上に立ち続ける方法なのです。

探究の輪を広げる

瞑想は、良心に反することを察知し、道徳心の羅針盤を見定める助けになります。道徳的な問題に直面していて誠実さが脅かされたとき、心身を落ち着かせるための良い方法は、身体の声に耳を傾けることです。まず、息を吸って、それから息を吐きます。意識を身体の中に沈めるようにします。肩、胸、腹部にこわばりを感じたら、身体からの知らせなので注意せねばなりません。身体はしばしば、頭が概念として気づくよりも前に、私たちが窮地にあると知っているのです。

次に、心に注意を向けましょう。自分の意図に触れ、この瞬間に湧きあがるあらゆる感情を観察します。感情は、道徳的なジレンマの捉え方に影響を与えてしまいます。ですから、感情に溺れることなく、感じていることを客観的に捉えるように努めましょう。詩人のライナー・マリア・リルケが

『時祷詩集』の詩でこう書いているように。「あらゆるものを経験せよ、美も怖れも。ただ進むのだ。感情には最果てというものはないのだから」。

感じていることに調律を合わせたら、今度はどんな思考が生じているかに注意を向けます。今この瞬間の思考を自覚すると、自らの経験をいかに概念化しているか、より意識的に理解できるようになるでしょう。私たちは、ものの見方、バイアス、意見によって、行動に駆り立てられることがよくありますが、自分の意見に基づく行動は、役に立たないかもしれません（バーニー老師は「これは私の意見にすぎないがね」といつも言っていました）。ですから、思考に意識を向けてください——ただし結論に飛びついたり、急いだりはしないように。この探究の過程は、ものごとに反応しやすいのか身を引きがちなのか、自分の傾向を認識し、慌てて軽率な行動を起こす前に感じていることを制御するのに役立ちます。

自分自身の状況を把握できたら、意識を広げて、他者の経験を取り込みます。彼らはどのような見方をしているでしょうか。彼らの身体と心に調律を合わせるように、彼らの目で状況を見つめ、問いかけます。彼らの何が危機にさらされているのでしょうか。

さらに、探究の領域を広げ、道徳的葛藤が生じている状況全体に意識を向けます。葛藤の原因となっているシステムについても、十分に目を向けねばなりません。建設的な結果をもたらすために、システムは私たちや他者に何を求めているでしょうか。また、どうすれば「知ったつもりにならない」ようにして、不確実性から学ぶことができるでしょうか。

智慧が教えてくれるのは、完璧な解決策はないし、困難をともなわない道もないということです。おそらく人は、少なからず道徳心への後遺症とともに生きていかざるを得ません。それでも、覚悟を持って経験から学び、自分なりの誠実さとの関係を築いていくことはできるのです。

五つの誓い

最初に仏教の教えを受けた四〇年以上前、それが私にとっていかに必要なものであるか、まだ理解していませんでした。若く、何にでも興味があったのです。何でも試し、怖いもの知らずと言えるほど、社会に積極的に関わり、リスクを冒すのも限界を試すのもいといませんでした。ただどういうわけか、私の心を開き、私の人生を他者に向けて開き、奉仕の可能性を広げるのを後押ししてくれる、実践体系のようなものが必要だということはわかっていました。人に害を及ぼさないための指針も必要としていました。目を覚まし、愛を抱き、勇気を持って他者の役に立つ方法を求めていたのです。振り返ってみると、仏教の教えに従うことで、私が他者に与えかねなかった害が減ったのは確かです。教えは、新たな種類の自由に向けて、誠実さを試し、育むための道標でもありました。

誓いというものは、約束事やガイドライン、実践、価値観と捉えることができます。仏教における誓いは、安寧と智慧へと人を導くものです。誠実な人生を歩む覚悟を映し出すものでもあります。ここでいう誠実さとは、他者へも自身へも思いやりを持って接し、相手を気づかい、揺るぎない精神と受容的な心を育み、手を差し出して世界と向き合うことです。誓いは、私たちが何を大切にし、何を優先し選択するか、何を手放さねばならないかを表しているのです。

どの道を進むべきか定かでないとき、私は「ブッダならどうするだろう」と自分に問いかけることがあります。これは自分に不可能なことを課しているのではありません。むしろ、自由への種が、私の中に既にあることを思い出させる問いなのです。この種を、私の誓いが育ててくれ、この無邪気にも思えるような問いかけによって、かなりの害を避けることができました。

仏教の教えである五戒（不殺生、不偸盗、不邪淫、不妄語、不飲酒）を思い出しやすくするために、私は次のような誓いの言葉にしました。本来の教えをかなり単純化しつつも、根底にある要素は多く盛り込んでいます。

私たちの命がいかに深く絡み合っているかを理解したうえで、次のことを誓います。

一　あらゆる命に害を与えず、尊ぶこと。

二　人から盗むのではなく、与えること。

三　性的不品行を退け、敬意と愛と献身を実践すること。

四　害のある言説を退け、正直に建設的に語ること。

五　人を酔わせるものを退け、曇りなく明瞭な意識を育むこと。

この五つの誓いは、生涯をかけて実践するに十分なテーマです。進むべき道を示す道徳心の羅針盤となって、どのようなときに道を踏みはずすのかも教えてくれるでしょう。そしてこの五つに従えば、崖の上で動じることなく立っていられますし、道徳的苦しみへの転落を防げます。もちろん、絶対確実な方法というわけではありません。人間ですから、教えを完璧に実行することはできませんし、価値観を貫けるともかぎりません。しかし、年月を重ねるなかで私が学んだのは、誓いを実践するという「意図」を持ち続けるべきだということです。何があっても最善を尽くさねばなりません。それでも及ばなかったときには、謙虚さという強みを得ることができます。他者に害を及ぼす人にも、コンパッションを向けることができるようになるのです。

謙虚さを養うのは、何であれ悪いことではありません。謙虚さがあれば、自分より倫理的に劣ったふるまいをしているように見える人への、非難や道徳的な憤りという落とし穴を避けられます。誓いに従って生きるということは、自分自身の苦しみと気づきに責任を負うということです。難しい選択を迫られることが多くあるでしょう。自分にとって何より辛いことをせねばならないことも、ときにはあるかもしれません。

感謝の実践

もうひとつ、誠実であるために不可欠な誓いがあります。感謝を実践するという誓いです。誠実さは、魂の全体性と世界への深い思いやりを要するものです。ブッダも、感謝は誠実さの表現であると明言しました。「誠実さを欠いた人とは、いかなる存在であるか。誠実でない人は、感謝を感じることなく、恩知らずである。ありがたさを知らず不義理であることをよしとするのは、無礼な人である。これがすなわち、誠実さを欠いた人である。一方、誠実な人は、感謝を抱き、恩を感じる。感謝と恩義を重んずるのは、礼節をわきまえた人である。これがすなわち、誠実な人である」。[24]

私は仕事をするなかで、ありがたさを感じる力は、必ずしも生活環境には関係しないのだと気づきました。物質的に貧しいコミュニティや、死にゆく人の傍らで、感謝は心の持ちようであることを見てきました。感謝とは、本質的に寛容で開かれた状態であり、現実が思うようにならないときであっても、（少なくともその瞬間は）弱まることはないものです。

ネパールで移動診療所の活動をしていると、ネパール人の友人や患者は感謝の気持ちをとても率直に表します。彼らはブッダの言う礼節と誠実さを体現しているのです。こうした感謝の気持ちを受け取ることは、互いの信頼と喜びに根差した経験と言えます。

死の床にある患者からの贈りものも、ありがたく思っています。結婚指輪、チリの詩人パブロ・ネルーダの詩、赤いニット帽、小さな仏像、ナプキンで折った鶴、箱入りのガム、優しい握手、穏やかな感謝の笑顔。こうした宝物は、どれも贈り主の誠実さ、ユーモア、寛容さ、信頼を映し出していて、天の恵みのように感じられました。そして私も感謝したい気持ちになるのです。

しかし、感謝し感謝される力は、物質的貧しさとはまったく関係ない「心の貧しさ」によって妨げられてしまうことがあります。心の貧しさにとらわれてしまうと、満たされていない気持ちにばかり目が行きます。自分は愛を受けるに値しないと感じ、愛から疎外されているように思い、何を与えられても心が動かなくなるのです。意識的に感謝を実践することが、心を蝕みひいては誠実さも蝕む、この貧しい精神状態から抜け出す道となります。

私は一日の終わりに少しでも落ちこんでいるときは、私に与えられたあらゆることを感謝と共に思い出す時間を持ちます。ついさっき見た夕陽、何年も会っていない教え子からのメール、教え子の瞳が充実した生活を物語るように輝いていたこと、あるいは、私に教訓を与えてくれた困難なときを思い出すのです。このようなさまざまな瞬間を一日の終わりに振り返るのは、感謝の実践であり、実践することで人生の価値や人間関係の大切さに気づくことができます。ありがたい恵みを数え上げていくようなものです。しかし、恵みをため込むことはできません。その善きことや学びを活かせる人と、直接であれ心の内においてであれ恵みを分かち合います。

毎日少なくとも一通、誰かに宛てて、よくやってくれていることへの感謝を書き送るようにもしています。私の人生にもたらしてくれた恵みや、周囲に向けられた愛情への感謝です。ウパーヤ禅センターを率いる僧侶として、このセンターを支えてくれていることへの感謝をメールやメッセージカードに書く機会を持つのも、私にとって喜びです。コンパッションと同じように、感謝の実践は、感謝する側にもされる側にも恵みをもたらし、その結びつきを豊かにするのです。

瞑想も、感謝の心を養うものです。今このときをより深く意識し、ありがたいと思えるようになるからです。瞑想をすると、道徳的なジレンマを明瞭に見抜く力が高められますし、感情が平静に保たれることで、感謝の気持ちが生まれやすくなります。また、自らの価値観と意図をよみがえらせ、他者のためになることをする誓いを思い起こす機会にもなります。そして、ものごとは永続しないという気づきが、不平不満を手放す助けとなります。今この瞬間が心地良くないとしても、いずれ移り変わっていくと分かれば、今ここから何を学べるか、と考えるようになるのです。

感謝を実践をするという誓いを守ることは、良心と勇気を持って、他者に害を与えることなく人生を歩んでいくことです。人は互いにばらばらではない――身体も人生も、あらゆるものの幸福への願いも共有している――という奥深い真実に、自らを広げ導くための道でもあります。この結びつきを理解し、生き、実践していけば、感謝が持つ秘めた力が私たちの心に火を灯し、誠実さの温もりと恵みをもたらすでしょう。

5　誠実さの崖で見出すもの

この混迷した時代には、道徳的苦しみを「道徳心の回復力（レジリエンス）」へと変容させることを求められる機会が多々あります。倫理学者のシンダ・ラシュトンは、道徳心の回復力（レジリエンス）を「道徳的な難題、混乱、葛藤、挫折が起こったときに、誠実さを維持し修復するための、人間の能力」と定義しています。[25] この回復力（レジリエンス）があれば、たとえ道徳心の逆境にあっても、誠実さを保ってしっかりと立っていられるのです。

日本には「金継ぎ」と呼ばれる、金を用いて修理を行う伝統があります。割れた陶磁器を、漆で接着して金や白金の粉を施して修理する技法で、この技法で修復された部分は破損の歴史を物語ります。「修復品」は、命の脆弱さと不完全さを映し出しており、それが美しさであり強さでもあります。その一品は、嘘のない全き姿に回帰しているのです。

誠実さを確かなものとする方法として、破損が必要だと言っているわけではありません(人格を形成し心を開く方法として、通過儀礼で困難をあえて経験させる文化もありますが)。私が主張したいのは、崖から道徳的苦しみに転落することによる痛手や損傷が、適切な条件下では有意義な価値になりうるということです。道徳的葛藤、道徳心の損傷や憤りによる痛み、そして道徳への無関心、無感覚さえも、「金継ぎ」という修復に活かすことができ、強風にもたじろがない誠実さを保ち、足を踏みしめて立ち続ける力を高めていく手段となるのです。

何年にもわたって日本を旅し、実に見事に復元された陶磁器をいくつか手に取り、「金継ぎ」が傷を隠すものではないということを見てきました。器が割れたことは、見た目に明らかです。ごく普通の陶磁器の素材に貴重な金を組み合わせて、割れ目を隠すことなく修復すること。それは道徳心が苦しみから誠実さへと変容する過程と、同じだと思っています。苦しみを退けることなく、より丈夫な素材、善良さという素材で繕うことで、人間性や社会、世界の破損した部分は、全体性という宝を取り戻すことができるのです。

第4章

敬意

Respect

敬意は私たちの人格を高め愛に心を開かせてくれる、人間であることの偉大な宝である。

私は四歳のときに重い病気を患い、二年間視力を失っていました。回復してからは、同年代の子についていくのが大変でした。一年生になったとき、同級生に比べ小柄で華奢だった私は、女の子たちにからかわれ、寄ってたかっていじめられ、悪口を言われました。どんな悪口だったかは覚えていませんが、蔑まれるのがどんな気持ちだったかは、よく覚えています。学校のあと、うなだれて這うように家のステーションワゴンに乗り、後部座席に身を沈めて泣いた日のことも。なぜいじめられるのか分かりませんでした。母は慰めてくれましたが、突き刺さった嘲笑の傷が、母の言葉で癒えることはありませんでした。

いじめられた経験から学んだことは、以来ずっと私とともにあります。昨今、礼節の欠如が横行するのを見て、私の軽蔑についての関心は大きくなるばかりです。子供時代の経験だけでなく、女性として生き、学術的環境で働き、各種理事会の一員として務めてきたからこそ、軽蔑というものを敏感に感じ取ってきました。さらに言えば、米国で多くの人々が肌の色、在留資格、身体能力、性的指向によって虐げられ耐え忍んでいる状況にも危機感を覚えます。とりわけ、脅威と見なされて社会から疎外され国から追放された人々を目にすると、心がかき乱されます。尊厳が損なわれ、軽蔑が横行し、礼節の欠落が道徳的感性を蝕んでいるような社会。こうした状況が社会構造そのものにどのような影響を及ぼすか、憂慮しています。

一方で、多くの人は今日の世界において敬意が大切だということを認めているはずです。人生はそれにかかっていると言ってもよいでしょう。他者への敬意とは、相手の自律性とプライバシーの権利を尊重し、相手に対して誠実に行動し、誠意を忘れず正直であることを意味します。私たちは運命共同体で、等しく人間であり、誰もが苦しみ誰もが死にゆくと理解するだけの自己認識も必要です。[1]

人類学者のウィリアム・ユーリーは、著書『The Third Side（自分と他者を内包する第三の視点）』（未邦訳）でこのように述べています。「人間には多くの感情的ニーズがある。

愛を求め、認められることを求め、帰属意識やアンデンティティを求め、生きる目的と意味を必要とする。これらのニーズすべてを包含する一語があるとしたら、それは敬意という言葉だろう」。[2] 敬意を払われていると感じるときは、大切にされ、見守られている気がします。相手に敬意を払うときは、私たちは謙虚さと道徳観に根差して、他者と自分自身を慈しみます。敬意は、健全な共感、および誠実さ（どちらもエッジ・ステートです）を築くものです。人と人との関係や、私たちとこの地球との関係に、尊厳と奥行きを与えるのも敬意です。敬意は、愛と正義の基盤であり、対立を和解へと変容させる道なのです。

だからこそ私は敬意をエッジ・ステートのひとつと見なします。敬意の高い崖（エッジ）の上に立つとき、人は人間の心の最良の姿を表現しています。内外の抑圧から他者も自分も解き放ちながら、礼節、平安、健全さの土壌を養うことができます。すべてのことがらや命あるものの長所も短所も、あるがままに深く見つめ、コンパッションと洞察力を持って寄り添うことができます。

しかし、その断崖から有害な沼地へと滑り落ちるのは、いともたやすいことです。自分の人格や価値観が他者のそれと衝突すると、ときにさりげなく、ときにあからさまに相手を非難して、軽蔑を表すこともあるでしょう。他者の基本的な人間性を否定するのは、自分自身の人間性をも絞め殺すことになります。そして他者から軽蔑され人間性が否定されると、人は貶められ、力を奪われ、気持ちをくじかれたと感じます。

個々人のレベルでは、軽蔑は対立へと発展し、関係するすべての者にとって苦しみの原因となります。社会システムのレベルでは、軽蔑によって社会と世界の最も根幹にあたる部分が蝕まれます。敬意がエッジ・ステートであると認識できれば、軽蔑の沼地に呑み込まれるのを避けることができます。それでも呑まれてしまった場合には、沼の暗黒の中でコンパッションと勇気を見出すこともできます。望むらくは、敬意が私たちの人格を高め愛に心を開かせてくれる、人間であることの偉大な宝であると発見できますよう。

1 敬意の崖にて

ダラムサラで行われた神経科学の会合のときのことです。科学談義が白熱する最中、ダライ・ラマ法王がメモ用紙に手を伸ばし、それをもう一方の腕に当てて肌の上でそっと動かしました。そして、その紙を隣に坐っていた僧侶ソグニィ・リンポチェに手渡しました。虫が腕を這っているのに気づき、メモ用紙ですくい取ってソグニィ・リンポチェに預け、逃がしてもらうようにしたのです。ソグニィ・リンポチェが虫を静かに部屋の外に出してやると、法王は専門的な議論を再開しました。法王があらゆるもの、ごく小さな生き物にさえ敬意をもって接する姿を、私は心に刻みました。

ウパーヤのチャプレン養成プログラムでは、敬意とは何か、敬意とは言えないものは何かを探究します。敬意を感じるための基盤となるのは、誠実さ、深い理解、自己理解です。他者に敬意を表すには、正直に建設的に意思疎通をはかり、約束を守り、尊厳を大切にし、互いの選択や境界を尊重しなければなりません。

他者への敬意は、自分自身への敬意を反映していると同時に、社会の健全さをつくる倫理原則への敬意も反映しています。また、医療関係者、教育者、教え子たちとの取り組みから学んだのは、敬意というものは、対立を避けたいがために建設的意見を差し控えることや、誠実さに背く他者のふるまいを見逃すことではないということです。[3] 敬意は、誠実さと深く関係するエッジ・ステートで、互いに共存関係にあります。したがって、敬意のためには、「権力に対する真実の申し立て」を行うことや、害が及んでいるのをしっかりと察知し、その終結を要求することが、求められることが多くあります。

敬意はまた、あらゆる関係性に不可欠な要素です。敬意が損なわれ回復されないままでいると、協力関係は危険にさらされます。ウパーヤの僧侶の長として年月を重ねるなかで、コミュニティの中で、互いを競争相手でなく友人や協働相手として扱うことが、必要不可欠であると学んできました。互いの幸せを心から尊重する気持ちや信頼感を養うことも、求められます。十分な信頼があれば、いじめ・ハラスメントなどの状況についても敬意をもって対話をはかることができます。こうして、誠実さと敬意を併せ持つ文化が醸成されるのです。

他者への敬意、原則への敬意、自らへの敬意

敬意には三つの側面があります。他者への敬意、原則や価値観への敬意、自らへの敬意（自尊心）です。他者への敬意とは、相手の存在価値やその真価を認めることを意味します。敵対して

いる相手であっても、敬意を払うことができますし、自分の仲間にも敬意を持つことは期待されます。相手の言動や行動にどうしても同意できないことや、相手が何者なのか理解が及ばないこともあるかもしれません。それでも、相手を人間として認め、彼らも自分も生まれながらに脆い存在で、おそらく脆いまま死んでいくのだと認識するのです。

害をもたらす者であっても、その人に対して敬意を払うことは可能です。相手の状況の奥にある本質を見抜けばよいのです。かつて、私の価値観では称賛することができない、米国の副大統領がいて、その人物への嫌悪感にしばしば苛まれていました。ある日、この副大統領に意識を集中させて瞑想を行おうと決めました。赤ん坊だった彼を、少年としての彼を思い描きました。いつかは彼も死ぬという事実、それから、彼が人々にもたらした苦しみを思えば、その死は安らかなものではないかもしれないと考えました。一緒に食事しようとは思わないものの、彼もやはり人間なのだと認識しました。彼を辱めたところで、彼にも私にも良いことはないということも。さらに、もしもその死の床に呼ばれたとしたら、私は彼のために傍らに坐るだろうと思いました。それと同時に、彼が示した施策に対しては、反対の態度をとる責務を明確に感じました。彼の行為と、彼自身を分けて考えることができるようになったのです。他者に対する行為には異議を唱えつつも、ひとりの人としての彼に対して私の心が開かれました。

それ以来、他者を虐げている人自身にも苦しみがあるという事実を、はっきりと理解できるようになりました。この視点を持ったことで、他者に危害を加える人物に遭遇したときに、嫌悪の沼にはまり込むのを避けることができるようになりました。害を及ぼす行為に無関心になるのではなく、その人の赤ん坊のときの姿、死にゆく姿を思い浮かべることで、彼らの人生を大局的に見ることができるようになるのです。この見方を実践すれば、仮に彼らの敵意が私に向けられたとしても、その無礼はとりたてて個人的なものではないと受け止めることができます――彼らの軽蔑は、おそらくほとんどは彼ら自身に対して向けられたものであり、私へのものではないのだと。刑務所のボランティアで殺人を犯した受刑者と向き合うときにも同じように、その人が過ちを犯した事実を受け止めつつ、その積み重なった苦しみの下にある本来の姿を感じとります。ただしこのときも、やってきた行為やそれを自覚することは、当人が責任を負うべきだと捉えます。

両手を合わせて

人に敬意を払うと、私たちがいかに相互につながりあっているのかがわかります。ネパールの友人たちは、互いの敬意と関係性を表す礼儀として、手を合わせ、お辞儀をして、「ナマステ」とあいさつします。これは「あなたに敬礼します」「あなたと共に在る神に敬礼します」という意味です。こうしたあいさつは、自分と他者の相互関係性の表現であり、相手の本来の姿への理解でもあります。結びつきと敬意を表して両手を合わせるジェスチャーは、ネパールの子供が最初に覚えることのひとつです。家族、友達、また外部の人にも等しくこのあいさつをすることを身につけるのです。

一九八〇年代に初めてダライ・ラマ法王に会ったとき、法王が人々に接する際に深々とお辞儀をしていることに気がつきました。「あなたを敬っています」と伝えているかのようでした。面会の相手が国境を越えてきたばかりのチベット人であっても、国家元首であっても、いつも法王は等しく謙虚に深々とお辞儀をし、他者の上に自分を置くことはありません。こうしたシンプルな姿勢で、法王は何百万もの人々に慕われてきたのです。その深いお辞儀はまさに、「私にとっての宗教とは、思いやりの心です」という法王の言葉を思い起こさせます。

他者への敬意に続くふたつめの敬意は、道徳的指針を尊ぶことです。これはつまり、自身の最も深い価値観につながり、たとえ困難な状況であってもそれに基づいて行動することです。作家のジョーン・ディディオンは、この道徳的指針への敬意を「道徳的胆力」と呼びました。[4] 仏教の観点からは、道徳的胆力を持つことは、仏教の原則と教えに依拠するとともに、依存し合い共に在る「縁起」の真実を認識することです。「これは、あれのおかげ」という因果を認識するのです。私は向かいに坐っている仏教者がステーキにナイフを当てていたとき、動物の苦しみや、家畜産業が気候変動に及ぼす影響といった、肉食による因果関係を思わずにはいられません。それで、さらなる苦しみをもたらさないよう意識してメニューを選び、レンズ豆のシチューを注文しました。その後で、食べものの選び方について私の意見を彼に伝えたのでした。

三つめの敬意のあり方は、自らへの敬意（自尊心）であり、恥辱や自責の念の連鎖から抜け出すことです。ディディオンは、自らへの敬意の源となるのは、「自分自身の人生に積極的に責任を持つ気持ちや気質」だとし、さらにこう記しています。「自分への敬意は、ごまかしのきかない、しかし訓練によって研鑽し高められる、心の律し方、習慣です」。[5]

ディディオンはこうも述べています。「自分への敬意を持てるかは、自分に本来備わっている価値に気づけるかどうかにかかっています。その認識が、差別、愛情、無関心など、良くも悪くもすべてのあり方に影響していくのです。欠如していると自分自身の中に閉じ込められ、言うなれば、愛することも、逆に無関心を選択することもできません」。[6] 言いかえると、人は自分の基本的な善良さを真に理解するとき、つながりから孤立し無感覚に陥ったちっぽけな自己という罠から解き放たれるのです。そうすれば自分への敬意も抱きやすくなり、あらゆるものと相互に結びつく包含的（インクルーシブ）な自己となることができます。

他者の足を洗う

私が米国聖公会の女子校に通う生徒だったころ、聖書の勉強は必修でした。イエスの物語で、ずっと心に残っているものがひとつあります。十字架に架けられる前夜、過越(すぎこ)しの祭りの食事の際に、イエスが弟子たちの足を洗った話です。この敬意と謙虚さに基づくふるまいは、イエスに従う人々に、愛と奉仕についての奥深い教えを与えました。

二〇一六年、このイエスの行為を記念する洗足木曜日という日に、ローマの難民受入施設で難民たちの足もとにひざまずく人がいました。難民はエリトリア、マリ、パキスタン、シリアの出身で、その信仰も多岐にわたりイスラム教徒、ヒンズー教徒、コプト教徒、カトリック教徒がいました。ヨーロッパで移民排斥感情が高まる中、ローマ教皇フランシスコ法王が、この聖なる日に移住者や亡命希望者の足を洗ったのです。「今日このとき、主イエスと同じく一二人の洗足式を行うにあたり、友愛の絆を深め、皆でこのように唱えましょう。『私たちはそれぞれ違いがあります。異なる文化、異なる宗教があります。けれども、私たちは兄弟であり、平和な暮らしを望んでいます』」。[7]

平和に生きること。他者を尊ぶこと。とりわけ脆弱な者のしもべとなること。フランシスコ法王の私心のない、愛とコンパッションの行いについて考えた結果、同年の秋、ネパール北西部のドルポ郡で活動していた移動診療チームで、患者たちの足を洗おうと決めたのです。洗足によって、私たちが奉仕している村人たちに、より深く関わる可能性が生まれるのではないかと感じていました。アジアでは足は不浄と見なされます。他者の足に触れることは謙虚さと敬意の表現となるはずです。チームで、一二人どころか数百人の男女の足を洗いました。最初はためらいがありました。やっていいものだろうか、人々に気恥ずかしい思いをさせるのではないかとも思案しましたが、この行為が文化の違いを超える架け橋となり、患者たちと愛情あるつながりを築くことにつながるのではと思いました。

最初にドルポ郡の中年女性の足を湯に浸し石鹸を泡立てたのは、ピートという若い弁護士でした。彼は女性の足にとてもうやうやしく優しく触れました。その丁重さには、彼自身も女性も驚いたのではないかと思います。次に足を洗ったショーンという北カリフォルニアから来た若者は、農夫の荒れた足も放牧者の傷だらけの足も等しく洗うこの奉仕に、喜びを見出していました。その次に洗ったトニオも同じで、若者や老人の足を丁寧に洗いながら、喜びの表情を浮かべていました。自然保護に関する著述で知られるビルは、年配の男性のもとにひざまずき、指が古いロープのように曲がっている足を洗いました。

お湯を入れた桶が次から次へと、足を洗っているところに運ばれました。石鹸、たわし、桶が、診療日ごとに用意され、この取り組みが終わるまでにチームで数百の足を洗いました。老人の足、若者の足、痛々しい外反母趾の足、関節炎で歪んだ足、一度も洗ったことがないように見える足、そして幾多の山々を歩いてきた足。洗足は、愛、敬意、謙遜、償いの行為のように感じられました。

後に、村の宗教指導者であるドルポ・リンポチェに意見を求めたところ、彼はこう述べました。「あなたがたの活動は、話に聞いていますよ。ドルポの人々はあなたたちを心から信頼するようになりました。これまで村人の足に触れた人は、誰一人いませんでした。それが、あなたたちのチームは足に触れたばかりでなく、人々の心にも触れたのです。これは実に仏教の教えにかなった行いです。けれども、今までドルポで行われたことはありませんでした。ドルポの人々はあなたがたを決して忘れないでしょう」。

水こそ命

仏教徒にとって水は、心の透明性、純真、平穏を表し、それらはいずれもコンパッションをもたらす資質です。アジアの各地で寺院には浄めの水があり、こうした資質を自らの内に育むことを思い起こさせてくれます。ドルポでの洗足の活動拠点は寺院のようなところでしたので、私たちは水に触れながら、一人ひとりに対して敬意を捧げることができました。また、無意識だとしても私たちにとってこの実践は、何世代にもわたって西洋人が行ってきた軽蔑、虐待、搾取、虐殺について、あらゆる先住民族に赦しを請うものだと思いました。懺悔の行いだったのです。

ドルポで洗足の活動をしているあいだ、米国のノースダコタ州では、ダコタ・アクセス・パイプライン（DAPL）という地下石油パイプラインの建設に抗議するために、先住民族ラコタが暮らすスタンディング・ロックに、世界中から人が集まっていました。このパイプラインが地下を通ると、スタンディング・ロックの飲水の供給源である、ミズーリ川とオーウ湖の水が危険にさらされてしまうからです。私はヒマラヤで自然のままの起伏の激しい山道を歩きながら、ラコタのコミュニティとドルポの先住民族がいずれも、長きにわたって水への畏敬の念を抱いてきたことに思いを巡らしました。流れゆく道としての水、命を与え、命を支える水。浄めの水、滋養としての水。水は、涙の悲哀、浄化、洗礼、女性性、智慧の象徴です。水なくしては、何も育ちませんし、何も生きていけないのです。

医療チームと山あいを移動しているなかで、ヒマラヤの乾燥化によって水流が減少しているのを見て、「水は命」を意味するラコタの「mni wiconi」という言葉が、胸中に響いてきました。水はあらゆる命の源であり、水流は偉大な母なる大地の血脈だと、ラコタは言います。私は、鉛と人種差別によって水を汚染された、ミシガン州のフリントのことを思いました。友人のウェンデル・ベリーが、ケンタッキー州では山々が石炭採掘のために爆破され、河川も細流も黒く汚染されたと語っていたことも。

ドルポから帰国し、友人や教え子たちから、「mni wiconi（水は命）」という言葉がスタンディング・

ロックでキャンプを張って水資源保全活動を行う人々のあいだに波及し、神聖性と伝統への敬意、地球への敬意の回帰につながっていると聴きました。心を動かされたのは、スタンディング・ロックのこの運動は、隣接するサウスダコタ州のシャイアン・リバー先住民居留地で、蔓延する麻薬や自殺の撲滅活動を行っていた先住民のティーンエイジャーのグループが始めたということです。苦しみの激流にさらされていた彼らは、自分たちの手で自らを癒そうと決意しました。コミュニティの若者が、自滅行為を慈悲に満ちた行為へと変容させるのを助けることにしたのです。彼らは、神聖性を尊ぶ社会活動が、スタンディング・ロックの飲料水を脅かすDAPLの「黒い蛇」に対してだけでなく、先住民を苦しめてきた自己嫌悪の病も滅する、強い力となることを意識していました。環境活動家たちから市民的不服従〔良心に基づき不正と見なす法律は、あえて破っても抵抗すること〕の精神を学んだことで、精霊と伝統への回帰を深く決意したのです。[8]

教え子の仏教者カレン・ゴブルが、ソフィー・パートリッジという女性を紹介してくれました。母親でありライターでもある彼女は、ロンドンからスタンディング・ロックにやって来て、一二月の凍える寒さの中、水資源保全活動を支援していました。彼女が「mni wiconi（水は命）」と並んでよく耳にしたのが、「mitakuye oyasin（私はすべてのものとつながっている）」というフレーズでした。祈りやミーティングで、発言を始めるときと話の終わりにこのフレーズを使い、聴き手も同じフレーズで応えることで、話に耳を傾けていたことを示していたのだそうです。

「mitakuye oyasin（私はすべてのものとつながっている）」は、敬意と愛情の表現であり、私たちが互いに結びついているという認識だったのです。ソフィーはこう記しています。「あらゆるものも、あらゆる人も……、鷲はもちろんミミズやナメクジも……、杉の樹や、虹はもちろん、イバラや毒キノコやイラクサも。私たちは愛する人たちとつながっているだけではなく、海の向こうの人々とも結びついている」。

ソフィーからのメールには、こんなことが書いてありました。「スタンディング・ロックでの経験で感銘を受けたのは、人々の祈りの中には対立する相手のことも含まれていたことです。人々を傷つけ、催涙スプレーを発射し、凍てつく気温のなか放水を浴びせ、ゴム弾を発砲し、拘束して犯罪者のように扱い、でたらめを言う相手。こうした相手も含めたもののために、人々は心から祈っていたのです。祈りは、水や大地に捧げられたものでした。善悪を分ける戦いとは違い、叩きのめす敵がいるわけではないのです。誰もが水を必要としています。誰もが同じものを共有しているのです。自分の子孫にとって好ましいことは、他の人の子孫にとっても良いことです。……必要とするものは皆同じなのです」。

催涙ガスやスプレー、攻撃犬、ゴム弾、厳寒の夜に武器と化す放水など、スタンディング・ロックにキャンプを張って運動していた人々に向けられた暴力は、水資源の保全を訴えるコミュニティをばらばらに引き裂きうるものでした。暴力に対して、暴力で対抗するという選択肢もあり得たでしょう。

しかし、コミュニティの人々は非暴力と敬意で応じることを誓っていたのです。

後に、エリン・ワイズという二六歳のキャンプリーダーの話を知りました。ニューヨーク・タイムズ紙によると、フェイスブックのライブ配信で、妹が警官から催涙ガスを浴びせられる動画を見た彼女は、その場に駆けつけて、揉み合いのなかに飛び込み、警官に体当たりしたのだといいます。[9] すると、六つの手に肩を押さえられました。コミュニティの活動家たちが彼女を引き下がらせたのです。弟の姿も目に留まりました。その顔には、先住民族の出陣化粧が施されていたようでした。「彼は私の肩越しに指差しながら声を上げていました。『祈りをあなたがたに！　祈りをあなたがたに！』」。そして、出陣化粧のように見えたのは、催涙ガスの粉だと気がつきました。催涙ガスを受けてもなお、攻撃してくる相手のために祈っていたのです。「その姿を見て、我に返りました」とエリンは言います。彼は敬意のもとに私をつなぎとめてくれていたのです。

「mitakuye oyasin（私はすべてのものとつながっている）」は、万物が相互に結びついているという力強い視点であることにおいて、仏教と通じています。水流と山々も、警察と活動家も、先住民と入植者も、皆つながっているのです。私はネパールのドルポ郡で、そして米国に帰国してから、永平寺の住職で一三世紀に曹洞宗を開祖した禅僧、道元の教えについて考えていました。道元はこのように記しています。「山河も大地も、心である。天日や月や星も、心である」。[10]

このすべてがアイデンティティに含まれるという視点と、相互に関連しているという真実は、仏教においては「メッタ（慈愛）」の実践として表されます。すなわち、「敵」に慈愛を届けるという、極めて興味深い姿勢です。たとえ相手に軽蔑や疑念を感じ、憎悪すら抱いたときであっても、人は敬意の高い尾根に跳躍できるのです。そして、私たちは皆あらゆる点でつながっており、どのみち苦しみも分かち合っているのだと理解できます。そうすれば、自らの心に立ち戻り、活動家たちが何度もそうしたように、敵対者が苦しみから解放されるよう祈ることができるでしょう。敵対者の行動そのものは尊敬できなかったとしても、彼らの基本的な人間性に敬意を払うこと、そして彼らが変容する可能性に敬意を抱くことはできます。それが、無力感や苦しみ、怒りを癒し、敬意の崖でしっかりと足を踏みしめなおす方法なのです。

2　敬意の崖を踏みはずすとき──軽蔑

一九八七年に初めてチベット自治区を訪れたとき、西端の地域で、道路工事を行っているチベット人を中国兵が嘲り侮辱して、馬鹿にし、虐げているのを目にしました。私は怒りを抑えられず、恐れも抱きました。ほどなく、胸がさらに締めつけられることが起こりました。石を運んでいた年配の男性が、悪態をつく相手に穏やかな笑みを向けたのです。「何でそんなことができるのか？　憤りを感じないのか？　辱めを受けたと感じないのか？　被害者と感じないの？」と思いました。

あとになって、おそらくあの年老いたチベット人労働者は、攻撃してくる中国兵の苦しみという真実を見抜いており、自分の辛さも見据えたうえで、コンパッションをもって応じたのだろうと気がつきました。これは私にとって大きな教訓となり、敬意にはさまざまな形があり、その中には奥深い智慧が表れるものもあるのだと心に留めることになりました。

この男性が持っていた視点は、反分断と言えると思います。自己と他者はつながっていないと捉えがちな西洋文化では、このような視点を持つ人はほとんどいません。あまりに短絡的に他者を迫害者もしくは犠牲者と見なし、自分たちを犠牲者と見なしたり、自分が犠牲者や迫害者、救済者として、他者の目に映るように仕向けたりします。この分断の姿勢が、チベット人を虐げていた中国兵のふるまいの根源なのではないでしょうか。そしてこうした分断が、いま世界で敬意が失われている状況の基盤となっているのです。

私たちは何の考えもなく、虫を殺し、動物の肉を食べます。ホームレスの人に、心ない嫌悪や軽蔑の目を向けます。パートナーと食事を共にしながら、手元のデジタル機器に心を奪われます。注意を引きたくて教室で大声をあげる子供を叱っているうちに、授業が終わってしまうこともあるでしょう。

仕事が大変になってくると、不満を抱く従業員や関係者をないがしろに扱うことも。そして、自分たちとは異質の者がいるとすぐ、蔑んで虐げるのです。

ときには軽蔑する正当な理由があると感じることもあるでしょう。価値観が対立するとき、相手の決定に同意できないとき、相手の言動によって不快になったときは、その人への敬意を失うかもしれません。他者が攻撃的、脅迫的な行為をしてくると、敬意は損なわれていきます。軽蔑の目を向けられたら、同じように見返さないではいられないものです。ただこのように多種多様なかたちはあるとしても、軽蔑は決して正当化できるものではありません。

いじめ

軽蔑が行動として表れるときの最も一般的なかたちとして、いじめ・ハラスメントがあります。いじめは力の行使、脅迫、嘲りによって、相手を支配し貶めることです。多くの人は経験したことがあるはずです。遊び場でも、大学の講堂や会議室、病室、井戸端会議、そして米国の首都でも、嘲りによる苦しみを味わったり、目にしてきたでしょう。自分が誰かに嫌がらせをしてしまったり……、もしくは自分自身をそしった経験もあるかもしれません。自分より恵まれない立場にいる人から、けなされることもあるでしょう。権力のある立場の人、たとえば親や教師、上司などからハラスメントを受けた人も多いはずです。

いじめは熾烈なものも陰険なものもあります。直接的な攻撃もあれば、自分を犠牲者と見せかける受動的攻撃もあります。隣にいる人に対して、注意を向けるに値しないかのように冷淡な態度をとるのも、ただ無礼で意地悪な態度をとるのもいじめです。侮辱する、嘲る、恥をかかせるなど、よりわかりやすいかたちをとるものもあります。いじめ・ハラスメントは、仲間からも、目上の人からも、社会的序列で自分より下の人からも受ける可能性があります。個々人のレベルでも社会レベルでも起こり、マスメディアが発生源となる場合さえあります。

私が軽蔑の一形態としていじめに興味を持ち重視するようになったのは、ウパーヤでのチャプレン養成プログラムで学んだベテランの看護師、ジャン・ジャナーに出会ったのがきっかけでした。ジャンがキャスリーン・バーソロミューという研究者が生んだ表現を使って、看護師は「後輩やお互いを食いものにする」と言ったのです。コンパッションを持つことで知られているはずの看護師という職業について、思わぬ警鐘を鳴らしているのだとわかりました。そして看護の現場でどうしてそのようなことが起きるのか、ジャンに詳しく話してもらったのです。

ジャンは「水平方向の敵意」という概念について、話してくれました。水平方向の敵意は、組織や社会において同じ階層にいる人のあいだで起こる、軽蔑の行動です。「仲間への攻撃」とも言えるこの水平方向の敵意は、さまざまな状況で生じます。組織では管理職が足を引っ張り合い、同僚同士が互いを避けて無視し合います。政治家は互いを笑いものにし、宗教指導者ですら、互いを蔑むことがあります。フェミニストの文筆家デニス・トンプソンは、水平方向の敵意のことを「力や特権が似たり寄ったりで、近づきやすい相手を身代わりに罪を負わせること」だと定義しています。[11]

いじめは、同等の地位の仲間内だけで起こるものではありません。むしろ序列の違う階層の人々のあいだで互いを蔑むほうが多く、これは「垂直方向の暴力」と呼ばれます。大抵は職場で虐げる側に立つのは、上司や、権力と特権の地位にある者ですし、[12]教師が生徒に屈辱を与え、軍の将校は新兵を嘲り、親は子供をけなし、医師は看護師に無礼で、国家元首は少数派を侮辱します。

ただ私自身の経験や聴いた話から、垂直方向の暴力は、下層から上層へも向かうと分かりました。階層の低い側の者がより高い人々から権力を奪おうと企てるときや、権利を剥奪された者が上からの虐げに対抗して反撃する場合もあるのです。

水平方向の敵意

毎年、ウパーヤの医療関係者向けプログラムの参加者には、同僚によって傷つけられ仕事を辞めることを考えているという看護師たちがいます。ジャンによると、約二〇パーセントの看護師が、患者や医師との問題ではなく、同僚の看護師からの嫌がらせや悪意によって離職するそうです。水平方向の敵意による損害は、看護師本人だけでなく、患者や医療機関にまで及び、途方もなく甚大です。

チャプレン養成プログラムの卒業論文の中でジャンは、緊急治療室の看護師として働いていたときに、職場で経験した水平方向の敵意について書いています。兄弟をがんで亡くし、深い悲しみで気持ちが乱れ、仕事ぶりに影響したときのことです。

私はそれまで長年にわたり、チーム内で高く評価されていました。しかし、事態は急激に悪化していったのです。些細なミスも、慌ただしい環境ではありがちなミスも、大事件とされました。私の感情の乱れは、陰口や当てこすりの的となりました。自分の仕事ぶりを見られると、心の中で、不安、圧迫感、恐怖感が高まるようになりました。こうした私の弱さが、同僚の不快感につながっていることには気がつきませんでした。さりげない攻撃や妨害が、彼らの自己防衛の表れだとは思ってもみませんでした。看護師が集まっている場にでくわしたときの突然の沈黙は、私のことをうわさしていたからだと分かりました。チームから除け者にされた他の看護師や救命士にも、同じことが起こっていましたから。見張られ、監視されているように感じていました。[13]

ジャンは六週間の休暇をとり、気持ちが安定して仕事に臨む準備が整ってから復帰しました。しかし、チーム側には、戻った彼女を迎え入れる準備などありませんでした。

それとない嫌がらせ、あからさまな非難、陰湿な攻撃を無数に受け、冷たくあしらわれ、他の部署で仕事を探すしかないのは明らかでした。それまで活躍してきた環境が、敵意のあるものになってしまったのです。私のうわさが、復職後の今の私にお構いなしに、病院中に知れ渡っていることも分かりました。まったく関わりのない場所でも陰口がささやかれている場面に出くわしました。このこぢんまりとした病院で、一部の看護師はそれまでの私の苦悩を餌にして、彼らがゴシップで脚色した私の危機が終わらないようにしようとしているみたいでした。まるで、もってこいの標的を探すハゲワシが、これまでどおり仕事をしようと努力する私の周辺に潜んでいるかのように。[14]

やがて、ジャンは通りの向かい側の建物で、新たにホスピスケアの仕事をすることになりました。新しい同僚は彼女の悲しみを自然なことと捉え、彼女は役割をうまくこなしていきました。それでも、自尊心は、元の同僚による攻撃と拒絶によって損なわれたままでした。何年ものあいだ、先の病院に足を踏み入れるたびに身構えずにはいられませんでした。「あの同僚たちは、私が衰弱し深い難題を抱えていたあいだに、私の心の核にあるとても繊細な部分を傷めつけてしまいました」。そう彼女は記しています。

なぜ、同僚への攻撃が、看護という思いやりの職業の現場で多く見られるのでしょうか。抑圧されているグループの行動について見てみると、看護現場や社会全般に仲間への攻撃が存在するわけが見えてきます。

私が仲間への攻撃について多くを学んだのは、フェミニズムが米国に根付いた一九七〇年代初頭です。フェミニズム運動に関わる人の多くが、活動を始めて間もなく、共に活動する女性同士のあいだで軽蔑が生じていることに気づきました。実は、「水平方向の敵意」という用語はフェミニズム運動から生じたものなのです。この言葉をつくったフェミニストとして名高い人権活動家の弁護士、フローリンス・ケネディは、こう語っています。「水平方向の敵意は、同胞間の対抗意識や激しい競争の中で発現します。こうした競り合いは、職場の安定や郊外の家庭生活を損なうのみならず、一部の革新的政治組織や、悲しむべきことに女性解放運動グループをも蝕んでいます。……抑圧をもたらす外的要因に向けられるべき怒りの標的を誤っているのです」。[15]

フローリンス・ケネディがニューヨークで公民権運動に携わっていたころ、私はコロンビア大学で研究員として仕事をしていて、数年にわたり、公民権運動の催しで彼女と会う機会がありました。屈強ながら、話し方は上品で、彼女を軽蔑する人はいませんでした。豪華列車であるプルマン寝台車のポーターの娘として、黒人家庭に生まれたケネディは、カンザスシティの主に白人が住む地区で育ちました。彼女たち家族を、白人至上主義団体のKKKが追い出そうとしたとき、父親は散弾銃で彼らを追い払ったのだといいます。彼女は自らにふさわしい場所を得ようと奮闘し、コロンビア大学ロースクールの学生となりました。クラスに八人にしかいない女子学生のうちのひとりで、唯一の黒人でした。一九六五年、彼女はマンハッタンにある東四八番街の自宅に向かおうとして、その地区に黒人が住んでいるはずがないとする警察に逮捕されました。この経験が、彼女を人権活動家の道に向かわせ、後にフェミニストの政党を設立することにつながったのです。

内面化された抑圧

水平方向の敵意について、ケネディは「迫害者の代わりに仲間同士を批判するのは、そのほうが危険が少ないから」と記しています。[16] 迫害者の姿は漠然としていて、そもそも見えないことが多いものです。

しかし、水平方向の敵意が生まれるより潜在的な理由は、抑圧された人々自身がその抑圧状態に加担してしまうことです。ケネディはこう指摘します。「米国でも起こっているとおり、蔓延するあらゆる抑圧的構造は、実は抑圧されている人々の同意のうえに成り立っているのです」。抑圧が現状として存在すると、抑圧されているグループの人々ですら、既存の力関係の図式を増幅させる役割を担ってしまう傾向があるのです。たとえば、女性は、自分は男性より弱いという見解を内在化させて、無意識のうちに男性に服従しているかもしれません。「内面化された抑圧」と呼ばれる現象です。疎外された人々は、当然ながら力がある人よりもいじめを受けることが多く、その虐げられた経験を深く内面に抱え込んでしまいます。そうすると、それが羞恥の念や自尊心の欠如へとつながり、自身の内面を虐げるような状態が生まれるのです。

内面化された抑圧、構造的暴力、ありとあらゆる階級的迫害が、疎外感を生みだし、水平方向の敵意が生まれるのに最適な環境を整えます。ケネディはこうも述べています。「分断による征服。この方策が、社会変革をはかろうとするあらゆるグループに対してとられます。黒人はプエルトリコ人と敵対すべきとされます。女性は母親や義母と対立することになっています。私たちは、支配層のために、互いに張り合うことを期待されているのです」。[17]

若いころに知ったのは、男性は自分の優位性を保つために女性を虐げるときには、直接的な上から下への抑圧——軽蔑、横柄な態度、性的対象化や、見下げた物言いのような辱め（マンスプレイニング）、明らかな身体的虐待や性的虐待など——をよくするということです。これに対してフェミニズム運動で見たのは、仲間への攻撃と、弱い立場の人が力の差をなくそうとして向ける、下から上への垂直方向の暴力です。力を与えられていないと感じる女性が、より力があるように見える女性を引きずり下ろそうとするのを、よく見てきました。女性の政治家、学術研究者、ビジネスリーダー、宗教指導者に、非常によく起こることです。私自身もそのような扱いを受け、辛い思いをしました。強さを表明する女性は、男性やマスメディアに狙われるだけではなく、他の女性からも標的とされるのです。しかし、いじめをするのは、女性よりも男性のほうが一般的だという事実を見落としてはなりません。ワークプレイス・ブリイング・インスティチュート（職場におけるいじめの調査機関）の『二〇一四年全米職場いじめ調査報告』[18]によると、職場におけるいじめの加害者全体の三分の二が男性です。

ジャンは、看護師として経験した差別的過小評価という現象において、自尊心がどのように作用したか、次のように話しました。

歴史的に、患者のケア、奉仕、自己犠牲を大切にするということで、若い女性が看護師として採用されてきました。看護師も医師もヘルスケアシステムを共に担う医療従事者ですが、看護師たちは、男性を中心とした（年長の）医師たちよりも、どういうわけか（習熟度、思考、能力の点で）「劣った」存在というイメージを持たれました。そのような看護師たちは、権力や権限、自尊心が持てず、ときに過小評価されるような行動をとってしまうことがあります。権力を持つ者に認められようとし、わざわざ自分を貶めて見せるのです。[19]

心身ともにリスクをともなう救急医療で直面するストレスに加えて、過小評価されるストレスが、看護師のあいだで仲間に対する攻撃の要因となっていたのです。ジャンの場合、水平方向の敵意は、先輩看護師からメンタリングを受けるなかで始まったといいます。「メンター役の看護師のなかには相談にのってくれた人もいた一方で、私を見張って恥をかかせる機会をうかがっているメンターもいました。『劣った者をチームからなくす』という名目のもと、おそらく看護職としての自分の地位を確立したい思いが根底にあったのでしょう」。[20]

垂直方向の暴力

上から下へのいじめである垂直方向の暴力は、個々人のあいだでも社会のレベルにおいてもよく見られます。より多くの特権を持つ者が持たない者を虐げ、性差別、人種差別、階級差別、年齢差別、同性愛差別の構造を助長する言動や方策によって苦しめます。ワークプレイス・ブリイング・インスティチュートは、白人に比べて、非白人は、著しく高い割合で職場におけるいじめの標的になると明らかにしました。[21]

上から下への嫌がらせは、二〇一六年の米国大統領選挙戦の主な特徴だったと言えるでしょう。共和党の指名候補者はあからさまに「他者」を嘲り、蔑みました。女性、黒人、イスラム教徒、障がい者、メキシコ移民、そしてもちろん対立候補も、あらゆる人々が他者・よそ者とされました。指名候補者の言動に倣って、彼の支持者の一部は、他のグループの人を虐げ脅かすことが許されていると思い、そうした言動を選挙戦中もその後も続けました。オレゴン州西部では、白人の生徒たちが「国境に壁を！　国境に壁を！」と物理の授業中に声を上げ始めました。ほどなく、ある生徒が「国境に壁を」と記した手製の旗を学校に掲げたため、その地域のラテン系の生徒は授業をボイコットして抗議しました。[22] いたるところで、イスラム教徒の子供たちは「テロリスト」「イスラム国」「爆弾犯」と呼ばれていました。南部貧困法律センターが発行した報告書には、こう記されています。「選挙戦は、非白人の子供たちに憂慮すべきレベルの恐怖と不安をもたらした。また、教室内における人種間・民族間の緊張が高まり、多くの生徒が強制送還されるのではないかと危惧していた」。[23]

哲学研究者のカレン・シュテールがニューヨーク・タイムズ紙で述べたように、上から下への攻撃は、他の種類の攻撃よりも深刻な影響を及ぼします。「社会的有力者から社会的弱者へ向けられる侮辱は、その逆方向の場合よりも、はるかに甚大な道徳の危機である。大統領として、トランプ氏は抜きんでた社会的権力の座にある。そのような権力を支えとした侮辱の影響力は計り知れず、従って私たちが基盤とする民主主義的価値観を揺るがす恐れが極めて強い」。[24]

私の教え子の仏教者ミシェル・ルディは、アリゾナで「ドリーマー」と呼ばれるオバマ政権下で滞在が認められた不法入国移民の子供たちに関わる活動をしていました。ドリーマーたちは、米国移民・関税執行局（ＩＣＥ）が家や学校、職場に踏み込んでくるのを恐れて身を隠していたと、ミシェルから聴きました。「子供たちは学校に行きたがりません。ある母親は、息子が丸三日間、自室から出ようとしないと言っていました。迫害されるのではないか、人生が破綻するのではないかと、不安を抱えるのは当然です」。[25]

ミシェルはこの状況に対応するため組織されたチームの一員でした。「手始めとして、ドリーマーたちは家族と共に、白人の福音派教会に出向いて、自らの人間性に触れてもらい、滞在が認められないことが自分たちにとって何を意味するのかを示すことにしました。これは彼らにとって非常に辛いことです。誤った思い込みから目を覚ましてもらうために、自分たちの苦痛を他者の前に、しかも敵対者かもしれない他者の前にさらさねばならないのです。私たちは教会に、とりわけ脆弱な彼らが迫害されるようなことがあったら、ぜひ支援してほしいと求めています」。

下から上へ向かう嫌がらせも起こります。バラク・オバマ大統領は、八年間の在任中、彼の立場を傷つけようと躍起になっている人々からの蔑視に、日々いかに立ち向かっていたのだろうと、よく考えます。オバマの話し方は常に、少なくともおおやけには、あらゆる人への敬意をあらゆる相手に向けて表していました。ファーストレディーであったミシェル・オバマの、「彼ら（の品位）が低い場所を行くなら、私たちは高いところを行く」[26]という広く知られた言葉のとおりです。

責任と職権のある立場にいる者の常として、私自身も数年にわたって下から上への嫌がらせの対象とされた経験があります。ほとんどの教師は似たような思いをしているでしょう。最初に事が起きたのは一九七六年で、私はニュースクール大学で人類学を教えていました。クラスには一五〇人の学生がいました。教室の後列に三人の年長の女性がいて、授業中に私を軽蔑する発言を繰り返しました。ずいぶん長く容認していましたが、その後、学部長の助言もあり、私は誠意を示しつつも毅然と、その女性たちに教室の前列に移るよう勧めました。

彼女たちは、最初は抵抗を示しました。七〇年代のニューヨークでは、権威の側にいる人物への嫌がらせは流行でした。しかし、私はぜひともと言って譲らず、結局、彼女たちは席の移動に応じました。次の授業で前列の彼女らと対面したときには、私たちのあいだで何らかの和解が成されたようでした。

おそらく、侮辱されるのをこれ以上は我慢しないという態度を示したことで、彼女たちからいくらかの敬意を得たのだと思います。それだけでなく、この女性たちの背景には虐げられた経験があると知ることになりました。彼女たちにとって、ニュースクール大学は安全な場所であり、私をこき下ろすのは自分たちを高める方法だったのです。それでも最終的には、私たちは互いにつながりを持ちました。そしてこの結びつきこそ、彼女らが真に求めていたことだったのです。ときに、結びつきを生む可能性を切り開くために、人はトラブルを起こす危険を冒さざるをえないのです。下から上への攻撃は、権力のある者に対して抱く無力感や怒りから生じるのが常であること、そして、思ってもみなかった方法で、力の均衡がもたらされる場合があることを、彼女たちに教えられました。

分かち合う力、支配する力

敬意と軽蔑は、関係性の力学、すなわち「分かち合う力（power with）」と「支配する力（power over）」の力学と密接に関係しています。敬意は、健全な力のあり方で、分かち合う力と言えるものです。両親、教師、仲間への敬意もあれば、脆弱で守られていない人々への敬意もあるでしょう。自分の力を、自分よりも弱い立場の人々を後押しするために使うとき、私たちの行動の原動力となるのは、敬意であり、分かち合う力です。一方、力を自分の利益のために使い、他者を犠牲にするとき、その行動のもととなっているのは、軽蔑であり、支配する力なのです。

力には、たくさんの落とし穴があります。力を持つと、自己陶酔に陥りやすくなり、他者よりも自分の欲求を優先しやすくなります。力によって抑制が効かなくなり、敬意、思いやり、配慮、良心といった社会規範を無視してしまうこともあります。また、力は感覚を鈍らせ、中毒性があります。

いじめをする人は、力に酔いしれ、力の差を利用して状況をコントロールし、他者を操ることに病みつきになっているのでしょう。

社会的地位がほぼ同じ者同士のグループ内であっても、カリスマ性やリーダーシップ能力、体型、年齢、人柄、体力などから、わずかな力の差異が生じます。いじめの加害者は、このちょっとした力の不均衡を大きな格差に増幅する術を心得ており、脆弱さにつけこむのです。

マクロレベルでは、支配する力は、人種差別、性差別といったさまざまな差別として発現します。軽蔑が社会システムや社会構造として制度化されると、「構造的抑圧」となります。ミシガン州フリントの政治家たちが行ったことは、構造的抑圧だと言えるでしょう。彼らはコスト削減のために、黒人人口が大半を占める地域の飲料水を危険にさらしてもかまわないと考えたのです。これによって何年にもわたり、子供のいる家庭の水道管に、神経毒性のある鉛が流れ込んだのでした。構造的抑圧は、スタンディング・ロックのパイプラインＤＡＰＬの計画においても、明らかに存在しました。パイプラインの経路は、主に白人が住む州都ビズマークから、先住民スー族の水源であるミズーリ川の地下に変更されたのです。二〇一六年に米国で、最終的に女性がガラスの天井を打ち破って大統領になることができなかったのは、構造的抑圧が影響を与えたと考えてよいでしょう。そして、「宗教の自由回復法」や「バスルーム法」〔トイレに利用者の性別を明示する法案〕など、ＬＧＢＴＱに対する差別を合法化する政策の根底にも、構造的抑圧があります。「あなたのこと、黒人とは思ってないから」など、相手を褒めるつもりで現れる差別的言動のように、心の奥深くにあるマインドセットが露呈するかたちで、構造的抑圧が表出することもあります。

構造的抑圧と軽蔑は、「他者化」によって為されます。インド東部出身のフェミニストの評論家、ガヤトリ・チャクラヴォルティ・スピヴァクは、「他者化」を「帝国が、植民地化を行い排斥し疎外した相手との対比によって、自らを顕示するプロセス」と定義しました。[27] 米国ではこうした植民地化はまさに、先住民の土地を奪い、ネイティブ・アメリカンを「他者化」することで進められてきました。そして、比喩的な意味では、有色人種、障がい者、ＬＧＢＴＱの人々や、刑務所の更生システム下の人々を疎外することで進められてきたと言えます。疎外され、辱められ、「他者化」されると、自尊心を保つのは難しくなります。自己評価が低いのは、人格的な欠陥があるからではなく、社会の抑圧的な態度を内在化させているからということもあるのです。

奪われた尊厳

刑務所産業というシステムは、軽蔑や屈辱が常態化している場です。ニューメキシコ州の刑務所でボランティアを行ったとき、受刑者のために、メッタ（慈愛）の実践を含む各種の瞑想を盛り込んだ二〇週にわたるプログラムを開発しました。倫理やコミュニケーションについても重視したプログラムでした。

ある朝、メッタの実践を行おうと思っていたところ、手錠をかけられた新入りの受刑者が、クラスを開催する礼拝室に連れてこられました。粗暴な感じの大男で、顔は傷だらけでした。剃った頭の後頭部には「アーリアン・ブラザーフッド」〔米国の刑務所内に形成されている、白人を中心としたギャング組織〕というタトゥーがありました。一目見て、この日のクラスの内容は変えたほうが良さそうだと思いました。彼はジョンという名前で、「ナチのバイク野郎」とも呼ばれていました。刑務官はジョンの手錠を外すと礼拝室から出て、ほどなくガラス張りの詰め所内に入ってしまい、私と受刑者たちだけになった部屋は完全に外と隔てられました。

ひとりずつ今の状態を手短に話すチェックインから始めました。ジョンは何も言わず、傍観者として睨みつけてきただけでした。皆でストレッチ体操をしましたが、彼は冷たい鉄の塊のように、自分を閉ざしたまま動くことはありませんでした。それからクラスはメンタルトレーニングの時間に入りました。目は閉じても開いても楽なほうでよいと伝えました。私は目を見開き、この新参の受刑者の目も同様でした。

誘導つきの瞑想では、「教え子」である彼らに、身体の中に意識を沈め、誰かとても苦しんでいた知り合いを思い起こすよう伝えました。そして、私はゆっくりとメッタの句を唱えました。「あなたが無事でありますように。平穏でありますように……」。これを始めて一分もしないうちに、ジョンは、そのそびえる背丈で勢いよく立ち上がり、大声を出しました。「この、くそばばあ！　自分が何言ってやがるか、くそほども分かってねえくせに！」　赤ら顔から暴言と罵りが次々と発せられました。

この状況をどうするか考えている時間はありませんでした。私はジョンの血走った目を見据えて、毅然としつつもユーモアを含んだ謙虚さで言いました。「あなたが言っていることは、そのとおりです。あなたの言い方は好きではありませんけど！」

教室は瞬く間に、荒くれた声の笑いに包まれました。ちょうどそのとき、刑務官が飛び込んできました。おそらく私が隅で縮こまっているか、人質に取られたと思ったのでしょう。でも、私は大丈夫でした。長年の経験に助けられて、自分が招いた混乱に対して機敏に反応できたのだと思います。少なくともこのときは、私の言葉は狙いどおりだったようです。

皆で笑いながら無事にクラスを終えられたことに感謝しました。しかし、ジョンにとっても私にとっても辛い状況であったのは事実です。

ジョンとは、その一年以上後に、もう一度だけ会う機会がありました。そのあいだに彼は他の受刑者を殺害していました。死罪の審理中で危険人物とされていたジョンは、自分の監房のある区域に護送される前に、全裸で検査を受けることになっていました。検査をしている部屋の前の廊下を通り過ぎるとき、彼と一瞬、目が合いました。刑務官が検身という屈辱的な儀式を始めようとするなかで、彼の身を切るような憤怒を感じました。前年のひとときの交流を、互いに困難をともなったやりとりを振り返りました。そして、彼があれ以来ずいぶんひどい目にあってきたに違いないこと、その過程でため込んだ怒りを露わにしているのだということに、思い当たりました。

最初に会ったとき、彼は私を他者化しました。私の言葉によって、他の受刑者たちの前で彼は恥ずかしい思いをしたでしょう。このことに初めて思いいたったのは、廊下で彼と一瞬目を合わせ、傷とタトゥーのある剥きだしの胴体に、ひりつくような緊張がみなぎっているのを感じたこのときでした。全裸で検査をするにあたり、女性があたりにいるという事実には、何ら注意が払われていないようでした。私は胸が強く締めつけられるのを感じ、この屈辱の場面から急いで立ち去ったのでした。そして、この大男が罪を贖（あがな）い救われる機会はおそらくないのではないかと思いました。

裸にされ剥ぎとられていたのは、何よりもジョンの尊厳でした。犯罪の加害者だったジョンを上回る強い力を、彼を処遇する刑務官は抑圧者として手にしており、軽蔑と優位性をあからさまにし、物を扱うかのように相手に何の関心も払っていませんでした。

私は胃に吐き気を覚え、廊下を過ぎていきました。垂直方向の暴力と構造的抑圧の両方を、私はこのとき目にしたのでした。こうした力関係は、軍隊、病院、学校、宗教組織、政府内でも見られます。私が深く感じとったのは、無力感によってかきたてられたジョンの憤怒でした。冷たく支配的な刑務官の卑劣さも身に染みて、いかにして迫害が起こるか少しながら洞察を得たのでした。

アングリマーラ

内面化された抑圧は、垂直方向の暴力においても、水平方向の敵意においても見られる要素です。内面化された抑圧を持つ人は、自分よりランクが低いと思われる相手を見つけて、上から下へのいじめによって相手を従属させ傷つけることがあります。あるいは、内面的に抑圧された人が、下から上へのいじめをすることもあります。ジョンのように、高いランクにいる相手に挑むこともあるかもしれません。いじめの加害者や迫害者が、他で見知ったふるまいを無意識のうちに真似たり、不公平だと感じたこととの均衡をはかろうとしたりしている場合もあるでしょう。

刑務所の中で仕事をして、自分を他者より強いと感じるから迫害者になるわけではないと分かりました。自分のほうが「弱い」と感じているからこそ、大抵は隠された恥辱に苦しんでいるからこそ、迫害者となるのです。こうした人は自らの脆弱性（バラネラビリティ）に不安を抱いており、他者に対する攻撃は、自らの保身をはかる手段なのです。

塀の内側での活動中、仏教が伝える殺人鬼アングリマーラの物語を度々思い返していました。適切な環境においては憎悪も変容を遂げられることを示す物語です。ブッダの時代、アングリマーラという名前を聞いただけで人々は震えあがっていました。その名は「指の首飾り」を意味します。次々と人を殺してはその指を切り取って飾りにしていたからです。『アングリマーラ経』によると、「残忍で、手は血にまみれ、殺しに身を捧げ、命あるものに一切の憐みをかけなかった」[28]とあります。アングリマーラは、人殺しに執着して、村々とその地方全体を荒廃させました。

ある日、ブッダが托鉢（たくはつ）にまわっていると、村人や牛飼いや農夫が、アングリマーラが近くにいるから身を守るよう警告しました。ブッダはその忠告に構わず、静かに托鉢を続けました。ほどなく、駆けてくる足音が迫り、背後から止まれと命じる怒声が聞こえました。ブッダはそのままゆっくりと歩き続けました。ブッダが神通力を用いたので、アングリマーラは近づくことができず、どんなに懸命に走っても追いつかないのでした。怒り苛立った殺人鬼は、世尊に対して「止まれ、修行者よ！止まれ！」と怒鳴りました。

ブッダは「私は既に止まっている。アングリマーラよ、私は確かに止まっている。止まっていないのは汝であろう」と答えました。

驚いたアングリマーラは、ようやくブッダと顔を合わせることができました。ブッダは穏やかな澄んだ瞳で彼を見つめました。アングリマーラはさらに驚き、ブッダになぜ怖がらないのかと尋ねました。ブッダは旧知であるかのように彼を見つめ返しました。

アングリマーラは言いました。「僧侶よ、おまえは歩いているのにずっと前から止まっていると言う。止まっていないのは、このおれだと言ったが、どういう意味だ?」

ブッダは、自分は他者を傷つけるのを止めている、他者の命を大切にすることを学んでいる、と答えました。

アングリマーラは、人間が互いを気にしていないのに、なぜ自分が人のことを気にかけねばならないのか、万人を殺さないと気がすまない、と言います。

ブッダは静かに、アングリマーラが他者によって苦しめられてきたことは分かっていると伝えました。アングリマーラは、師に虐げられ、仲間の弟子に軽蔑されていたのです。「人間は無知によって残酷になる。しかし人間は理解し合うこともできる」とブッダは説きました。

そして、ブッダは、アングリマーラの目を深く見つめながら、自分の弟子の僧侶らはコンパッションを実践し、他者の命を守ることを誓っていると話しました。「憎しみと敵意を思いやりに変容させる道のりは、ダルマ(仏法)によって導かれる」。[29]

ブッダはアングリマーラに、これまで憎しみの道をたどってきたとしても、これからは赦しと愛の道を選ぶべきだと勧めました。これを聴いて、アングリマーラは根幹から揺さぶられました。悪の道をあまりに長く歩んできたことに気づき、道を戻るには遅すぎるのではないかと懸念しました。

ブッダは決して遅すぎることはないと応じ、アングリマーラに深い理解を育む道へ向かうよう諭しました。そして、アングリマーラが思いやりとコンパッションの人生に身を捧げるなら、彼を引き受けるとブッダは誓いました。アングリマーラは泣いて武器を手放し、憎しみと敵意を捨ててブッダの弟子になると約束しました。

この経典を読んだとき、アングリマーラにとって他者を害することは、子供時代に仲間や師から虐げられた経験の反動だろうと感じました。私にとって馴染みのある話でした。凶悪犯罪者用の刑務所で、アングリマーラのような男性に多く出会っていたからです。抱えた傷、閉ざされた心、そして怒り。しかしアングリマーラは、変容する恵みを得ることができました。ブッダが深く理解してくれたからです。確かにアングリマーラは殺人鬼でした。しかし、彼の中には善の力も秘められていました。ブッダは、彼の本来の姿を見抜き、呼び覚ましたのです。

アングリマーラの話を考えながら、私はジョンと向き合う機会を逃してしまったのだと気づきました。彼は三人を殺害していました。粗暴であっても、より深いところを見れば、彼が傷を負っているのだと感じられたはずでした。時間を戻すことはできませんし、彼にもう会うことはありません。しかし、失敗から得た教訓として、彼は私と共に在ります。

あるとき刑務所で、収監されていた男性が私にこう言いました。「人生で初めてだ。誰かが敬意と思いやりをもって接してくれるなんて」。彼と目が合って、息を呑みました。言葉以上に、私を見つめ返した瞳が率直に本心を表していたことに胸を打たれたのです。ときとともにこの男性は模範囚となり、刑務所内での自由を得て、やがて外の世界の自由へと向かったのでした。

因果関係

「縁起」というレンズを通して見ると、複数の要因と条件によって、他者への軽蔑が生じると分かります。人格のレベルでは、いじめの加害者は誤った優越感を抱いており、その根底には、劣等感、秘められた恥辱、自己認識の欠如、感情の鈍化と盲目性があります。動機のレベルで見ると、軽蔑を正当化する根拠として、他者の行為により自分の道徳観や誠実さが侵されたといった理由があるのでしょう。外的なレベルでは、競争を煽る組織風土や、制度化された抑圧が、軽蔑の温床となります。

軽蔑が心身や魂に及ぼす影響は非常に深刻であることも留意しておかねばなりません。ある研究では、医療専門職における無礼行為の原因として、仕事量の多さ、支援の欠如、患者の安全偏重、階級制度、組織風土の五つがあげられています。[30] 原因があるとしても、軽蔑、敵意、嫌がらせ、無礼の標的にされれば、怒り、恥辱、屈辱、皮肉、虚無感が心に生じ、これらの感情の渦は自己嫌悪や自傷につながります。身体的には、不眠症や疲労が生じたり、脅威にさらされたことによるストレス反応として、攻撃的になったり、逃避したり、まったく動けなくなったりすることもあるでしょう。

それぞれの弱い部分が悪化し、病が発症する可能性もあります。

対人関係においても因果の作用があります。軽蔑された人は、迫害者を攻撃し処罰しようとするかもしれません。あるいは、その状況から身を引き、職場やコミュニティから立ち去ることもあるでしょう。虐げる標的を他に見つけて、報復しようとすることもありえます。アングリマーラが陥っていたのはまさにこれで、こうなると有害な悪循環が力を増すばかりです。また、苦悩への対処方法――たとえばストレス解消のための薬物乱用など――が、結果として社会的孤立、メンタルヘルスの問題、そして犯罪行為にまでつながる場合もあります。いじめの加害者は、このように有害な感情につきまとわれ、結果として感情的・身体的、また対人関係上の問題につながっている可能性があるのです。

もしも軽蔑の沼にはまってしまったら、できるだけ早く抜け出すように努めねばなりません。アングリマーラにとっては、自分の本来の姿により深く接することが、重大な転機となりました。原因があって軽蔑の道に引きずり込まれたのと同様に、その結果によって目を覚まし、敬意、品位、心づかいの道を取り戻すことはできるのです。アングリマーラがそうできたように、私たちにもできるはずです。

3 敬意と他のエッジ・ステート

通常の定義では、敬意は「尊重し、価値を認める姿勢」を意味します。敬意は誠実さと共感から生じるものです。敬意は、私たちのものの見方、価値観、そして感情に根差しています。「敬意(respect)」の語源は興味深く、「振り返って見て、よく考えること」を意味するラテン語の respectus からきています。一方で、「軽蔑(disrespect)」は「下に見て、深く考えない」ことを意味しています。相手に敬意を払うとき、また行動原則や自分自身に敬意を払うとき、私たちは自然に立ち止まり、振り返って熟慮するものです。こうして見ると、敬意とは名詞だけでなく、動詞であり、継続的プロセスなのです。

敬意がプロセスであることや、他のエッジ・ステートと接していることを考えるとき、軍の衛生兵だったスーザンの話を思い出します。政治システムの有害な面が危惧される新政権のもとで、自分自身への敬意、そして自分の価値観や行動原則への敬意を、今後任務のなかで保つにはどうしたらよいのか、彼女から助言を求められていました。戦争によって引き起こされる苦しみを思うと、軍隊に所属していることにしばしば葛藤を感じるとも明かしました。しかし同時に、彼女は強い使命感も持っていました。「自分が有害なシステムと一体となっているのではないかと懸念しています。けれども、軍にいることで、システムを内側から変えていく機会が生まれると思うのです。改革に向けて軍の外側から働きかけるよりも、ずっと効果的で有力な方法なのではないかと」。[31]

最近まで配属されていたアフガニスタンでは、スーザンは衛生兵としての仕事を、仏教でいう正命（しょうみょう）だと感じていました。正命は八正道（はっしょうどう）のひとつで、倫理的に正しい仕事をして生活することです。この仕事は彼女にとって「暗闇に灯をもたらす」ものであり、戦争による怪我やトラウマを被った人々に敬意をもってケアを提供する機会です。しかし、善い人であろうとするあまり、自らが病的な利他性に支配されていると気づくことがあると彼女は言います。また、苦しみと向き合って打ちのめされ（共感疲労）、過度な仕事を求められて燃え尽きそうになるときもありました。そして、組織の精神が、ある意味で暴力に根差していると彼女の目には移り、その組織のために働くことに葛藤を覚えました（道徳的苦しみ）。

私とのやりとりの中で彼女は、自分の信念を尊重するためには、不道徳な命令に従うよう求められたら不服従もいとわないと認めていました。その覚悟がありながらも、彼女は苦しんでいました。「私は次世代の衛生兵に、医療的ケアのみに留まらず、苦痛と憤りを和らげ、受け止めることができるよう、深いコンパッションを抱いて向き合うよう伝え続けることもできます。そして、持続していくシステムの内側で、異議を唱え、疑問を呈す声であり続けることもできます。でも、それで十分なのでしょうか？　軍隊に属することは、それだけで組織への同意となるのでしょうか？　現状に対する暗黙の了解となってしまうのでしょうか？」

スーザンの言葉を胸に、瞑想しました。負傷者や瀕死の者に不可欠のケアを提供しながら、自分の誠実さや自尊心が侵されているように感じる彼女の葛藤を思いました。私の流儀は、相手に助言するよりも、問いかけることです。自分の父のことを思い、父の道徳的苦しみと、その結果としての自尊心の喪失から学んだことを考えました。戦闘のトラウマに苦しんでいた教え子たちについても考えました。そして、軽蔑、迫害、暴力が日常となっている、刑務所産業という構造のなかでボランティアをした自分の経験を思い出しました。

そして、スーザンに宛ててこのように記しました。

あなたの状況について、自分に問いかけてみました。私が刑務所でボランティアをしていたとき、自分の状況について問いかけたのと同じ質問です。害をもたらす組織に属することによって、私たちは構造的暴力を助長してしまうのでしょうか？　これは深く掘り下げて考えるべき問いだと思います。理由（たとえば退職金や地位）があるからと妥協して所属しているのであれば、自分自身を貶めることになるでしょう。他者を傷つけることに何らかのかたちで加担し、それによって自分自身も傷つけることになるからです。そうではなく、システム内に留まりながら、自分の人生に意味を与える価値観を、具現化して維持していく方法はあるのでしょうか？　あなたの持っている問いに深く向き合い、それとともに五年先、一〇年先の自分の人生に目を向けてください。そこに何が見えるでしょうか？　あなたはどのような人間でありたいでしょうか？　今のあなたはどのような人でしょうか？　もしも残された命があと一年だとしたら、何に人生を費やしたいでしょうか？

このやりとりのあとしばらく、スーザンのことがしばしば頭に浮かび、気になっていました。自分自身とその行動原則への敬意を損なう要因は、数多くあります。たとえば、自らの理想の追求に反する状況もあれば、社会からの期待に対する無意識の反応、物質的な安定への欲求、自分が関与するシステムの害の深刻さへの無自覚、見当違いの利他性などに陥っている状況もあります。

ほどなくスーザンがまた連絡をくれました。彼女はスタンディング・ロックの水資源保全運動で、聖職者や信仰を持つ人々が、土地を守るために努力し勇敢に活動する姿に感銘を受けていました。スタンディング・ロックの運動に対して軍が介入することがあれば、任務を拒否しようときっぱりと決めたのだといいます。非暴力の立場を明確にしている活動家たちに深く敬意を抱き、彼らへの暴力は憂慮すべきことだと思ったのです。

この時点で、スーザンは衛生兵としての任務を、「戦争によってもたらされる深い苦しみに、誰よりも直接的にさらされている人々と共に在るために」続けようと考えていました。しかし、新たなレベルでの関わり方もしようとしていました。積極的に声を上げようと決意したのです。

軍法の規則に従って口を閉ざしている義務を、打ち捨てました。それによって懲戒処分を受けたり、軍法会議にかけられたり、除隊させられるリスクを、私は引き受けます。私の立場で政治的な議論に関わるべきではないと命じられているとしても、声を上げて真実を伝えなければならないときがあります。正直なところ、そのリスクは大きく感じられ、不安をかきたてられますが、同時にこの困難なときに、新たな生き方を表明することになると確信しています。

その数週間後にスーザンと会ったとき、彼女はさらなる決断をしていました。軍に正式に良心的兵役拒否者申請をする第一歩を踏みだしたのです。彼女は軍から兵役拒否の請求を取り下げるよう、それとなく圧力をかけられ、精神的問題があると暗に言われたそうです。彼女と私は目を合わせて微笑みました。彼女の精神がまったくもって健全なのは、明らかでした――誠実さに導かれて、自分自身と自らの行動原則への敬意によって決断したことも。

ジレンマを抱えながらも、スーザンは決断にいたるプロセスを慎重にたどっていきました。じっくりと考える過程を尊重し、短絡的に結論に飛びつきませんでした。その過程のなかのある時点で彼女は、軍法を侵すリスクを負うことも、同僚からの非難も、自分の価値観に忠実であるためにはいとわないと自覚しました。そして最終的に、唯一の選択肢は兵役拒否の申請だと考えたのです。その決断への道のりは容易ではなかったはずです。

スーザンや他の人を見るなかで、敬意と軽蔑は、他のエッジ・ステートと絡み合った生態系に存在することを学びました。他者に対する軽蔑は、大抵の場合、健全な利他性が失われ、共感や誠実さが欠如していることを示しています。こうした損なわれた資質を意識的に活性化することは、軽蔑を抜け出して敬意へと戻る助けとなります。軽蔑は、道徳的苦しみも引き起こします。スーザンがそうだったように、誠実さが侵されていると感じるからです。仕事や奉仕活動を行う場は、いじめやハラスメントが繁殖しやすい土壌です。嫌がらせを受けると、燃え尽きに陥るのも早くなります。燃え尽きると、人道支援ワーカーも、軍人も、ケアに携わる人も、同僚や上司ばかりか奉仕する相手にまで、苛立ちをぶつけてしまいがちになり、相手を軽んじた接し方になるのです。

一方で、敬意は、他の四つのエッジ・ステートを堅固なものにします。利他性は、心からの敬意の表現です。共感は、敬意によって相手をいかなる状況でも尊重する第一歩となります。個々人、組織、社会の健全さを生みだす道徳・倫理原則は、その全体に敬意が張り巡らされています。関与は、敬意によってより優れたものになります。私はよく、表現は違えど多くの文化で言われる、ある黄金律について考えます。「こうあってほしいと思うことを、他者のために為せ」。この格言は、他者への敬意、行動原則への敬意、自分自身への敬意を併せ持っているのです。

4　敬意を育む

自分の中に軽蔑が生じたときにせよ、軽蔑を受ける側になったときにせよ、軽蔑に対処するにはどのような方法が有効でしょうか。敬意に根差し、敬意を育むのに、どのような実践が支えとなるでしょうか。

三角形ドラマ

ウパーヤの仏教者養成プログラムでは、スティーブン・カープマンの「三角形ドラマ」について教えています。この人間関係のモデルを、私たちは、軽蔑、不安、力の剥奪に関わる対人間の力関係を分析し検討するために用いています。職場、家庭生活、友人関係において、多くの人が、いつかは三角形ドラマにとらわれます。このモデルは仏教由来の概念ではありませんが、仏教的といえます。人との不健全なやり取りで、私たちが習慣的に不安に基づいた反応をしてしまうことに気づかせてくれるのです。加えて、このモデルが与えてくれる視点は、自分の本来の姿を深く見つめる支えとなります。

三角形ドラマは、人々がとらわれやすい三つの役割を、迫害者、犠牲者、救済者の三角形として配置します。通常は、ドラマは迫害者による犠牲者の敵視で始まるか、犠牲者が迫害者に攻撃されたと気づく、あるいは犠牲者があえて迫害者から攻撃を受けることで始まります。犠牲者は脅かされ軽蔑されていると感じ、救済者に助けを求めます。あるいは、救済者が自分から状況の改善に乗り出します。救済者は常に利他の姿勢で行動しているつもりですが、病的な利他性があらわれることもあります。そうすると、救済者のエゴが増大し、犠牲者は隷属的になります。

それぞれの役割を演じているうちに、三角形は安定を保てなくなります。徐々に力関係が移行し、それにともなって役割も移っていきます。たとえば、救済者が犠牲者の求めに応じるのが嫌になったら、救済者から犠牲者の役に転じ、犠牲者だった者が今度は迫害者になるでしょう。あるいは、救済者が、怒りのあまり攻撃を始めて迫害者になるかもしれません。迫害者が、自分も迫害を受けたと主張して、犠牲者の役を担うこともあるでしょう。事実、どの立場の者も、他の役割のいずれにも切り替わりうるのです。

三角形ドラマといじめの関係は明らかです。迫害者と犠牲者は、水平方向もしくは垂直方向の敵意を生みだすために必須な要素であり、そうやってつくりだされた状況が救済者を呼び込みます。また、虐げられ、いじめられたと感じる者は、迫害者の役に移行しやすく、自分を迫害した者を侮辱し非難します。あるいは、救済者が敬意を装って、迫害者の役を担うことになるかもしれません。

三角形ドラマの土台となっているのは、各自の持つ責任と力の関係です。犠牲者は自らの力に責任を負わず、その代わりに救済者に助けてもらおうとします。救済者は自分自身の力に責任は負わず、特定の犠牲者のために責任を負います。迫害者も自らの行動の責任を取ろうとせず、苦しみをもたらしたことを認めません。

この機能不全に陥った力関係を打破するには、状況をより広い視野で捉えたうえで、難局のなかで自分の責任となる部分を担う必要があります。ウパーヤのチャプレン養成プログラムで、文筆家のフリート・モールは、三角形ドラマから抜け出すための適切な指針を示してくれました――私たちを揺さぶる状況をマインドフルに受け止め、地に足がついた状態を保つこと。ものごとを個人的に受け止めないようにすること。思い込みを止めること。自分の内外に適切な境界を設けること。はっきりとした約束を決めて、それを守ること。必要に応じて約束を見直すこと。広い展望でものごとを捉えること。自らの脆弱性を認めること。そして、義務、自己責任、信頼、つながり、恐れぬ勇気、これらの資質について学ぶことです。

正しく話すための五つの鍵

三角形ドラマに対処するためのパワフルな叡智として、「正語（しょうご）」という仏教の実践があります。結びつきと思いやりの基礎となる実践のひとつです。米国の禅の指導者たちが、米国社会における話し言葉の役割を詳しく調べてみると、家庭や職場や宗教的コミュニティのなかで蔑視や非難が横行していることがわかりました。そこで、ブッダの教えに基づいて「正しく話すための五つの鍵」を問いかけ、適切なコミュニケーションの方法として活用するようになりました。言葉を発する前に次のことを考えるという方法です。

一　その言葉は、真実か。
二　その言葉に、思いやりはあるか。
三　その言葉は、役に立つか。
四　その言葉は、必要か。
五　その言葉は、今言うべきか。

これらの問いかけは、私たちが言おうとしている言葉が、今このときに必要で、実際に役に立つのか、しっかりと見定めるものです。状況をよりよく展開するために、その言葉は今この瞬間に必要とされているか。その言葉が、いじめや軽蔑や、相手の力の剥奪と受け止められはしないか。そういったことを問うているのです。

そしてこれらの問いに答えるためには、ティク・ナット・ハンが長年にわたり力説してきた、「正語」の重要な要素についてもご紹介しなくてはなりません。不正、軽蔑、害、虐待、嫌がらせ、暴力の状況においては、コンパッションの名のもとに、悪に挑む言葉を発するのが私たちの責任であるということです。ナット・ハンは、仏教の教えである正語を次のように解釈しています。「不正直なことを、自分の関心や人からの評価のために言ってはならない。分断や憎しみを生む言葉を発してはならない。確かではない情報を言い触らしてはならない。よく知らないものごとを批判したり糾弾したりしてはならない。常に正直に建設的に語るべきである。不正な状況について堂々と声を上げる勇気を、自らの安全が脅かされようとも持つべきである」。[32] 正語とは、勇気ある発言のことでもあります。コンパッションと勇気ある発言は、真の敬意に基づくものです。そして、三角形ドラマから抜け出す術でもあるのです。

自己と他者の入れかえ

共感、思いやり、洞察力、コンパッションは、軽蔑に対抗する有力な手段です。その理解に基づいて私は、「自己と他者の入れかえ」という実践が、たとえ軽蔑を受けるような場合も、敬意を深め、智慧を育み、回復力（レジリエンス）を高めるうえで、大きな助けとなることに気づきました。

この実践の概略は、八世紀のインドの僧侶で『入菩薩行論』を著したシャーンティデーヴァ（寂天）によって、次のように示されています。

まず初めに、他者に恩恵をもたらすという私たちの願いと、一人ひとり誰もが苦しみからの解放を望んでいることを思い起こします。

それから、自分本位や独善が真の幸福をもたらさないことについて、真摯に思いを馳せます。幸せは、敬意、愛、他者への思いやりによって育まれるのです。

さらに深く考えると、私たちが受ける恵みはすべて、この身体も、食べものも、身に着けるものも、住む家も、生きるための空気さえも、他者からもたらされているのだと分かるはずです。

そして、大切なのは、ある観点からは自分と他者のあいだに分け隔てはなく、万物はすべて相互に依存し合っており、敬意と思いやりに値すると理解することです。

大抵の人は、自分自身を重視するのが普通ですが、ここでは私たちの心と愛情を他者に向けましょう。

この段階まで来たら、自己愛を他者への愛に切り替える実践として、誰か苦しんでいる人の存在を思い浮かべます。自分がその人だと想像してください。その人の人生を生き、その困難を耐え忍びます。

その苦しみを黒い煙として思い描き、それを吸い込んでください。そして、吐く息とともに、相手にあなたの優れた資質のすべてを送ります。

この実践をしばらく行ったら、あなた自身の開かれた心に戻り、ありのままの存在の中に身を委ねてください。

他者の幸せを願うことで得られた恵みに感謝を捧げて、実践を終えます。

この実践は他者への愛と敬意を育むパワフルな方法です。

5 敬意の崖で見出すもの

仏教では、それぞれの人の苦しみの根源を深く探ろうとします。アングリマーラは、加害者、迫害者、虐待者に見えますが、自分の本来の姿を再発見するために適切な環境を必要としている者として捉えることもできます。

マーラ（魔羅）という、ブッダの人生に度々現れ、脅かして悟りを妨げようとする悪魔がいます。ブッダはマーラにこう答えるだろうと、ティク・ナット・ハンは記しています。「古くからの友よ、あなたのことは知っているよ」。するとマーラは消え失せます。[33] また別の伝承では、ブッダはマーラを征服するために用いる、自らの力の拠りどころを列挙して述べています。「私には信念、活力がある／そして、智慧もある……世のあらゆる神をもってしても破られなかった／隙のない戦隊を智慧によって打ち滅ぼしてみせよう／土器を石で砕くように」。[34] マーラを打ち負かしたことで、ブッダはあらゆる障壁を克服したとして、「勝利を得た賢者」と呼ばれました。ブッダは自らの内にある苦しみを変容させる力を備えていたのです。

マーラは、私たちの苦しみ、憎しみ、貪欲、疑い、過ち、恐れを象徴する原型です。私たちの心の中にマーラが現れたら、いくらかのコンパッションをもって「古くからの友よ、あなたのことは知っているよ」と言うとよいでしょう。理解と敬意に根差して、他者を抑圧しそうになる衝動に抗うのです。ブッダが用いた、信念、活力、智慧も、私たちの内なるマーラを克服し、苦しみからの解放を見出すために役立てることができます。

悪魔相応の経典には、マーラがこのように嘆いたとあります。「七年ものあいだ、あらゆる方法でブッダにつきまとうも／ブッダは隙がなく、勝ち目はない／『うまそうなものはないか』と思いながら／脂身に見える石の周りをうろつくカラスのようだ／失意のうちに飛び去るしかない／もはや厭いて、ゴータマを諦める」。[35]

迫害者にうまそうなものを与えて、喜ばせてはなりません！　脂身に見える石であり続けましょう。迫害者が私たちの内面に存在する場合も、外部からの侵略者である場合も、まずは、自分自身を深く見つめねばなりません。それから、迫害者の苦しみと過ちに対して、恐れることなくコンパッションを育んでいきましょう。そうすると、自分自身に向けた心の抑圧に対しても餌を与えないようにすることができます。自らへのコンパッションを育み、自身の持つ強さへの認識も深められます。自分への敬意をしっかりと保っていれば、他者を中傷しなくてすむのです。

崖から軽蔑の深い淵へと滑り落ちそうになるとき、人は苦悩を感じるあまり自分の内面を見つめることになります。他者へのコンパッション、そして困難な人間関係や問題のある組織を、敬意と愛の力によって変容させる方法を見出そうとするのです。その経験が、これまでの習慣的な反応から抜け出し、適切でコンパッションあるコミュニケーションを学び、人間同士、そして生きとし生けるものの、相互の結びつきによる癒しの力にも気づく糸口となります。他者を高めることを学ぶことは、自分を高めることにもなるのです。

第5章

関与

Engagement

忙中に悟りはない。

何年か前にウパーヤで、若いメキシコ人の作業員が、建物の改装に使う日干し煉瓦をとても丁寧に注意深く積んでいるのが目に留まりました。彼は工事のあいだ、配管工事であれ壁の漆喰塗りであれ、一貫してマインドフルな姿勢で仕事をし、よく微笑を浮かべていました。工事が終わるとき、私はそのホセという若者に、引き続きウパーヤに残るよう勧め、彼は私たちの頼もしい用務員となりました。

ホセはウパーヤの日々の流れにすぐに溶け込みました。修行中のメンバーや訪れる人も、ホセには感心するほどでした。ある日、ホセが作業している庭園を歩きながら、一七世紀の芭蕉と弟子のやりとりが思い浮かびました。「師にとって実践の源は何でしょうか」と問われ、芭蕉は「求められることすべてである」と答えました。芭蕉のようにホセは、求められるあらゆることに深く関与しているようです。ただの職務としてではなく、存在そのものをかけて、あたかも精神修行のように仕事に取り組んでいました。配管の工事も、電気関連の修理も、洪水に備える防災作業も、ホセはストレスなく、仕事とのつながりをしっかりと持って働いているように見えました。

むろんホセが働いているのは、反抗的な若者ばかりの教室のようなストレスの多い職場とは違います。死にゆく人の救いがたい苦痛や、失業した住民の感情も露わな要望に対応しているわけでもありません。こうした苦しみが日常にある環境で働くことには、疲弊を感じ意欲を失っていくリスクがつきものです。それでも、どんな職業であっても、健全な関与をすることは可能だと思います。

私の仕事仲間に、低所得者層地域の小学校の教師がいます。彼女は授業の始めに瞑想を行っています。壁には子供たちの絵が飾られ、窓際には青々とした植物が並んでいます。受け持つ生徒たちは、同学年中で算数の成績がトップで、これは瞑想で一日を始めているおかげだと彼女は考えています。彼女自身の日々も充実していると話していました。また、私が親しくしている政治家は、経済的に低迷するラストベルト〔米国中西部から北東部の、衰退した工場など斜陽産業が集中する地帯〕の出身ですが、有権者の要望に常に熱心に向き合っています。ほとんどいつも、ワシントンの込み入った政治問題を取り上げるときですら、笑顔を絶やさないそうです。彼は長年にわたる瞑想の実践者でもあります。

会社の優先事項を、利益の分配やビジョンの共有に方向転換したCEOもいます。彼女は四人の子供を健やかに育てながら、活躍を続けています。ケンタッキーに住む農夫であり詩人である男性は、近隣の山の頂が石炭採掘のため爆破されても、自分には環境を守る責任があるという信念を守り続けています。ユーモアがあり、テクノロジー嫌いで、畑を愛し、詩を綴っています。その姿勢が、彼のバランスと健全さを保ち、多作な詩人たらしめています。

こうした人々皆から学んできましたが、特にホセから多くを得たように思います。ホセとの友情を通じて、本当のアイデンティティは、やっている仕事よりも、やっていることに携わる姿勢にあるのだと分かりました。煉瓦を敷くのか、法律を定めるのか、死にゆく人の傍らに寄り添うのか、という仕事の内容よりも、仕事にいかに関与していくかということです。

「関与（engagement）」という言葉は、心理学者のクリスティーナ・マスラック博士が記すように、仕事や他者への支援に対する健全な関係を意味します。一方で、燃え尽きは、職務との不健全な関係による疲弊と意欲喪失です。関与と燃え尽きについて調べ始めたとき、これはエッジ・ステートのひとつだと気づきました。

関与にしっかりと足をつけて立っているときは、仕事から力を得ています。他者への支援という活動は、困難をともなうときがあるとしても、仕事に熱中し喜びを得ることが概して多いものです。生業としての仕事は人生の質を高め、理想的には他者の人生の質の向上にもつながるでしょう。しかし、超過勤務が続き、耐えがたい状況に置かれ、精神的に報われることもあまりに少ない、自分が努力しても他者に良い影響をもたらすと思えないといった要因があると、私たちは持続力の限界まで追い込まれます。すると容易に崖（エッジ）を踏みはずし、荒涼とした燃え尽きの淵へと転落してしまうのです。疲れ切って気持ちをくじかれ、興味も薄れ仕事に嫌気がさし、人に役立とうとする意欲も失った状態です。

過労という暴力が慢性化し燃え尽きにつながると、その沼から這い上がるのは難しくなります。何年もそこにはまってしまい、情熱の火を再び灯せない人もいます。しかし、燃え尽きから抜け出す道を見つけ、他者と自分を育む営みに戻るときには、回復力（レジリエンス）、そしておそらく智慧も身につけているでしょう。

1　関与の崖にて

仏教でよく知られている話に、中国の唐時代の禅師、百丈懐海（ひゃくじょうえかい）のものがあります。勤勉な中国の民衆と同じように、百丈は生涯を通じて毎日耕作をしました。唯一働かなかったのは、弟子たちが農具を隠してしまった日でした。百丈は既に高齢なので、しばらく休んだほうがよいと弟子たちは思ったのです。しかし、弟子の仕業と分かっても百丈は納得しません。仕事なくしては、徳を積めないと主張しました。「一日不作、一日不食」ときっぱりと言い、仕事をしないなら食べることはできないと食事を拒否したので、ようやく弟子が折れて百丈は耕作に戻ったのでした。百丈のこの格言は、以来一二〇〇年以上にわたって禅の基本理念であり、禅の勤労倫理となりました。関与をもって取り組む精神、「役立つことすべて」に心を注ぐ姿勢を尊ぶ倫理です。

活力、意気込み、自己効力感

仕事における関与を特徴づけるのは、活力、意気込み、自己効力感であると、燃え尽きに関する専門家として名高いマスラック博士は言います。[1] しっかり関与できているときは、仕事を通じて充足感が得られるものです。自分の能力で結果が出せると感じられ、自分の仕事が、他者や自分、そしてもしかしたら世界にまで影響を与えると感じます。相応のフラストレーションや負荷は避けられないとはいえ、仕事へのコミットメント、そしてさらに望ましい仕事への愛は、思うとおりに結果が出ない荒波に乗っていくときにも、強さと智慧をもたらしてくれます。

カトリックのベネディクト会修道僧、デヴィッド・スタインドル・ラストと、あるプログラムに登壇したことがあります。彼は、燃え尽きを防ぐ方法は、休暇を取ることとはかぎらないと話しました。「真心を込めることです!」と、彼は声高らかに喜びをほとばしらせて言いました。この「真心を込める(wholeheartedness)」という言葉が好きです。心全体が関与している、という含みがあるからです。取り組む仕事への純粋な結びつきと愛情が感じられます。それに続く講演で、デヴィッド修道僧は、関与こそ、燃え尽きを防ぐために彼自身が用いている方策だと語りました。

詩人のデイヴィット・ホワイトは、デヴィッド修道僧から助言を受けたときの、貴重な言葉を記録しています。

あなたが疲労困憊しているのは、この組織であなたがやっていることの大半が、自分の真の力やこれまでの人生で到達した領域とは無関係だからです。あなたの半分しかここにいないのです。

この半分が、いずれあなたを殺してしまうでしょう。あなたがすべての力を注ぐことのできる何かが必要です。……傷ついた白鳥は、自らの尻を叩いても、先を急いでも、自分をうまく立て直そうとしても、癒されはしません。癒すためには、自分本来の場所である、自然のままの水を求めていかねばなりません。水と触れあえばそれだけで、白鳥は恵みを得て魂を取り戻すのです。あなたの人生の、自然のままの水に触れてごらんなさい。そうすればあらゆることが変容を遂げるでしょう。ただ、水に身を浸すには、今立っている場所を後にして、足を踏みだす必要があります。これは困難をともなうはずです。溺れるのではないかと思っていると、ことさら難しく感じるでしょう。

デヴィッド修道僧はこう続けています。

不安を覚えながらも身を浸していくには、……勇気が必要です。英語の「courage（勇気）」は、古フランス語の「coeur」に由来し、これは「heart（心）」という意味です。心の底から望むことを勇敢にやらねばならないのです。しかもすぐに始めるべきです。半端な労力をかけるのは止めて、いかに困難でも全力で、あなたの水に、自分のためにやりたい仕事に、身を委ねましょう。あなたのための仕事が実を結ぶまでのあいだ、何か二次的なことを支えとするのは構わないでしょう。しかし、十分に成熟した実りが得られたら、摘み取らねばなりません。あなたの実はもう熟していて、収穫を待つばかりです。あなたの疲弊は、内側が熟れすぎて発酵が生じているあらわれです。ごくゆっくりとですが、蔓(つる)にぶら下がったまま朽ちかけているのです。[2]

朽ちかけている、まさにそのとおりです。その不運を避けるために、私たちは、自分自身とこの世界のために望む仕事の水に、身を浸していくべきです。そうして、充足を得られる場、溢れる真心で奉仕できる場へと向かうのです。

マスラック博士は、関与をもって仕事と結びついている人、仕事に目的意識と自己効力感を見出している人は燃え尽きにくいと言います。研究者のアヤーラ・パインズは、保険外交員という、一般には退屈に見える職務に携わる人々を調査しました。そして、火災や洪水などに関わる保険業務を通じて衝撃的な経験を乗り越えてきた外交員は、しっかりとした職業的使命感を持ち、自分の仕事が人々に確かに役立つと信じているため、燃え尽きずに長期にわたって仕事を続けられるのだと分かりました。[3]

同じ仕事でも燃え尽きる人と燃え尽きない人がいるのは、どういうことでしょうか。私はある家族の話に感銘を受けました。普通ではとてもできない務めを果たしているのに、むしろそこから元気を得ているようなのです。コリ・サルチャートと夫のマークは二〇一二年から、「ホスピス・ベイビー」

と呼ばれる、死に瀕している赤ちゃんを引き取る活動をしていました。サルチャート夫妻には血のつながった子供も八人いますが、こうした赤ちゃんの受け入れを使命と感じていました。生みの親たちが、複雑な医療的ケアを施すことができず、あるいは子供の命の終わりを見届けるのに耐えられずに手放した子供たちでした。

以前、看護師だったコリー・サルチャートは、ウィスコンシン州のシボイガンを拠点として周産期の死別のケアに関わっていました。そのため、病気の子供の受け入れが可能な専門知識を備えていたのです。それにふさわしい心も備わっていました。最初に彼女たち家族が引き取ったホスピス・ベイビーは、名前のない生後二週間の女の子で、先天性の深刻な脳の異常がありました。エメリンと名付けられ、五〇日間生きて、コリーの腕に抱かれて亡くなりました。彼女は言います。「エメリンは五〇日のあいだに、他の人の人生に劣らず、とても豊かに生きたのです」。[4]

次に、一家は一歳半のチャーリーを引き取りました。チャーリーは生命維持装置につながれていました。そうしたあらゆる設備が必要であるにもかかわらず、家族はできるだけチャーリーを小旅行に連れ出しました。「いずれ訪れる死、それは変えられません。でも、どう生きるかは変えられます。チャーリーにとって大切なのは、生きているあいだ愛されるということです」。[5] コリーはこのように『シボイガン・プレス』に語っています。

この利他の物語は、勇気と、そして私欲のない関与を伝える実例でもあります。サルチャート一家は、まさに命という水に身を浸していました。死とそれにいたる過程をありのまま見届けながらも、命の水を渡っていました。この驚くべき家族は、なぜ燃え尽きずにいられるのでしょうか。コリーは家族の目的意識の強さと、クリスチャンとしての信仰の力によると言いました。家族が互いに支え合っているためでもあります。[6] 一家の全員がこの無限の愛と結びつきの実践に心を開いていたので、燃え尽きを寄せ付けなかったのです。

イスラム神秘主義、スーフィーの偉大な詩人、ジャラール・ウッディーン・ムハンマド・ルーミーの言葉をよく思い起こします。「我々の行いの中に、愛のある美を見よ。大地にひざまずき口づけし、無数の行いの中に美を見出したまえ」。サルチャート一家による死にゆく子供のための行いには、美が宿ります。こうした美しさは、そこに込められた真心と無縁ではありません。

忙しさがもたらすもの

サルチャート夫妻はとてつもなく忙しかったに違いありません。命の危機にある子供の世話をするには、些細なことも含めやるべきことが山ほどあり多くの時間を要するものです。今日の社会では、多忙は、諸刃の剣となりかねません。忙しさは、健全な関与の表れで、心から奉仕する姿であるとともに、意欲や信念の結果でもあります。しかしもう一方では、仕事中毒になりかねず、やることリストや予定が延々と続き注意も散漫になります。この両方が同時に起こることもあります。

忙しさは、ある意味では、神経伝達物質ドーパミンによって促された探求姿勢であると言えます。ドーパミンは、興味をもって積極的に何かを追い求めるよう私たちを駆り立てます。私たちの覚醒レベルを高め、好奇心を刺激します。脳内の検索エンジンを活性化する原動力とも言えるでしょう。思考プロセスの質も向上するうえ、精神面にもエネルギーが与えられます。神経科学が示すところでは、目標の達成よりもむしろ到達しようとする過程に人間がより高い満足度を感じるのは、この神経伝達物質が生成されるためです。[7]

中高年のアメリカ人を対象にした最近の研究では、忙しく関与をもって過ごすと脳の機能に有益な影響をもたらすことが示されました。ある調査では、五〇歳以上でも多忙な生活を送っている人々は、脳内の処理速度、特定のできごとの記憶力、推論能力、語彙力など認知機能が全般にわたって優秀でした。[8]

この調査結果から、慈善活動家のローレンス・ロックフェラーを思い出しました。生涯を通じて仕事熱心で、長年にわたり瞑想も実践してきた人です。九〇歳を超えてからも、環境保護活動からベンチャービジネス投資、仕事についても仏教に関しても、幅広く関与をもって活動していました。九四歳のある日、いつもどおりロックフェラー・センターの五六〇〇号室に出かけましたが、昼近くになると体調がすぐれず、休養のため帰宅しました。その後ほどなく、安らかに永眠しました。彼は最期まで頭脳明晰で積極的で、好奇心旺盛でユーモアに溢れていました。

私は幸運にも、晩年のロックフェラー氏と知り合う機会がありました。ウパーヤ禅センターを設立したときに、彼は組織をたくましく活発なものとして構築する方法を伝授してくれました。ロックフェラー氏からは、燃え尽きを避けるためには、高い見識、感謝、ユーモア、好奇心、これらの資質を育むことが大事だとも教わりました。何が起きても受け容れる開かれた心と、リスクをいとわない潔さを養うのが大切だとも学びました。自分たちにも他者にも過度な期待を抱かず、結果に執着せず、ひとえに他者のために最善を尽くすのが重要だとも教えられました。彼から得たことは実に貴重で、ウパーヤが組織として規模を拡大する際に、私のリーダーシップの支えとなりました。

私は長年、ウパーヤという場とここに集う人々を思いながら全力で関与してきました。瞑想の修行を熱心に続け、さらに世界各地で教えを説き、奉仕活動にも関与を抱いてきました。それは私の健康のためにも良いことでした。私は仕事を愛し、教え子を慈しみ、研さんも修行も大切にしています。それはどんな年齢の人にとっても、正直で充実した生活といえるでしょう。調査研究によると、人前で話す緊張や、課題の締切りに間に合わせようとするストレスも、運動による負荷と同じように身体に良い効果があるそうで、免疫細胞を活性化し記憶や学習能力を高めると言います。[9] そこまでは、とても良いことなのです。

職務と自らの結びつき、目的意識、献身的な気持ちと溢れる真心、信念と喜び、これらを仕事に注ぐことができれば、健全な関与の崖に立てると思います。しかしながら、問題となるのは、仕事にとりつかれ中毒の様子を呈してきたときです。ドーパミンによる依存的な連鎖にはまると、渇望感をともなう不安がでてきます。そうするとたいてい、冷笑主義（シニシズム）と燃え尽きが生じるのだとマスラック博士は言います。

仕事は私たちの活力となるものです。「work（仕事）」と、「energy（活力）」は、同じ語源をもつ言葉です。人は仕事を通じて、世界や他者にエネルギーを与えようとし、自らもエネルギーを得るのです。

教え子たちには、こう伝えています。「有意義な仕事という手ごたえのある崖縁に、自らを置き、最善を尽くしましょう。時間を有意義に使って他者に真の恵みをもたらし、自らに喜びをもたらしましょう」。思うに、他者や世界に愛情を傾ける仕事に健全に打ち込むことほど、人生においてやりがいのあるものはないはずです。

ですから、医療関係者も教師もCEOも、人権活動家、煉瓦職人、芸術家、母親、それに座布団の上の禅の修行者も、やっていることに心を注ぎましょう！　真心を込めることに妥協はありません。「我々の行いの中に愛のある美を見よ」ということです。

2　関与の崖を踏みはずすとき――燃え尽き

私たちの関与がバランスを崩し、不安、逃避、衝動に駆られて仕事しているように思えるときは、燃え尽きに陥りやすくなっているときです。燃え尽きは、疲弊、悲観、冷笑主義など暗澹たる気持ちを味わうもので、実際に身体を壊すことすらあります。自分の仕事がほとんど役に立っていない、自分を含め誰にとってもまったく無意味だと感じるのです。

こうした体験について理解を深めようとするなかで、「燃え尽き」という言葉を普及させた、フロイデンバーガー博士の人生について読みました。彼の来歴を見てみると、彼自身が燃え尽きに苦しんだわけではないとしても、とりつかれたかのように燃え尽きの研究とそのプロセスの解明に従事したのは確かです。

ハーバート・フロイデンバーガーはドイツのユダヤ人家庭に生まれました。七歳のときヒトラーが権力を握り家族の経営する工場は差し押さえられ、祖母はナチスに暴行を受けました。フロイデンバーガーは一二歳でひとりドイツを離れ、父親のパスポートでニューヨークに渡りました。義理の叔母のもとに身を寄せましたが、叔母は少年に屋根裏をあてがい、彼の父親が養育費を約束どおり払えないと分かると、まっすぐな背もたれが付いているだけの椅子で眠らせました。フロイデンバーガーは耐えられず、一四歳のときに逃げ出して、従兄弟のところに身を寄せるまで、マンハッタンの路上で暮らしました。

両親がようやく米国にたどり着くと、フロイデンバーガーは家族を支えるために工場の仕事に就きました。[10] そのかたわらブルックリン・カレッジの夜学に通い、著名な心理学者、アブラハム・マズローに出会いました。マズローは、彼に心理学を学ぶよう勧め、彼の師となりました。そして、工場で働きながら、修士号と博士号を取得するにいたったのです。

こうしてフロイデンバーガーは、一九五八年には望みどおり精神分析の実践に乗り出しました。一九七〇年代には、イースト・ハーレムの薬物乱用者のための無料診療所にも協力するようになりました。一日の仕事の後にボランティアで診療を行ったのです。無料診療所など治療活動のコミュニティでは、患者の経過が思わしくないとき、気持ちをくじかれたメンタルヘルスカウンセラーや薬物カウンセラーたちに何が起こるかを、彼は目の当たりにしました。一九七四年、おそらくグレアム・グリーンの小説『燃えつきた人間』（早川書房）に着想を得て、フロイデンバーガーは「燃え尽き」という言葉を導入しました。そして、この研究によって、彼は米国の主要な心理学者のひとりとして地位を得たのです。

フロイデンバーガーは精力的に、一日一四〜一五時間、週に六日は仕事した人でした。七三歳で亡くなる三週間前まで働き続けました。息子のマーク・フロイドはニューヨーク・タイムズ紙にこう語りました。「父は不幸にも、幼かったころのことをずっと抱えていました。非常に複雑な面があり、生い立ちによる深い葛藤を抱いていました。父の子供時代はなきに等しいものでした。逆境を生き延びたのです」。[11] 燃え尽きの研究は実は彼自身についての研究だったのではないか、彼は健全な関与の領域に留まっていられたのだろうかと、思わずにはいられません。いずれにしても、燃え尽きは彼にとって重大な意味を持ち、職業的アイデンティティとなりました。

フロイデンバーガーによる燃え尽きの定義はいくつかあり、「職業生活に起因する、精神的・身体的な疲弊状態」、または「意欲や動機の消滅。とりわけ、関心事や関係性への自らの献身が、望んだ結果を得られない場合に生じるもの」としています。フロイデンバーガーと、同僚のゲイル・ノースによると、燃え尽きは次のような一定の経過をたどると言われます。まずはじまりは、仕事を一〇〇パーセント完璧にこなすことで、自らの価値を証明せねばならないと感じることです。がんばりすぎるため、家族や同僚と対立が生じます。睡眠不足になり、間違いを犯すようになります。そして、がんばることが、新たな価値観となります。視野が狭まるので、自分に問題が生じていても認めようとしません。他者の目には支障のある状況は明らかですが、自分にはそれが見えません。愛する人々との関わりも避けるようになり、社会的にますます孤立していきます。無関心になり、他者の人格を無視（脱人格化）するようになります。そうなると、内面の空虚さを満たすため、中毒性のある行為に依存することもあります。うつ状態になり、精神的にも身体的にも崩壊し、極端な場合は自殺まで考える可能性もあるのです。[12]

燃え尽きやすいのは誰か

一九八一年に、マスラック博士は、マスラック・バーンアウト・インベントリー（ＭＢＩ）という詳細な調査法を共同開発しました。患者に、情緒的消耗、冷笑主義、無効力感の主に三つの要素（マスラック博士が、関与の定義として用いた、活力、意気込み、自己効力感の三つの要素の対極にあるものです）について質問するもので、心理学では燃え尽きを判定する基準とされています。[13]

これらの要素は、職業やライフスタイルといくらか相関関係があります。ひとつめの情緒的消耗は、医療ケア、福祉事業、社会活動、教育など、情緒的な対応を多く求められる職業に携わる人が襲われやすいものです。また、社会的支援を受けにくい人、たとえば独身者や、抑うつや不安を内在化させている人々にも見られます。

ふたつめの要素、冷笑主義は、若者など理想主義的な傾向が強い人々にでやすい特徴です。現実は期待どおりにはいかないと幻滅しがちな人たちです。そして、誰もが感じやすいのが三つめの要素、無効力感の増大です。達成を試みたことが、最善の努力にもかかわらず失敗するときなどに生じます。

そうなると瞬く間に、自分の仕事はまったく無意味だという思い込みに滑り落ちていきます。そう決めつけてしまうのです。もはや危機的と言える状況で、自尊心やアイデンティティが仕事と一体化している場合は、とりわけ危険です。仕事が無意味なら、人生の意味はいったいどうなるのか、という状態に陥ってしまうのです。[14]

仕事の成果に無効力感や失意を感じ、冷笑主義に陥るとはどういうことか、私は直接の経験はありませんが、こうした辛い症状にとらわれた何百人もの人の話を聴いてきました。話を聴いた人の職業は、ソーシャルワーカー、刑務官、教師、救命士、医師、看護師など多岐にわたります。いかなる仕事でも、どの国においても、燃え尽きは職業上の危機です。ニューヨーク市の統計調査では、公立校教師の四五パーセントが、おそらく燃え尽きのために五年以内に離職しています。[15] 医療現場における燃え尽きの蔓延は、驚くほど高い自殺率につながっています。一般の人に比べて男性医師は一・四倍、女性医師は二・三倍、自らの命を絶つ可能性が高いのです。[16]

また、燃え尽きはＣＥＯや弁護士、ハイテク企業の社員、ウォール街の銀行家などストレスの多い仕事に就いている人々にも襲いかかります。毎晩家に仕事を持ち帰り、業績を上げねばと強いプレッシャーを感じている人たちです。どこにいてもアクセス可能なスマートフォンのため、仕事から離れてぐっすり眠ることすらできないと多くの人が感じています。また、調査によると、収入のためだけに職場にいて、他者への貢献とか創造する喜びなど明瞭な価値観がない場合、燃え尽きに陥るのがより早くなる傾向があります。[17]

燃え尽きはあまりに広く蔓延しており、米国ではその治療や仕事上のトラウマ解消に関わるカウンセラー、セラピスト、コーチ、医師が増え、ひとつの産業となっているほどです。

忙しさへの依存

忙しく働いていることは美徳と見なされ、少なくともカトリックの聖ヒエロニムスが「暇人の手元は悪魔の仕事場」ということわざを生んだころから、働いていないのは悪事を行っていることだとされてきました。プロテスタントの教義も、仕事を本質的に美徳と捉えます。よく知られているようにプロテスタントの労働倫理は、生産的に働くことを、悪を寄せ付けない術として重視します。こうしたことや諸々の影響により、仕事は現代の米国で文化的、個人的アイデンティティの核となる部分を担ってきました。どんな仕事をしているか、仕事にどれだけ時間を割いているか、仕事で何を成し遂げたか、このどれもが、多くの人にとって自分自身を認識するために不可欠です。私たちのエゴや自尊心が、仕事によって左右されているのです。「何をなさっているのですか？」と職業を尋ねるのは、初めて会った人に対する典型的な質問ですが、その答えによって相手を評価することも多いでしょう。

仕事を大事にするあまり、職場では仕事中毒であることがステータスシンボルとなってきました。昨夜、何時までオフィスにいたか、週末にどれだけ仕事したかを同僚間で競い合うこともあります。実際のところ仕事中毒は、多くの職場や活動の場で、東洋・西洋といった文化を問わず起こり得ます。依存症の一種ですが、社会的には容認されてしまうため著しく悪質です。結局のところ生産性につながるとか、仕事は本質的に道徳的価値があると皆が信じているのです。仕事とその忙しさへの中毒は、多くの人にとって手本とすべき指針となり、ある種の信仰となってきましたが、そこに真の精神性はほとんどありません。

文筆家で修道司祭のトマス・マートンは、このように記しています。

> 現代に浸透している暴力で、理想主義者がいとも簡単に屈してしまうものがある。行動主義や過重労働という暴力だ。今日の生活の多忙さやプレッシャーは、おそらく最も一般的なこの暴力の表れだろう。矛盾を抱えた問題の山に呑み込まれ、過剰な要求を受け容れ、あまりに多くの事業に身を投じ、余すことなくあらゆる人を助けたいと思う、そのような自分でいることは、暴力への屈伏である。社会運動が狂乱となるならば、平和を目指す活動は損なわれてしまう。狂乱によって、平和へと向かう私たちの内なる力が壊れてしまう。活動の成果の豊かさが失われてしまう。なぜなら、活動を実りあるものにする内なる智慧の源が、殺されてしまうからだ。[18]

文筆家でもあるオミッド・サフィ教授の言葉も素晴らしいものです。「私たちは仕事を尊ぶ文化の中で生きています。自分が何者であるかという認識は、どんな仕事をしているのかに紛れ崩壊しています。多忙な働きぶりによって、自らの重要性を互いに顕示しているのです。疲れて消耗していっぱいいっぱいに見える人ほど、どういうわけか、必要不可欠な人物に違いないと思われるのです。これが私たちの抱える問題です」。[19]

かつて米国議会図書館でオフィスを持っていたとき、ストレスに詳しい内分泌学者、ジョージ・クロソス博士のオフィスが隣りにありました。彼に、人間が自らの神経伝達物質の中毒になっているということかと尋ねたところ、まさにそのとおりだとの答えでした。神経伝達物質の生化学的な混ぜ合わせによって、人は容易に強迫的な期待を高め、ドーパミンの連鎖のなかで報酬を追求するようになり、深刻なストレスに陥るのだといいます。

その数年後、ダラムサラのマインド・アンド・ライフ・インスティチュートの会合で心理学、神経科学を専門とするケント・バーリッジ博士に会う機会がありました。彼が示した実験のビデオでは、ラットが刺激を受けることで通常は好まない塩水を欲しがるようになっていました。依存症の悪循環にはまっていたのです。バートリッジ博士は、好まないものでも摂取を続けていると、ますます摂取量が増えていくと解説しました。

私たちもそれと同じように、忙しくしているとさらなる忙しさを欲するように駆り立てられているのです。とりつかれたような行動によって徐々に満足感よりストレスが増えてきても、悪循環は続きます。どこまでいっても満たされることはありません。満足感を追いかける堂々巡りをしていると、私たちの意識は刺激を（不快で有害な刺激さえも）果てしなく求めることに終始してしまいます。人との結びつきや親密さを疎んじるようになることもあります。

仕事に人生や精神が乗っ取られてしまったら、私たちは「餓鬼」のようになってしまいます。餓鬼とは、古くから仏教で、満足感を追い求める堂々巡りの悪循環にはまっている者の原型です。飢えた餓鬼は、手足も首もやせ細り、腹は膨張し、口は小さい穴のようで、その貪欲さは決して満たされません。さらに悪いことに、餓鬼が口に入れたものはすべて毒と化してしまいます。仕事中毒は、陰湿な餓鬼の世界へと私たちを追いやります。まるで、長時間化する苛酷な仕事を小さな口に押し込んで、燃え尽きの毒薬で腹を膨らませているかのようです。

仕事のストレスという毒

世論調査機関、ギャラップ社による二〇一五年の調査では、米国人の四八パーセントが本当にやりたいことをする時間が十分にないと感じています。この割合は、過去一五年間ほぼ一定しています。

また、ピュー研究所というシンクタンクの同年の調査では、仕事を持つ母親の九〇パーセントが、いつも時間に追われている、もしくは時間に追われているときがあると答えています。

人によっては、成果をあげねばというプレッシャーの習慣化が、大学か既に高校時代から始まっています。ヘルマン・ヘッセが言う「攻撃的な忙しさ」[20]を、私たちは好んでいるようです。教育課程の重荷を背負い、徹夜してレポートを書き、試験勉強をします。このパターンは職業訓練中も変わらず、たとえば研修医は夜勤や二交代制の勤務に追われます。職業生活や奉仕活動の日々を続けていると、通常、就業時間は長くなる一方です。長時間になっても当面は快く感じる人がほとんどです。熱中した状態に睡眠不足が加わって、気分が高まったかのような変性意識状態となるからです。熱中するとドーパミンが放出され、[21]それによる高揚感が治まってくると、さらなる活性化を欲します。これが、米国で一〇〇〇万人が週に六〇時間以上働き、三四パーセントの人が割り当てられた有給休暇を一日も取得していない[22]理由だと容易に察しがつきます。

「busy（忙しい）」に相当する古英語「bisig」は、「気がかりで心配なさま」という意味です。今ではこの意味は含まれていませんが、心配という意味の名残は、かなり根強く残っていると思います。私たちは時間に追われると心配になり、プレッシャーを感じます。この時間不足によって慢性的に急かされ、結局は、皮肉にも時間を効率的に使えなくなっているのです。人間の脳は、欠乏状態に対して一定の反応を示します。何かが足りないという認識で頭がいっぱいになると、他の能力や技能にまで支障をきたすのです。[23] 時間がないという焦燥感によって、ストレスに反応するコルチゾールというホルモンが分泌されます。コルチゾールは闘争・逃走反応ホルモンと呼ばれ、ストレスに対して闘うか逃げるかを私たちに迫り、身体に徐々に悪影響を及ぼし免疫システムも低下させます。ドーパミンと同様、コルチゾールによって最初は急激に活性化が起こりますが、それ以上に急速に疲弊へと陥ります。この場合も、一時的には私たちの身体はストレスにうまく対処しますが、ストレスが慢性的だと、あらゆる健康障害の原因となります。

仕事による慢性的なストレスは私たちを崖から突き落とし、燃え尽きと、その同族である過労へと転落させます。過労は、身体的消耗や絶望感などさまざまな心身の症状としてあらわれます。心臓疾患の患者は、発症する前に過労に陥っていることも多くあり、おそらく病因のひとつだろうと考えられています。[24] また、自己免疫疾患や、抑うつ症、認知機能障害にも関係します。[25]

燃え尽きは、職場の環境とも密接に結びついていることが多いものです。マスラック博士はその例として、社会的支援・自律性・統制が乏しい職場環境、不当な環境、敬意を抱けない価値観に基づく事業での仕事、報酬・社会的評価・精神的満足感があまりに低い仕事をあげます。博士は職場環境の調査や、環境と燃え尽きの関係についての調査が必要だと訴えました。一九八二年に博士が記したように、環境を調べないことは、「キュウリがピクルスになる理由を知ろうとして性質を調査するときに、キュウリが浸かっていた瓶の中の酢を分析しないでいるようなもの」[26] です。一方で、マスラック博士は、燃え尽きは組織側の過失だけではなく、組織と従業員の相性も関係すると明言しています。

職場にとっては、私たちが燃え尽きるのは得なのかもしれません。燃え尽きた人は無感覚になって、燃え尽きを誘発する職場状況や組織の方策を変えようとする意欲を持ちませんから。あるいは、残業や業務の最適化、高い生産目標（患者数の割り当て増など）に報酬を支払うことで、ストレスと多忙という猛毒を飲むことに報いているということなのかもしれません。これは構造的抑圧にあたります。組織とその方針が、働いている人々を犠牲にしているのです。

3 関与とその他のエッジ・ステート

エッジ・ステートはいずれも燃え尽きの燃料となりえます。病的な利他性、共感疲労、道徳的苦しみや軽蔑は、私たちを疲弊させます。苦しみと過度に一体化し（共感疲労）、苦しみを取り除こうとして働きすぎると（病的な利他性）、そのあとに燃え尽きが生じるのが常です。誠実さが損なわれるとき（道徳的苦しみ）、他者や自分への軽蔑があるときも、燃え尽きが起こります。システムによる構造的抑圧や、特権と権力による社会制度的な暴力を受けると、怒りや虚無感とともに燃え尽きが結果としてあらわれます。

私は毎年、日本を訪問しコンパッションを高める実践を医療関係者に伝えています。いつものことながら、非常に仕事熱心な医師や看護師で会場はいっぱいになります。彼らは呼び出しがあれば常に対応できる態勢で、週六〇時間以上働いてもなお、患者や勤務先の病院の求めに十分応じられていない気がすると言います。内外からの強い期待に直面せざるを得ないのです。こうしたことは韓国や中国の医療関係者も同様です。日本、韓国、中国では、過労死が一般に知られています。

日本の医療関係者の中には、苦しむ患者に過度に自分を重ね合わせてしまうと言う人がいます。そうすると、滑りやすい共感疲労の斜面を転げ落ちて、情緒的消耗、他者の人格の無視（脱人格化）、意義喪失の感覚が生じます。いずれも燃え尽きの兆候です。病院側の価値観や、同僚の行動、意に反して行わざるを得ない治療介入について、道徳的葛藤を感じると話す人も少なくありません。大抵の場合、後に続くのは、失望感、冷笑主義、虚無感で、これらも燃え尽きへとつながります。とりわけ看護師は、医師や仲間の看護師からも、患者からも、嫌がらせを受けやすい立場にあります。当然のことながら、職場の中で軽蔑や敵意の標的とされたら、身体的・心理的な症状となって燃え尽きがあらわれます。

数年前に、男性のがん患者から虐げられている日本の看護師たちと時間を共にしたことがあります。皆、精神的に参っているようでした。その状況は相当長く続いており、この患者の攻撃に毎日のように向き合うのに疲労困憊していました。看護師らは、うまく対処できずに落ち込み、ケアしようとしている相手から絶えず罵られて落胆すると、率直に語りました。行き詰まり、なす術もなく望みを絶たれていました。

日本の看護師の多くはとても献身的です。患者のケアのためには全力であらゆる手を尽くします。それでも、この看護師たちは力尽きて、見るからに意気消沈していました。病的な利他性、共感疲労、道徳的苦しみ、軽蔑に押しつぶされて、例外なく誰もが気持ちをくじかれ燃え尽きていました。罪悪感も抱き、この状況をどうにもできないことを恥じる気持ちもありました。患者、病院、同僚や自分自身の期待を裏切っているように感じると言いました。

彼らとの時間はかぎられていました。ひとりずつ疲弊や失望を打ち明けるのを聴いてから、私はコンパッションを育むためのアプローチGRACEについて概説しました。他者との交流においてコンパッションを育む実践です。その男性患者と顔を合わせる前に、気持ちを落ち着け、彼の病室の前で立ち止まり、マインドフルに深呼吸をするよう勧めました。死にゆく人のケアを仕事として選んだ理由を思い起こすのも良い方法です。自分に備わる対応能力を自覚し、また、患者の精神的身体的苦しみも意識するようにします。こうすると、ものごとを大局的な視野で見ることができます。その男性患者に対して恐れを感じるのは無理もないと認め、罵られるのは苦しみだと認めてよいのです。男性患者は、がんによる死を前にして恐怖に襲われています。彼は苦痛を感じるばかりで、どうすることもできません。自分を制御する力を失い、人生のあり方も死に方もコントロールできないのです。

この看護師たちとの時間の終盤では、赤ん坊だった男性患者の姿を思い描くことも勧めました。何もできずおじけづいた赤ん坊です。彼はそうした状態でかつて病院にいたはずで、今また病気のために病院で同じ状態にあるのでしょう。

また、男性からの攻撃を個人的なものと受け止めるべきではありませんし、自己防衛的なふるまいは状況を悪くすると心得たほうがよいでしょう。彼と接するときも、看護師同士でも、傾聴の実践を行うことが大切です。傾聴は、軽蔑の嵐にさらされる中で、自他それぞれの領域を尊重し自分も相手も大切にする術を会得する助けとなります。

後に知りましたが、こうした話し合いの時間は、この看護師グループの役に立ったようです。似たようなふるまいをする別の患者が次に緩和ケア病棟に入ってきたとき、看護師たちは恐怖感や虚無感を抑え、この二番めの患者にはバランスを保ちながらコンパッションをもって接することができたのだそうです。

仕事仲間のマイア・ドゥエルからも、燃え尽きの話を聴いたことがあります。彼女は米国の精神保健医療分野で一〇年間仕事をして、やがて燃え尽きてしまいました。その理由は、患者や同僚との関係でも仕事スケジュールでもなく、問題だらけの精神保健医療システムに対する、もっともな反応と言えるものでした。彼女はこう記しています。「退院した患者は地域に戻っても、すぐにまた再入院するんです。回転ドアみたいに出入りを繰り返すのを、目の当たりにしてきました。何か重要なものが欠けていると感じました。仕事では、患者が社会復帰するためのリハビリ治療計画の作成が求められます。しかし、患者たちが避けられ、恐れられ、弱者扱いされ、閉鎖病棟に入れられ、意識も朦朧とするほど投薬される現状は、彼らが直面している精神疾患以上に、心の健康を蝕むのではないかと疑問を持ち続けてきました」。[27]

マイアの誠実さは、職場の状況とその価値観によって侵されました。道徳的葛藤に苦しむのも、無理もないことでした。患者たちは軽蔑され、彼女の目には深刻な虐待を受けているように見えました。それに加えて、彼女が属しているシステムを改革することは不可能でした。害のある職場の状況にいたたまれなくなり、結果として燃え尽きたのです。職を離れたときには、既に相当高い対価を払わされていました。

権力、野心、競争、仕事中毒、恨み、不安は、いずれも燃え尽きの燃料となります。これらの要因は、エゴを病ませる毒素であり、エッジ・ステートの中に姿をあらわします。権力、野心、恨みは、「軽蔑」において生じ、「道徳的な憤り」や「道徳への無関心」にも見られます。仕事中毒は、「病的な利他性」「道徳的苦しみ」において生じます。不安は、「病的な利他性」「共感疲労」「道徳的苦しみ」「軽蔑」のいずれにもあります。

燃え尽きをもたらす「危機感を煽る組織文化」は、さまざまな要素に影響を与えます。しかしそれでも、信頼感や人間性を回復する方法はあるのです。仕事をマインドフルネスの実践としましょう。自分自身を外の世界に向けて開くだけでなく、自らの内なる世界にも開く生き方をしましょう。自分の価値観と仕事が一致しているか確かめましょう。ユーモアと遊びを大切にして、休暇も取りましょう。ローマ時代の詩人、オウィディウスは『恋愛指南』第二巻三五一にこう記しました。「休みたまえ。休耕していた畑は、豊かな実りをもたらすものだ」。

そして、もうひとつ勧めたいのは、ハーバード・ビジネス・スクールの教授、ビル・ジョージが提唱した、仕事の意義を見失うことによる燃え尽きを変容させる、重要ですが忘れられがちなアプローチです。彼は、仕事において自分がもたらしたプラスの効果に目を向けるべきだと指摘しました。そうすれば、冷笑主義、疲弊、無効力感は解消し、よりオープンに献身的に、バランスを保って仕事しようという意欲が湧き、互いに協力しやすくなるのだと。これは、燃え尽きの火を鎮めて情熱に切り替え、心の底からの関与を取り戻す薬となるでしょう。

4　心からの関与を育む

二〇代のころ、コロンビア大学で研究の仕事をしていたとき、職場でのストレスは相当なものでした。週七日、一日一四時間仕事するのも当たり前で、カイ二乗検定（統計的検定）をものすごい速さの手作業でこなしました。自分の仕事には夢中でしたが、その働き方は、とうてい続けられるものではありませんでした。

コロンビアにいた期間に、ストレスを解消する術として禅の修行を始め、瞑想の実践を社会活動に結びつけたいと思うようになりました。禅を学ぶ者は皆、遅かれ早かれ調理当番をすることになります。最初にその調理場で当番を務めたとき、ニンジンを刻むうえで大事なのは、できるだけ素早く効率的に行うことだろうと考えました。超高速でカイ二乗検定に取り組むのと同じです。しかし、徐々にそうではないと気がつきました。禅の考え方では、ニンジンを刻む作業は、ただ、ニンジンを刻むということなのです。幾千ものニンジンを刻んでからようやく、「ただニンジンを刻む」という実践が実に多くを示唆しているのだと分かりました。

作務

ニンジンを刻むのが、外からは面白味のない作業に見えるであろうことは、よく分かります。しかし、禅宗の同志のゾウケッ・ノーマン・フィッシャー老師は、こうしたありふれた仕事を瞑想の手段とし、他者への捧げものとして位置づけています。私たちの仕事を捧げものと見なすと、他者の役に立つために惜しみなく働くことができるとノーマンは言います。「捧げものとしての労働は、作業活動において自己を焼き尽くすようなものである。……その作業に専念し、出し惜しみは一切ない。傍観者としての視点はないし、修行しているという意識すらない。ただひたむきに機嫌よく行うのである」。[28] これはデヴィッド修道僧が「真心を込めて」という言葉で表現したことだと思います。出し惜しみはまったくありません。何であれ行っていることと一体となるのです。自己を焼き尽くし、エゴを手放すのです。こうすると、生計のために働くのではなく、生きるために働くこととなります。

こうした考え方を示してくれる言葉として、「無上道の体現」という日本語の表現があります。「日常生活の中で悟りにいたる道を実現する」という意味です。私たち禅の求道者は、仕事とは、当たり前の作業を注意深く一体感をもって行うための道であると教わります。あるときから調理当番は、義務ではなく修行となり、他者に奉仕しながら心を育む道となります。ニンジン、包丁、そして自分がひとつになります。食事をとる人も、ニンジンを育てた農家も、ニンジンを市場に運んだトラック運転手も、太陽、雨、土壌も、あらゆることが、一体となって結びつくのです。

アジアの歴史に少々目を向ければ、仕事を修行の手段とする考えを理解しやすくなると思います。ブッダの時代には、サンスクリット語の「bhavana」は農耕を意味しました。土を耕し、種をまき、水をやり、雑草を取り、収穫するという農作業のことで、こうして家族や村が養われるのです。ブッダはこの「bhavana」という言葉をより広い意味で用い、瞑想によって心の田畑を耕すことも含めました。求道を農耕になぞらえるのは、仏教者が身に着ける袈裟が、畦（あぜ）で区切られた稲田を表すように、布を縫い合わせてできていることにもうかがえます。

インドの仏教者が最初に中国に渡った二〇〇〇年前、インドの僧は労働をしませんでした。働くのではなく、施しを求め托鉢をして村々を回ったのです。しかし、これは中国では受け容れられませんでした。儒教の勤労倫理が、労働に価値を置いていたからです。そこでブッダによる農耕のたとえが、中国人の勤労倫理と一致し、「心を耕す」「ブッダの教えの種をまく」「田畑に自由が実る」といったかたちで定着しました。

仏教徒の瞑想修行が、中国の勤労倫理と結びつき、「作務（さむ）」となったのです。「作務」とは、智慧とコンパッションを育む修行として行う仕事のことです。中国の大規模な寺院の修道僧は、自給自足のために農耕を行いました。修道僧たちは毎日の仕事を「耕す瞑想」と呼びました。耕作は、徳があり、時間のかかる優れた仕事です。心を耕すことが、有徳で、時間を要す優れた行いであるのと同じように。

今日の私たちの生活ではどうでしょうか。私は、仏教の師であるクラーク・ストランドが「暮らしの営みにおける瞑想」について語った言葉が好きです。彼は、瞑想を私たちの生活や生業と別のものとして切り離しません。「瞑想の場がどこであるかは、瞑想が有意義であるかどうかと、大いに関係があります。しかし、瞑想の場と言っても、家のどの部屋で行うか、そこが静かな場所か否かの話ではありません。あなたの暮らしの営みの中で瞑想を行うべきだと単に言っているのです。あなたが会計士なら、会計士の日々の中で、警察官ならその日々の中で、瞑想を行うのです。どこであれ、あなたの日々を輝かせたい場所、それこそが瞑想の場なのです」。[29]

そのようなわけで、燃え尽きを避け、燃え尽きを変容させるためにまずすべきは、もしかしたら生活の営みの中で瞑想することかもしれません……。

正命の実践

私たちは日々どのように暮らしているでしょうか。ブッダが修行の道として示した八正道(はっしょうどう)（正見(しょうけん)、正思惟(しょうしゆい)、正語(しょうご)、正業(しょうごう)、正命(しょうみょう)、正精進(しょうしょうじん)、正念(しょうねん)、正定(しょうじょう)）の教えのひとつで、正しい生活を意味する正命(しょうみょう)は、関与と燃え尽きに特に密接に関わっています。正命を考えるには、その根底にいくつか問うべきことがあります。どうすれば、自分自身、家族、地域社会のために、地球と次世代のために、好ましい仕事ができるでしょうか。どうすれば、苦しみと過ちから目を覚ます道として仕事をすることができるでしょうか。

ブッダは正命の定義として、仕事として行うべきではないことをこう示しました。「在家信者が関わるべきではない生業が五種ある。武器の売買、人身売買、肉の売買、酒の売買、毒の売買である」。ティク・ナット・ハンは、正命の実践について、優れた表現をしています。「生計を立てる方法は、愛とコンパッションの理想に背くことなく見出せねばならない。自分を養う生業は、本来の自己の表現となりうるか、さもないと、自分や他者の苦しみのもとともなる」。[30]

ティク・ナット・ハンは、仕事を自分の価値観に合わせて選ぶべきだと言っています。子供の教育や、看取りのケアでも、コンパッションと寛容に基づく事業経営でも、仕事は自分の価値観の表れとなります。価値観との一致は、どこで働くか、なぜその仕事をするかだけでなく、いかに仕事するかについても当てはまります。仕事を行うにあたって誠実さにも留意せねばなりません。たとえ他者の苦しみの解消に役立つ職業を選んだとしても、その仕事が結局は、病的な利他性、共感疲労、道徳的苦しみ、軽蔑をともなうこともあり得ます。こうしたエッジ・ステートの有害な面は、燃え尽きへとつながりやすいのです。

看護師、医師、教師、セラピストでも、CEOでも、役職にかかわらず、自分が苦しんでいることや、仕事の悪影響から回復するのに十分な時間が取れていないことに気づいていない場合があります。崖を踏みはずしたと分かったら、自分や他者に苦しみをもたらしているのではないか、それはバランスを失い仕事への愛を失っているためではないかと、一歩引いて深く見つめ直す必要があるのです。

無為になる練習

長年看取りの仕事をするなかで、私は日々何度も瞑想を行っていました。病院の廊下を歩いていくときは、呼吸と足の動きに注意を向けました。ベッドの傍らに坐るときは、呼吸を整え、死の間際にある人の存在に寄り添いました。ミーティングの席では、この仕事をしている理由を胸中で確かめ、呼吸と身体を意識して自分を落ち着かせました。そうするとミーティングに集まった人々に、深く注意を向け、気持ちを傾けることができました。

ときには、心の平静を保てないこともありました。今この瞬間という岸辺から急速に潮が引いていくかのように落ち着きを失い、疲れ切って沈んでいるのが分かりました。燃え尽きまではいきませんが、それに近い状態でした。そういうときは自分をいたわる必要がありました。休息し、山歩きや読書、瞑想をしました。もしかすると、ただのんびりと何もしないのがいちばん良いかもしれません。要は、再起動するためには、電源をいったん切らなくてはならないのです！

多くのことが次々と起こって、対応しきれなくなったこともありました。父を亡くし、それに続いて親しい友を亡くし、そうしながら多くの人の看取りも行っていたため、しばらく仕事から身を引かねばならなくなったこともあります。燃え尽きていたわけではありませんが、病や命の危機や死に対して著しく過敏になっていたので、自ら経験した別れの悲しみと向き合う時間が必要でした。休暇を取れたのは、ありがたいことでした。医療関係者の多くは、大抵は「立ち直れ」と言われて仕事に戻らざるを得ません。

私が父の死後に取ったような休止期間は、他者の苦しみに積極的に深く関与しようとするならば、誰にとっても不可欠です。自らの人生における喪失感を受け止めることで、他者の人生における喪失感を理解できるようになるでしょう。自分が味わった困難から学ぶ時間、自らのエネルギーと意欲と視野を取り戻すための時間が必要なのです。また、ただ時の過ぎるままに、状況が熟すのを待つ時間も必要です。

このようなゆっくり時間をかけた休止期間が必要なこともある一方で、短い小休止でも、十分バランスを取り戻してしっかりと立ち、健全な関与を保てる場合もあります。足場を失って崖を滑り落ちているのに、気づいてさえいないことは実に多いのです。

小休止を取るには、まず身体感覚に意識を向けることから始めましょう。全速力でいるのを中断して、吸う息、吐く息に注意を切り替えましょう。すると、身体が発するシグナルに波長を合わせることができ、何か調子が狂っているのに気がつきます。呼吸に意識を向けるだけで、状況に反応する神経物質の状態に変化が起こります。そして、不健全に心を駆り立てていた不安が、いくらか和らぎ始めます。また、ほんの一瞬の休止であったとしても、害を及ぼすことなく役立とうという私たちの意図を思い起こすには十分です。これは、自分にも害を及ぼさないという意図です。

自問自答することからも多くを学べます。興味を持ちましょう。なぜ自分はがんばりすぎてしまうのか。なぜ、害のある職場に留まるのか。精神状況を切り替え、職場環境を改変して、害を減らす方向に向けて自分にできることはあるか。この困難な状況でいかに粘り強い回復力（レジリエンス）を身につけるか。こうしたことを問いかけます。

理解し調査することに努めましょう。自分のバイアスに気づき、善悪を決めつけずに、洞察を深めることも求められます。思い込みをやめ、批判的になるのもやめ、自分がなぜそうしたいか、思い切って率直に正直になりましょう。ものごとへの興味が、智慧とコンパッションが生まれる素地を養うものであることにも気がつくはずです。

追い求める快さを感じさせる報酬系の神経伝達物質は、中毒と過重労働につながることはありますが、この追い求める姿勢によって自らの身体的経験を探究していくこともできます。探っていくと、私たちの心身について、なぜがんばりすぎるのかについて、貴重な見識が得られるかもしれません。

立ち止まって休息する時間を自分自身に与えることも必須です。悲しみや癒しに時間を要する場合の休息だけでなく、のんびりするのは生活のなかで自然なことだからです。私たちの多くは、目的を定めず無為に、自由にぼんやりするのを忘れてしまっています。ひたすら目標に向かって突き進む社会において、力を抜くのは相当難しいものです。しかし実際には、時間の「無駄」こそ、必要なのかもしれません。無駄にしているのではなく、ただ時間のなかに在るということなのだろうと思います。

禅でよく知られる表現に、「行くべきところも、為すべきこともない」というものがあります。この言葉は、何事も、悟りでさえも追いかけるのを止めるよう、私たちを導くものです。ですから、私も自らをありのままの自由に導きます。気のおもむくままにウパーヤの禅堂に坐しても、小さな山小屋からさまよい出て草原を散歩しても、いずれも恵みを授かる時間となります。無駄に費やした時間ではありません。時間を「消耗される」資源と考えると、無為にあることから得られる美、驚き、滋養を、十分に享受できなくなります。

無為になり、効率性を信奉するのを止めて、しばらく迷いさまよう。このことについては、十九世紀の作家で思想家、博物学者のソローと母から学びました。ソローはこう言います。「見失って初めて何かを見出すのだ。言い換えれば、この世界をさまよって初めて、自分自身をようやく見出し、どこにいるかに気づき、私たちの結びつきの無限の広がりを知ることになるのだ」。[31] 母はこう言っていました。「ジョニー、どこにも行く必要ないわ。もう既にこんなに素晴らしいところにいるんだもの」。フロリダの家の近くの海岸は、その時々の瞬間ごとにこの上なく美しく見えました。行くべきところも、為すべきこともなく……、今このときにさまよい、そして見出す……それだけでよいのです。そうすればその場所が、豊かに注がれた真心と真の自由に出合う場となるでしょう。

5　関与の崖で見出すもの

先日、教え子が私にこう尋ねました。「老師は人生で多くを成してこられました。どうしたらそのようにできるのでしょうか」。

私は一呼吸置き、微笑んで答えました。「機会があれば、ゆっくり安息を得ることです」。

毎日昼寝をしていると言ったわけではありません。私の年齢では昼寝も時折ありますが、そういう意味ではないのです。十分な休暇がもたらしてくれる安らぎのことでもありません。現実逃避の息抜きとも違います。そうではなく、ものごとの渦中で、かなり困難な状況であっても、むしろゆとりをもっている状態を、ある種の安息と言っているのです。目の前で起きていることに対して、抵抗しようがない、仕方ないと思う心のゆとりであり、今ここに平常心でいるという意味です。この無抵抗と平常心の融合を、仏教では瞑想を通じて育むのです。私自身、瞑想の修行から、意識のすべてを対象（たとえば呼吸）に集中させると、平常心とゆとりが生じ、力と安息も生まれると学びました。こうした資質を高めると、デヴィッド修道僧が言う「真心を込めて」人生と向き合えるようになるものです。

仏教では、心がとらわれたり気が散った状態は、良しとされません。忙しくしていては悟りにいたることはできないのです。今この瞬間に起きていることを把握するには静寂を必要とするのに対し、忙しさはその邪魔となります。このことについては、中国の唐時代の禅師、雲巌（うんがん）と道吾（どうご）のあいだで交わされた問答が示しています。

雲巌が掃き掃除をしていました。年長の僧、道吾が言います。「忙しそうであるな」
雲巌は答えます。「忙しくしていない者もおりますよ」
道吾は尋ねます。「それならば、月がふたつあるというのかね」

雲巌は、ほうきを持ち上げて言いました。「これはどちらの月でありましょうか」[32]

この問答が最初に採録されたのは、十三世紀の公案集です。[33] 年下の僧、雲巌は掃き掃除をしています。忙しさや尊大な態度が、掃除の仕方にうかがわれたのではないかと思います。

道吾が声をかけて、忙しそうだと言うと、雲巌は手を止めたのでしょう。道吾に対して禅問答らしい答えを返します。「掃除をしている自分とは別の、忙しくしていない自分もいる」。これは、未熟な求道者が、禅の書物から誤って覚えてきたような回答です。

道吾は、この言葉が禅の教えを歪めた言い逃れであると見て、容赦しません。雲巌は、掃除をしながら世界をふたつに分けてしまっているからです。「月がふたつあるのか」と道吾は雲巌を試します。掃除している者と、していない者がいるのか。忙しい者と、そうでない者がいるのか、と尋ねたのです。

雲巌は自分の過ちに気づきます。忙しくするのを止めて、持ち上げたほうきを道吾の前に掲げ、「これはどちらの月か」と尋ねます。

このとき雲巌は、相反性、二元性、自他の別を超えた高みへと導かれたのです。行為者と非行為者に、動と静に、分かつことはできないという事実を理解したのです。ただ、今このときこそが現実であり、掃除のほうきも、行為者も行動もなく、忙しい者も、忙しくせねばならない何かもないのです。こうして、雲巌は目を覚ましたのでした。

今は亡き禅師、片桐老師は『今このときに万物が宿る（Each Moment Is the Universe)』（未邦訳）にこのように記しています。「私たちは修行を、はしごを一段ずつ昇り詰めていくかのように、時間の流れに沿って考えがちです。これは仏教徒の修行の考え方ではありません。はしごを昇るときは、未来に目を向けています。そうした方法の修行では、平和と魂の平安はもたらされず、未来への希望があるだけです。これは、正しい行いとは言えません。正しい行いは、そもそも初めから平和と調和の中にあるのです」。[34]

片桐老師は、禅師、道元（曹洞宗の高祖）が神聖な場という概念について特有の見解を示していたと説きます。「天地万物が、神聖な場なのです。どこにいようとも、人の命はあまねく天地万物によって支え保たれています。人が生きていく主な目的は、この神聖な場を存続させていくことです。自分の人生を高めるために、はしごを昇るようなものではないのです」。[35]

片桐老師は、魂、心、身体、世界、そして今この瞬間の一体性を、神聖な場として表現しています。神聖な場は、無抵抗の場、帰依する場です。雲巌がほうきを道吾の前で掲げた瞬間のことでもあります。今この瞬間こそが、神聖な場なのです。追い求めもせず、逃げもせず、ものごとの只中に身を委ねる……これが私たちの実践の姿であり、こうして暮らしの営みの中で悟りを実現していくのです。

燃え尽きについて理解するには、崖を踏みはずしたのちに健全に回復できた人々の経験を、大いに参考にすべきでしょう。たとえば、大病院を舞台にしたテレビドラマ『グレイズ・アナトミー』の脚本家・製作責任者であるションダ・ライムズは、二〇一六年のTEDトークで、仕事の多忙さへの中毒と燃え尽きについて語りました。[36] シーズンごとに七〇時間分もの番組の製作にあたり、毎日一五時間、週七日働き、仕事の一部始終を愛していました。仕事に夢中で活力に溢れる感覚を、彼女は「ハム」〔hum、一般的には調子が良い、ハミングするといった意〕と呼びます。「ハムの響きはどこまでも続く道で、私は果てしなく走っていけるのです。ハムは音楽であり光であり空気です。ハムは、私の耳元でささやく神の声なのです」。

けれども、ある日、ハムが止まってしまいました。「やっていることが、愛する仕事が、無味乾燥に感じられてきたら、どうしたらよいのでしょう？　ハムが止まったら、人はどうなるのでしょう？あなたは、私は、いったい何者なのでしょう？　……心が歌を奏でるのを止めてしまったら、静寂の中で生きていけるのでしょうか？」

このハムの消えた翳(かげ)りの時期に、彼女は一緒に遊ぼうという娘の誘いに応じるようになりました。するとと大きな変化が起こりました。子供たちと遊ぶにつれて、ハムが戻ってきたのです。ライムズに必要だったのは遊びであり、ストレスのかかる仕事とは逆のことでした。子供たちとの時間がもっと必要なのに、彼らの成長する姿を見逃して働きすぎていたのでした。

ハムは仕事に関することばかりではないとライムズは気がつきました。喜びや愛に溢れる感覚が、ハムなのです。「今は、私は仕事のハムではないし、仕事のハムは、もう私とは違います。子供たちとのしゃぼん玉や、娘のべとつく手や、友人とのディナーが私です。それが私のハムです。日々の楽しみや、愛の喜びがハムです。仕事のハムは今も私の一部ですが、私のすべてではありません。ありがたいことだと思います」。

今では、子供たちが遊ぼうと言ったときは必ずイエスと答えます。普通は子供たちの興味が持続するのはせいぜい一五分間ですから、四本のテレビ番組を抱えていても難なく時間を割けます。「家のちっちゃい人達が、私に生き方を示してくれました」と彼女は言います。キャリアを積んでいけるのは、遊びのおかげだと認めているのです。

つながり

他のエッジ・ステートと同様に、燃え尽きの沼にはまる経験も無意味ではありません。価値観が危機にさらされることは、歩んできた人生の経緯を振り返る機会となります。燃え尽きという苦悩によって、自分の精神面を顧みますし、自らを害し他者からの孤立を強いてきた心理的パターンを見直そうという気になります。何が支障をきたしていたのか、気づくこともできます。そして、心と身体が必要とするもの、愛する者たちとこの世界が求めるものに耳を澄ますならば、新たに何らかの美が泥から芽吹きます。関与することで湧く力と、安息、遊び、つながりによる癒しを通じて、喜びが得られるのです。

デューク大学イスラム研究センター長のオミッド・サフィは、人の心に向かってオープンになれる関与のあり方を明らかにしました。彼は次のように記します。

イスラム教徒の文化で、相手の様子を尋ねるあいさつは、アラビア語では「Kayf haal-ik?」、ペルシア語では「Haal-e shomaa chetoreh?」です。いずれも、あなたの「haal」はいかがですか？という意味です。

いかがですかと質問している、この「haal」とは、何なのでしょうか？　この言葉は、移ろいゆく心の状態のことです。つまり「今この瞬間に、このひとときに、あなたの心はいかがですか？」と尋ねているのです。「How are you?（ご機嫌いかが？）」と尋ねるときに、本当に知りたいのは、このことです。

問いかけているのは、あなたのやることリストに連なっている項目や、机の上の未決書類の数ではありません。今このときの、あなたの心を知りたいのです。語ってください。心が喜びに満ちているか、心が痛み、悲しみに沈んでいるのか、心が人の温もりを求めているのか、話してください。自分の心をのぞき、魂を探って、あなたの真心について何か言葉にしてください。

語ってください。あなたが確かに「**human being**（人間）」であり、「**human doing**（単なる行為者）」ではないのだと。やることリストを片付けるだけの機械になり下がってはいないのだと。そうした会話を、触れあいを、温もりを交わしましょう。想いを込め今ここに在ることを大切にして、癒しの言葉を紡ぎましょう。

あなたの手を私の腕に置き、私をまっすぐに見つめ、私と一瞬つながってください。あなたの心について語り、私の心を呼び覚ましてください。どうぞ手を貸してください。私もまた間違いなく人間であると、人の温もりを求める人間なのだと思い起こすために。[37]

あるとき私は南フランスで、ティク・ナット・ハンが世話をしている菜園に立ち寄りました。彼はゆっくりゆっくりと庭仕事をしていました。私が近づくと、草取りをしている手をとめて顔をあげ、微笑んで言いました。「からし菜の世話をしないことには、詩も書けないし、教えを説くこともできないのですよ」。彼は大地とつながっていました。それによって、命と今このときとつながり、それとともに執筆や教育活動ともつながっていたのです。そして、その瞬間、私ともつながっていました。彼は自らの「haal」を示していました。そして、彼が一〇〇冊を超える著作を執筆しているのに、忙しそうだったためしがないことに思いいたりました。

忙しさは、私たちを崖へと追いやります。しかし、とても活動的に人生を送っていても、崖を踏みはずして燃え尽きることなく、しっかり関与しながら立っていることは可能です。マインドフルな状態を保ち、無理をせず、必要なら身を引いてバランスを取り戻せばよいのです。患者に接するときやミーティングのときに、深呼吸をする。そうしたシンプルなことで、心の状態を切り替えられます。からし菜を育て、日干し煉瓦を積んで、漆喰を塗るというのもいいでしょう。

燃え尽きが活力の枯渇や挫折を引き起こすのは、必ずしも悪いことだけではないとも言えます。慢性的な忙しさや仕事中毒は、日々の過ごし方として健全と言えるものではないからです。多忙によって、私たちは現実から目をそらします。自分の価値観に忠実な仕事を選び損ねる可能性もあります。そして、仕事や奉仕活動にとりつかれると大抵は、愛する人との親密な関係から遠ざかってしまいます。今このときに真に必要なこととのつながりや、広い世界との一体感も遠ざけてしまいます。こうしたとき、燃え尽きや過労は、緊急ブレーキとなって、ギアを低速に切り替え、ことによると停止させる働きをするのです。立ち止まると、胸に深く抱いた志を再認識することが求められます。何を体現していくのか、何を大切にして何に価値を置くのか、何が真の使命なのか、深く考えざるをえなくなります。仕事の道に喜びと美を見出すこと。これを道元は「生活に御いのちを吹き込む」という言葉で表現したのだと思います。

第6章

崖(エッジ)での コンパッション

Compassion
at
the Edge

世界の在るかぎり／生きとし生けるものの在るかぎり／私も万物のために在り／世の苦難を晴らすことができますように。[1]

――シャーンティデーヴァ

（『入菩薩行論』第三章二一～二二節）

崖（エッジ）に立ち、断崖から苦しみへと転落の危機にあるとき、しっかりと地に足をつけ心を広く保つために、コンパッションは私の知るかぎり何よりも頼りになります。ネパールの少女がやけどの洗浄に悲鳴をあげるのを聞いていたとき、コンパッションは、取り乱さずに共感を抱く助けとなり、共感疲労を遠ざけてくれました。戦争、人種差別、性差別の構造的な暴力や、環境破壊に立ち向かうとき、コンパッションは自分の価値観を大切にし、誠実さに基づいて行動し、道徳心の憤りに慢性的にとらわれないよう導いてくれました。死にゆく人の傍らに寄り添っていたとき、凶悪犯罪者用の刑務所でボランティアをしていたとき、コンパッションが燃え尽きを防いでくれました。コンパッションは、どんなに困難なときも最も頼りになる同志でした。コンパッションは私の人生を強くしてくれたばかりでなく、私が支援してきた人々にも、その恩恵をもたらしました。

　私自身もコンパッションを与えられてきました。人々から大いなる優しさをもらうたびに、私の人生は深く影響を受けてきました。病院のベッドに横たわり、恐怖に震えながら手術を待っていたときには、仏教徒の友人が傍らに坐ってくれました。病院のスタッフが来て手術室へと連れて行かれるとき、友人は私の手を握りしめ目を合わせて「あなた本来の姿でいれば大丈夫だよ」と言いました。彼の手の温もりとその言葉から、波のように安心感が伝わり、手術の不安や死への恐れを超越した広い時空に、身を委ねることができました。廊下を手術室へと進みながら、今は亡き安谷白雲（やすたにはくうん）老師が語った言葉が脳裏に浮かびました。「理由もなく、分け隔てもないところより、慈悲（コンパッション）は燃え出づる」。

　この友人のように、コンパッションを届けるとき、それは彗星のように私たちの心から熱く噴出するのです。これはコンパッションの菩薩である観音菩薩の精神と言えます。観音菩薩は世の嘆きに耳を傾け、無限の心で応えます。それは、苦しみという水に沈む重石ではなく、輝く結晶を内にもつ晶洞石が開いたときのように、暗闇であがく者に光をもたらすのです。

数十年にわたって私はコンパッションの山や谷を旅してきました。その構造とより深いプロセスを、壮大な景観の中で探究してきました。コンパッションに関する科学的研究について調べ、卓越した仏教者の指導を受けました。ケアに携わる人々と話し合い、受刑者と共に瞑想し、死にゆく人の傍らに寄り添いました。教育者やビジネスパーソンにコンパッションの取り組みを学んでもらい、自身の瞑想修行も調査のために活かしました。その中で、人生が私に課した試練――大きな可能性も孕んだ危機も経てきました。

コンパッションは、他者の苦しみを心から気づかい、その苦しみの緩和を願うこととして定義されます。コンパッションは、自らと他者の苦しみに向き合い、適切に応じる助けともなります。また特筆すべきは、コンパッションがエッジ・ステートの有害な側面、すなわち病的な利他性、共感疲労、道徳的苦しみ、軽蔑、燃え尽きから抜け出す道となることです。なぜならコンパッションは、人間の最も優れた能力――均衡のとれた注意力と思いやり、私欲のない心と洞察力、倫理的行動――を呼び覚ますための何にも勝る資質だからです。

1 最も思いやり深い者が生き残る

インドのダラムサラの会合に参加したとき、ダライ・ラマ法王はこのように言いました。「コンパッションは、宗教に関わることではなく、人間そのものに関わることです。コンパッションは贅沢品ではありません。……人が生き残るために必須のものです」。[2] 法王の言葉に心から賛同します。コンパッションは人間が生存するうえで不可欠です。さらに一歩踏み込んで言うならば、コンパッションは、この地球のすべての生物種の生存に不可欠と確信しています。

法王は後にこう記しました。「いかに優れた有能な人物でも、ひとりにされたら生きてはいけません。いかに精力的で自立して人生の盛りを過ごしていても、病のときや幼いとき年老いたときは、支えてくれる人に頼らざるを得ません。……社会のいかなるレベル、家庭であれ、民族、国家、国際的なレベルであれ、より幸福で実り豊かな世界を実現する秘訣は、コンパッションを育むことだと信じています」。[3]

英国の博物学者、チャールズ・ダーウィンもそう考えていたはずです。[4]『人間の由来』の中で、今日のコンパッションにあたる「同情心（sympathy）」の重要性について記し、苦境にある者を助けようとする人間や動物の性向を研究しています。その中に、攻撃的なヒヒに襲われた飼育員の話があります。「数年前、動物園の飼育員が、首筋のあちこちに残る治りかけの深い傷を見せてくれた。地面に膝をついていたとき、凶暴なヒヒに襲われたのだ。この飼育員と仲の良い小さなアメリカザルがいて、同じ獣舎にいる巨大なヒヒをひどく怖がっていた。それにもかかわらず、良き友である飼育員が危険にさらされているのを見ると、アメリカザルは救援に駆けつけた。そして鳴き叫び噛みついてヒヒの注意をそらしたため、飼育員は逃げ出すことができた」。[5]

ダーウィンは、このような勇敢なふるまいは、助ける者と助けられる者が同じ仲間集団に属す場合に生じやすいと見ていました。小さなサルは飼育員と親しい友達だったので、自分の命を危険にさらしても飼育員がヒヒに殺されないよう助ける動機付けがなされたのでしょう。ダーウィンはこう記しています。「まず明白なのは、人間にとって本能的衝動の強さの程度は、状況によって異なるということだ。未開人は、同じコミュニティの一員を救うためには自分の命も顧みないが、よそ者にはまったく無関心である。若く気弱な母親も、母性本能に駆られ自分の幼子の危機には一瞬たりとも躊躇せず駆けつけるが、単なる仲間のひとりに対してそうはしない」。[6]

しかし、特殊な状況では人（および生物）が見ず知らずの相手に深いコンパッションを向ける場合もあると、ダーウィンは認めていました。「しかしながら、文明人の多くは、それまでに他者のために命を懸けたことなどなくても、勇気と同情心をみなぎらせ、自己防衛本能を差し置いて、見ず知らずの溺れる人を助けようと即座に激流に飛び込むのだ。この場合、人を救出へと駆り立てるのは、前述の小さくとも勇敢なアメリカザルが恐ろしい巨大ヒヒの攻撃から飼育員を救おうとしたのと同様に、本能的な動機付けである」。[7]

ダーウィンは、こうした特質が進化の過程で選択され、子孫に長く受け継がれたという仮説を立てました。「同情心は、その起源がどれほど複雑かにかかわらず、互いに助け合い防御し合う動物にとって非常に重要な事項であるため、自然淘汰を通じて強化される。なぜなら、同情心の強い者を多く含むコミュニティほど、より繁栄し、より多くの子孫を育むからである」。

この現象をダーウィンは「思いやりによる種の生存」と名付けるべきだったのではないでしょうか。思いやり深いほど生き残るというこの理論は、一般にダーウィンのものとされる「適者生存」という理論的枠組みにうかがえる、競争の熾烈さとは正反対と言えます(「適者生存」は、実際にはハーバート・スペンサーが自然淘汰をかなり単純化して表現したものです)。ダーウィンは研究の結論として、「同情心」は私たちの生存に不可欠なばかりでなく、個々人の道徳観の基盤と、社会の幸福をもたらす倫理体系を形成するのだという考えを示しました。

近年では、オランダの動物行動学者で霊長類学者のフランス・ドゥ・ヴァールが、コンパッションの起源は、進化の過程に確かに認められると示唆しています。ドゥ・ヴァールは、思いやりの行動や道徳的なふるまいを人間以外の生物に数多く観察し記録してきました。サルの仲間、犬、鳥に加え、ネズミにもそうした行動が見られるのです。ネズミにもできるのなら、私たちにできないはずがないのではないでしょうか？[8]

科学とコンパッション

生物学的なしくみに深く根差すものであれ、良心から生じるものであれ（つまり、本能的であれ、意図的であれ、社会的に規定されて生まれるものであれ）、コンパッションはその受け手に幸福をもたらすうえに、コンパッションある行いをした当人にも有益だと、科学的な研究で示されています。それだけでなく、コンパッションの行為を目撃しただけの人も恩恵を受けます。コンパッションは、与える者、受ける者、目にする者、いずれの立場でも、人の心に奥深く影響を与える経験なのです。

コンパッションは、身体的な健康状態も向上させると言われます。コンパッションに基づく社会的結びつきが強いと、炎症の抑制、免疫機能の保持、病からの速やかな回復が認められ、長寿にもつながることは、研究者のジュリアン・ホルト－ランスタッドらによる、数多くの研究を統合したメタ分析によって示されています。[9] サラ・コンラス博士が実施した調査によると、ボランティアを行う人は、その動機が利己的ではなく利他的である場合、ボランティアをしない人よりも長生きでした。[10]

別の調査では、コンパッションある非言語コミュニケーションによって、患者の自律神経が整い、呼吸と心拍数の乱れも抑えられることがわかりました。[11] また、コンパッションを受けると、手術後の痛みの緩和、手術後の回復期間の短縮化、[12] 心的外傷の経過改善、[13] 末期患者の生存率の向上、[14] 血糖値のコントロール状況の改善、[15] 禁煙による死亡率の改善よりも効果的な死亡率の低下、[16] 免疫機能の増進[17]が見られると示唆する研究もあります。こうした健康面での効果を考えると、コンパッションを持って患者と関われば、社会全体の医療費[18]や、医療関係者のストレスによる費用の削減につながるかもしれません。

長年にわたって瞑想を続けている人は、痛みや苦しみにさらされるときどのような反応を示しているのでしょうか。ウィスコンシン大学の神経科学者、リチャード・デビッドソン、アントワン・ルッツら研究チームは、オープン・アウェアネス瞑想〔心に浮かぶことを批判・判断せずそのまま認識していく瞑想〕によって、痛みを見越して恐れを抱く予期不安が軽減することを解明しました。この研究では、瞑想経験の長い者は痛みから受ける悪影響が少なく、不快な刺激からの回復が速やかであるとも示されています。[19] また、デビッドソン博士らの別の研究で、熟練した瞑想者が、コンパッションを抱きつつ、人が苦しむ感情的な声を聞くと、瞑想初心者よりも強い反応を示すと分かりました。認知的共感や情動的共感を抱く力も、瞑想初心者に比べてはるかに優れていました。[20] 瞑想のような心の訓練が、不快な刺激に対する回復力(レジリエンス)を向上させると共に、他者の苦しみに同調する力も高めるという、重要な発見です。

神経科学者のヘレン・ウェン博士が、デビッドソン博士の研究所で行った実験では、共感を高めるトレーニングを受けた若年成人は受けていない人に比べて、経済ゲームをしてみるとより利他的にふるまいました。また、苦しむ人の画像を見てコンパッションの気持ちが湧きあがると、脳内の共感や他者理解に関する部位、そして、感情の調整能力、ポジティブな感情に関わる部位も活性化していました。[21]

末期患者の傍らに坐すなかでわかったのは、コンパッションの存在が、死にゆく人が抱く恐怖を和らげ、死が迫りくるときの支えとなるということです。死の床の患者を介護する側の人々にも、実に良い影響を与えます。とりわけ、ケアに携わる人が瞑想を実践する場合は大きな効果が得られます。

カリフォルニアのサンマテオにあるミッション・ホスピスの医長で、長年の瞑想実践者であるゲリー・パステルナーク博士から受け取ったメールは、今も忘れられません。

入院患者のホスピス病棟への受け入れで、今も夜遅くまで起きています。深夜まで眠らずにいるほど若くないと思った矢先に、息も絶え絶えの弱々しく苦しみにあえぐ患者が、私の前に横たわりました。その胸の深い傷を診察し、患者の言葉に耳を傾けながら、私の心の扉は再び開かれました。……この夜、優しげな三六歳の女性は、極めて重篤な乳がんを患いながら、それを耐えて受け容れ、子供たちの幸せを願っていました。彼女は偽りなくしかも尊厳を持って本心を語ってくれました。彼女のすべてを受け容れている様子に、私は心の底からこの上なく謙虚な気持ちになりました。そして何度も繰り返し、夜更けまでこうして死にゆく人と共にいる理由を思い起こしました。

ゲリーの言葉には、敬意と心の平静、そして謙虚さと勇気が感じられます。注意を乱され、時間に追われ、睡眠も取れない医療の世界で、ゲリーは速度を落とし、生と死に心を開き、傾聴し愛情を抱くことができました。加えて、患者の苦しみと自分自身の苦しみの只中で、本来の自分を思い出しました。これがコンパッションなのです。苦しみの真実に心を向け、その苦しみが緩和されることを願い、そして、他者に私心なく奉仕するという貴重な才能に、謙虚な気持ちで目覚める力です。

コンパッションを抱くと、狭くちっぽけな自己を超えて視野が広くなるため、憂うつ感や不安も抑えられるようです。研究者のエマ・スパーラ博士はこう述べています。「調査によると、憂うつや不安は、自分に焦点を当てた状態です。『私に、私自身、私は』と自分のことで頭がいっぱいです。しかし、誰かのために何かをするときは、自分に焦点を当てた状態から、他者に焦点を当てた状態へと切り替わるのです」。[22]

映画製作者のジョージ・ルーカスは科学者ではありませんが、コンパッションについて同様の解釈をしています。映画『スター・ウォーズ』の真の意味を問われて、彼はこう答えました。「この世には二種類の人間がいます。慈悲深い（コンパッションのある）人と、自己中心的な人です。自己中心的な人はダークサイド（暗黒面）に、慈悲深い人はライトサイド（光明面）にいます。ライトサイドの側に進めば、幸せになるでしょう。他の人を助け、自分のことばかり考えず他者のことを考える。こうしたコンパッションによって得られる喜びは、それ以外の方法では経験できないものだからです」。[23]

ウパーヤで修行中のメンバーが、ホームレスの人々に食事を提供している表情を見ると、その瞳に敬意と思いやりがうかがえます。憐憫や、尊大さ、恐れはありません。ウパーヤの移動診療所で仕事する医療関係者たちもそうです。さきごろ話を聴いた、看護師としてLGBTQコミュニティで死にゆく人々への奉仕活動を行っている、教え子のキャシーは、コミュニティに安心と支援の扉を開く経験は、彼女自身にとって非常に有意義だったと言っていました。

コンパッションのもうひとつの優れた側面は、道徳的な人格に関することです。アルベルト・シュヴァイツァーがそう理解していたことが、彼の言葉からうかがえます。「命と呼ばれるあらゆるものの前では、畏敬を感じる他はない。命という名のすべてのもののためには、コンパッションを抱く他はない。これは総じて倫理感の第一歩であり基盤である」。[24] シュヴァイツァーは、アルトゥル・ショーペンハウアーの「コンパッションは道徳の基礎である」という見解を支持していました。また、慈悲深くあることは、私たちの道徳的指針の拠りどころとなり、人生に意味を与えると示す研究もあります。心理学者のダリル・キャメロンとキース・ペインによると、人はコンパッションを抑制すると、自らの道徳的アイデンティティが損なわれたと感じるのです。[25]

心理学者で倫理的リーダーシップの専門家であるジョナサン・ハイトは、道徳観、文化、感情についての研究を行い、誰かを助けている人を見ると「道徳心の高揚」がもたらされ、見ている者も同様の行動をしようとすると示しました。[26] 波及のメカニズムについて研究するカリフォルニア大学サンディエゴ校のジェームス・ファウラーも、人助けの行動が広がりを見せるさまを確認しています。

ニューヨーク・タイムズ紙に、ネパールのドルポ郡で活動するウパーヤのノマド・クリニックについて、記事が掲載されたことがあります。レベッカ・ソルニットが書いたその記事に触発されて、世界各地の医療関係者が、ネパールの私たちの診療所で奉仕に参加するようになりました。するとネパール人の医師や看護師も、奉仕活動に喚起されてどんどん集まってきました。米国の若い弁護士の男性が、ネパール人患者の足を洗いました。チームの他の人々も心を動かされて、自分たちも足を洗いたいと申し出ました。愛、そして敬意は、ほんの一瞬のうちに波及したのです。善良さは、気持ちをかきたて、道徳心を高揚させます。そして幸いなことに伝染力があるのです。

コンパッションは豊かな人間性の中心となるものだと、かねてより思ってきました。コンパッションは構造的抑圧を軽減する鍵となります。敬意と品位と絆に基づく文化を育む要となります。文化を形成し、組織を築きあげ、人に成功をもたらす要素でもあります。科学がコンパッションの恩恵の裏付けを示し、コンパッションが人の生存とその基盤となる健康のために重要であることを立証していることは、その必要性を理解するうえで助けとなるでしょう。これは、はるか昔にイエスやブッダ、ムハンマドが示した見識で、百年前の私の祖母も身につけていたことでもあります。科学が、このような私たち本来の姿を思い出させてくれる場合もあるのです。

2 コンパッションの三つのあり方

多くの人にとって馴染みのあるコンパッションの捉え方は、他者の苦しみ、とりわけ同じ集団に属する人の苦しみに焦点を当てたものです。それ以外の見方でコンパッションを捉えられないかと、長いあいだ考えてきました。この探究の突破口を見出したのは、十四世紀の禅師、夢窓疎石（むそうそせき）の『夢中問答集』を読んだときでした。疎石が論じるコンパッションの種類のうち、ひとつめはよく知られている、他者に直接注がれるコンパッション（衆生縁の慈悲）です。対象が指定されているので、社会心理学者は「レファレンシャル・コンパッション」と呼びます。続いて疎石は、他のふたつの種類を示しています。[27] 洞察に基づくコンパッション（法縁の慈悲）と、対象を限定しない普遍的なコンパッション（無縁の慈悲）です。

対象を意図したコンパッション（レファレンシャル・コンパッション）

多くの人は、両親、子供、夫婦、兄弟姉妹や、ペットなど密接なつながりのある相手に対して、コンパッションを抱いたことがあるでしょう。友人、同僚、近隣の人々、自分たちの文化や民族の成員にも、コンパッションは感じやすいものです。相手の苦しみが自分も経験したことのあるものだと、より結びつきが深くなるようです。私は子供のとき目が見えなかったので、視覚障害の人々には強い一体感をもってコンパッションを感じられると、かなり前から気がついていました。

レファレンシャル・コンパッションは、親しい人々の範囲を超えて、見ず知らずの人に向けても広がりうるものです。性的虐待の被害者や、警察による暴行の被害者、難民や身を寄せる場がない人々、また生き物や、特定の場所や環境にも注がれることがあります。

こうしたコンパッションを体現した例として、メキシコのベラクルス市から少し離れた小さな村、ラ・パトロナの女性たちの話があります。二〇年以上前のある日のことです。ロサ・ロメロ・ヴァスケスとベルナルダの姉妹は、朝食のパンと牛乳を買って家に戻る帰り道、貨物列車が近づいてきたので、列車が通り抜けるのを待っていました。すると驚いたことに、車両の屋根にも車体にも懸命にしがみついているトレイン・ホッパー〔運賃を払わず列車に飛び乗り違法に移動する者〕たちがいました。車両の下に渡された台枠に身を横たえてつかまっている若者もいました。先頭のほうの車両にしがみついていた男性がロサとベルナルダに呼びかけました。「お恵みを！　腹が減っているんだ！」列車が走り抜けるあいだ、声高な叫びがさらに続きました。「食べものを！　腹が減っているんだ！」最後の車両が過ぎ去るまでに、ふたりの姉妹は買ったばかりの食べものを、彼らが受け取れるように投げ与えました。

帰宅したベルナルダとロサは、家族皆の朝食を他人に与えてしまったので怒られるのではないかと心配していました。けれども、そんなことは起こりませんでした。何があったかを母親のレオニラ・ヴァスケス・アルヴィザルに話すと、家族は姉妹を叱るかわりに、皆でなにができるか相談して、ある計画を思いつきました。

最初に姉妹が食べものを越境しようとする人々に投げ与えたのは、一九九五年のことでした。それ以来ほぼ毎日、姉妹と他のラ・パトロナの村人たちは、自由を求めて列車につかまる人々のため、食べものを抱えて線路沿いで列車を待ったのでした。

「ラ・ベスティア」、すなわち獣という名のこの列車は、幾千もの中米の人々をメキシコ経由で米国国境まで北へ向かって運びました。ベラクルス経由の「ラ・ベスティア」がラ・パトロナの村に差しかかると、村の女性たちが線路に駆けつけます。この女性ボランティアグループは「ラス・パトロナス」と呼ばれるようになり、調理したばかりの豆や米、トルティーヤを詰め込んだビニール袋を運んでいきました。列車が猛スピードで走り抜けるあいだ、国境を目指す空腹のトレイン・ホッパーへの捧げものを投げ込むのです。

夜は列車がゆっくり走ることもあり、ラス・パトロナスの女性たちは食べものの袋を投げ渡しやすかったそうです。しかし日中は、列車は村を疾走していくため、女性たちは老いも若きも、高速の列車が巻き起こす猛風の中にしっかりと立って、腹を空かせた必死の人々に手を差し伸べるのでした。純粋なコンパッションの行いです。

長年にわたって何万もの食事が捧げられました。今日まで、北へ向かう移民の流れは、暴力や、国境の壁、不法滞在者収容所、麻薬王の脅威にもかかわらず続いています。ラ・ベスティアは人間を積載して毎日北へと走り、ラス・パトロナスの女性たちは食べものを手に彼らと向き合ってきました。

ラス・パトロナスは、越境を目指す旅に疲れたトレイン・ホッパーたちのために、診療所と小さな休養施設も設置しました。グループのキッチンを拡張し、調理や線路沿いでの活動に加わる人が増え、村の男性も参加するようになりました。グループはメキシコ各地の組織と連携し、政府に対して越境者の保護拡充を働きかけました。中心メンバーのノーマ・ロメロは、こう言っていました。「神から授かった私の命があるかぎり、国境を目指す人々がいるかぎり、ここで支援を続けると思います」[28]

ラス・パトロナスの一員であるグアダルーペ・ゴンサレスは、BBCにこう語っています。「こんなに大きな活動になるとは思ってもみませんでした。自然に始まって、ちょっとした手助けから生まれた活動でしたから」。彼女の言葉は深く胸に響きます。[29]

このBBCの報道はラス・パトロナスについて、的を射た指摘もしています。「ラス・パトロナスというグループ名は村の名前に由来するが、より広く宗教的な含みもある。『patrona』はスペイン語で『守護聖人』を意味する。越境者たちは、命をつなぐ力となる贈りものを、二度と会わぬであろう女性から授かる。この名前ほど彼女らにふさわしいものはない」[30]

ラス・パトロナスについて、サンタフェのメキシコ人の友人から聞いて以来、そしてメディアを通して奇跡的かつ謙虚な彼女たちの活動を見るなかで、この女性たちの素晴らしいコンパッションと勇敢な気持ちの強さに、感動を覚えてきました。来る日も来る日も姿を現し、豆と米とトルティーヤを料理し北へ向かう人々に届けているのです。彼女たちは人の心の最良の姿を示しています。コンパッション、利他性、根気、献身、関与、そして、いかなる困難があろうとも苦しみを変容させる力を表した姿だと感じます。

洞察に基づくコンパッション

特定の対象に対するコンパッションは私たちの社会でも価値を高く認められており、それは良いことです。一方で、一般的にはあまり馴染みのないかたちのコンパッションもあります。疎石が記したふたつめのコンパッション、洞察に基づくコンパッション（法縁の慈悲）は、チベット仏教にも見られる概念で、より観念的な種類のものです。疎石の論は、無常と縁起に重きを置きます。瞑想者として、また対人支援に携わる者として、洞察に基づくコンパッションは、コンパッションが道徳的責務であるという認識も含意します。苦しみから目を背けることは、自分、他者、そして社会に深刻な結果を及ぼすというのです。

困っている人を目にしたとき、道徳心によって行動に駆り立てられるように感じるのが理想的です。無視して立ち去ることを良しとしません。道徳的に無関心ではいられない。苦しみにコンパッションで応えるのは、行いとして正しいことで、敬意を体現し、人間の尊厳を肯定することである――このような認識のもとで他者の苦しみと向き合うとき、そしてこうした認識が、生来の思いやりや苦しみを和らげようとする志によって支えられるとき、心は智慧のあるコンパッションで満たされます。

しばらく前に、肝臓がんで死の床にある女性の傍らに坐していました。脚は浮腫でぱんぱんで皮膚のいたるところが傷になっていました。そのときには知り得なかったことですが、息を引きとる前日でした。親しい友人でしたが、何年もがんと闘っていました。私は友人に深くコンパッションを抱きました。レファレンシャル（特定の対象に対する）・コンパッションです。彼女は混沌の中で痛みに身悶えしていました。その手を包み込んでそっと話しかけたとき、友人の苦しみを和らげたいという願いが心にみなぎるのを感じました。さらに、洞察に基づくコンパッションのレンズを通して、彼女の状況を無常という真実を踏まえて見ることができました。苦しみは、永続するわけではないし、苦しみではない移り変わりゆく要素から成り立っているという真実です。こうした考え方は、共感疲労に屈するのを防ぎ、過剰に反応せずにゆとりをもって彼女を受け止める助けとなりました。そうして、より広い愛を抱いて彼女と共に在ることができたのでした。

対象を持たないコンパッション（ノン・レファレンシャル・コンパッション）

疎石は三つめとして、「無縁の慈悲」があると示唆しています。「ノン・レファレンシャル・コンパッション」とも呼ばれるもので、対象のないコンパッションです。これが真のコンパッション（大慈悲）だと、疎石は言いました。

私も対象のないコンパッションを抱く経験をしたことがあります。教師として、トロントにホームステイをしていたときのことです。シャワーから出てきたとき濡れた床で滑って転び、大腿骨と転子を打ちつけてしまいました。脚が異常な角度になっているのを見て、非常にまずいことが起きたと分かりました。直後に、とてつもない激痛に襲われました。南部出身の品のある女性として、取り乱さないように「すみません！　誰か助けてください！」と声を上げました。蚊の鳴くような声しか出ず、ほとんど息ができませんでした。ほどなく、その家の主であるアンドリューが駆けつけ、私の背中を、倒れていた床からゆっくりと支え起こし、夫人に救急車を呼んでくれと叫びました。私は動けず、ほとんど口もきけませんでしたが、アンドリューは何をするべきかよく分かっていました。私の背骨を支え、樹木のようにじっと動かずにいてくれたお陰で、激痛が脈打つように襲ってくる中、何とか息をつけました。

救急隊が到着し、若い救急隊員が浴室にやって来て、私を担架に載せると告げました。その言葉に唖然としました。ほとんど気を失いかけていて、あまりの痛みの衝撃で血圧が下がっているのが分かりました。私はその隊員をまっすぐ見つめて言いました。「痛みを抑えてもらわないと、動けません」。隊員は、自分はモルヒネ投与の免許を持っていないとあっさりと言いました。「誰かできる人を呼んでください」。私は必死でした。彼は電話してモルヒネの施用者免許がある者を呼び出しました。

長く感じられる一〇分間が経過し、年長の救急隊員が到着しました。私の横に膝をついて血圧を測りましたが、極端に低くなっていました。彼はうなずき、注射器で小さな容器から透明な液体を吸い上げました。私の腕を取りましたが、血圧が急降下したショック状態のため静脈の流れが低下していて、針を刺しても血管にいたりません。

もう一方の腕と、それから両手首を試し、その他どこに注射されたのか記憶にありません。ただ彼が顔から汗をしたたらせて、私を楽にしようとしていたのは覚えています。その口元は引きつり、目のあたりは張り詰めた面持ちでした。

若いほうの隊員は浴室の壁際に立ち、青ざめていました。目は天を仰ぎ、失神しかけているかのようでした。私が六回も針を突き刺されるのを見て苦しくなったのでしょう。彼に向けて私の心が開かれました。その瞬間、私の静脈も回復し、全身に血液の流れが戻ってきました。針が入って行き、私は動けそうだとほっとしました。

救急隊の担架で長い階段を降りていくとき、私の身体は危険なほど急な角度にされ、数インチずり落ちたので、また身体が硬直しました。ようやく救急車に乗せられ、トロントの通りを病院に向けてサイレンを鳴らしながら走り抜けていきました。一三日の金曜日で、六月の満月の日でした。

年長の隊員が、救急車内で私のすぐ側についていました。彼が何かに打ちひしがれているのを私は感じとりました。思わず彼の膝に触れて、「大丈夫ですか?」と尋ねました。この状況で私のほうがこんな質問をするなんて奇妙です。でも、この問いかけは、どこからともなく浮かび上がってきたのです。深い瞑想状態のようなどこでもないところから、痛みで自己が覆い隠されたようなどことも言えないところから、湧いてきたのです。

潤んだ瞳で、彼は消え入りそうな声で言いました。「妻が末期の乳がんなのです」。その瞬間に存在したのは、苦しみを抱えた傍らの人、そして、私の心身に溢れる名状しがたい温もりがすべてでした。ふたりのあいだに醸しだされる雰囲気にも、温もりを感じました。この瞬間、私の痛みはすっかり消え去っていたのでした。私が彼の瞳を見つめると、その瞳は涙ぐみ、無防備に彼の心の内を映し出していました。

こうして執筆しながら、シンガーソングライターのルシンダ・ウィリアムズの言葉を思い出しました。「会う人みなにコンパッションを――そこではどんな闘いが繰り広げられているか分からないのだから――魂と肉体が出合う、人間という場所では」。私は救急車の中で、何も意図していませんでした。それが肝心だったのです……。

緊急治療室でモルヒネの点滴を受け、カテーテルを入れ、額を冷やす布が当てられると、ロビーで待つことになりました。友となった彼は、黙ってストレッチャーの傍らにずっと坐り、私がレントゲン検査に連れて行かれるまで付き添っていました。手術を受けてから、もう一度彼を見かけました。名前も知りません。尋ねませんでしたし、尋ねようとも思いませんでした。ただ、彼と私は共に在りました。小舟が岸に寄せるように、彼は私に寄り添い、私は彼に寄り添いました。

思い返してみると、私自身の緊急事態の只中で、無縁のコンパッションが開かれたのだと気づきました。

この経験は、彼へ、私へという対象が意図されたものとは異なります。思いやりと他者への愛が無限に湧き起こると、自己意識が消滅するとともに、痛みも溶け出したのです。「理由もなく、分け隔てもないところより、慈悲（コンパッション）は燃え出づる」。[31]

その後、トロントの浴室で転倒したこの話をするなかで、何十人もの人から似たような経験をしたという反応が返ってきました。他者への自然なコンパッションを感じたとき、自分の苦しみが知らぬまに治まったと言うのです。これはどういうことなのでしょうか。あらかじめ考えたわけではなく、何の意図もありません。それは私の骨から、砕けてしまった骨から、湧き起こってきたのです――そして、このコンパッションによって、私は安堵を得られました。思ってもみなかった安らぎでした。あの救急隊員の胸にも、コンパッションが響いたのだと思います。

さきごろ、旧友のラム・ダスを訪ね、コンパッションについて語り合ったときに、彼から古代インドの叙事詩『ラーマーヤナ』の言葉を教えてもらいました。神の化身であるラーマが、猿の神であり私心のない奉仕の具象であるハヌマーンに尋ねます。「猿神よ、そなたは何者か」。ハヌマーンは答えました。「自分が何者か知らぬとき、私は貴方に奉仕する者である。自分が何者か知るとき、私は貴方である」。旧友と私は互いに微笑みを交わしました。分け隔てのないコンパッションの表現として何と奥深いことでしょう。

アサンガと赤毛の犬

その後数カ月、こうしたコンパッションはいかにして生まれるのかと自問しました。チベット仏教の物語に、無縁のコンパッションを養う方法の手がかりがありました。四世紀の修行者アサンガ（無著）は、洞窟で何年も瞑想をしていました。慈愛の仏である弥勒菩薩に祈りを捧げ、弥勒菩薩が現れ、教えを授かることを望んでいました。アサンガは長年にわたって修行を重ねましたが、弥勒菩薩が姿を現すことはありませんでした。

一二年間洞窟に坐して修行し弥勒菩薩の出現を待ったのち、ある日、アサンガは洞窟での日々はもう終えようと決心しました。荷物をまとめ、隠遁を続けるのを止めて山を下り始めました。細い山道を進んでいくと、行く手に何かが横たわっているのが目に留まりました。近づいていくと、赤毛の犬が土埃のなかで弱っているのが見えました。さらに近くまで行くと、後ろ肢や臀部がひどくただれて傷だらけだと分かりました。よく見ると、傷口に蛆が溢れるように湧いていました。

アサンガはすぐに犬を助けようとしましたが、蛆虫を傷つけたくはありませんでした。コンパッションの強い力がみなぎり、しゃがみこんで舌を出し、蛆虫を傷つけることなくそっと取り除こうとしました。うごめく蛆の大群に舌が触れようとした瞬間、赤毛の犬は慈悲深い弥勒菩薩に姿を変えました。

なぜ弥勒菩薩は、アサンガが洞窟にいるときに現れなかったのでしょうか。

アサンガが他者への奉仕を行動として行ったときに初めて、弥勒菩薩が訪れたのだと私は思います。弥勒菩薩がアサンガの認識できるかたちでは洞窟に現れなかったとしても、一二年間の洞窟での修行が、無駄ではなかったのも確かです。アサンガの開かれた心とコンパッションは、修行に専念し身を捧げた年月を通じて、深みを増し驚くほど成長していました。修行は、分け隔てせず対象を意図しないコンパッションという、見事な果実を実らせたのです。ただし、アサンガのコンパッションが行動となるには、きっかけが必要でした。赤毛の犬がアサンガにコンパッションを実践する機会を与えたのであり、それは対象を意図したものであると同時に、しないものでもありました。

この物語は、関係性というものの価値の大きさと、自らの解放には他者の苦しみの解放が密接に結びついていることを示しています。ここで重要なのは、他者に恩恵をもたらそうという志が、実践に不可欠な要素であるという点です。この重要性は、助けを必要とする人々から私たちが離れたところにいる場合でも、変わりありません。苦しみと共に在るということは、こうした心の底からの志に喚起されて実践を積む道なのです。

アサンガの覚醒がそうであったように、過ちからの覚醒は、小さな自己を超えたときに起こります。苦しみの混迷を何とか切り抜け、私たちの周りの広い世界に導き出されたときに目覚めるのです。傷ついた犬と、うごめく蛆という貴重な機会によって、アサンガは他者に恩恵をもたらすという願いを

（単に観念としてではなく）体現できました。意図しないコンパッションを持つには、万物の苦しみに向けて開かれた心、自然と奉仕できる状態にある心が必要です。無縁の慈悲は、無限に果てしなく、あまねく存在し、偏りのないものです。小さな自己にとらわれた思い込みを捨て去るとき、本来の自分を思い起こすことができるのです。

こうしたコンパッションは、私たちの性質として本質的に備わっており、私たちの存在の全体に浸み込んでいるものです。ありとあらゆる人に対して、すぐに抱くことができます。耐えがたい悲しみに苛まれる人、シリアのアレッポの血まみれの子供、カビの生えたようなひどい環境の動物園にいるゾウ、覚醒剤依存の女性、また麻薬の売人、虐待する親、戦争を煽る政治家に対してさえも、コンパッションを感じることはできるのです。分け隔てられた自己はなく、生きとし生けるものが相互に結びついていると会得できたとき、無縁の慈悲が実ります。真摯に実践を行い、そして、他者の幸福のために深い思いやりと気づかいを自然に向けられる人には、こういったことが起こるのです。

慈悲深い観音菩薩のように、対象を限定しないコンパッションがあれば、あらゆる求めに応じられます。それは大海原の塩のように、呼吸している空気のように、体内の血液のように、私たちの命と心をつないでくれるものです。「通身これ手眼」、意図せずとも既に携わっているのです。

3 六波羅蜜

仏教における六波羅蜜、すなわち六つの徳目とは、観音菩薩など菩薩が体現している、慈悲深い資質のことです。布施（惜しみない施し）、持戒（言行一致）、忍辱（忍耐）、精進、禅定（平静な心）そして智慧の六つを指し、私たちが崖に立つとき、強さを与え均衡を保ってくれるものです。「波羅蜜」、サンスクリット語で言う「パーラミーター」は、「完成・熟達」、「向こう岸に渡っていくこと（苦しみから解放された彼岸にいたる）」という意味です。六つの徳目は、菩薩にいたる道であるとともに、その道を実践した成果でもあります。道としての徳目は、私たちの資質を悟りへと導く実践です。そして成果としての徳目は、実践によって授かるものです。それぞれの徳目は、私たちの無限に開かれた心の表れであり、あらゆる苦痛を癒す特別な薬でもあります。徳目の一つひとつが、コンパッションの多様な側面を示しているとも言えます。

最初の徳目、「布施（惜しみない施し）」は、それを必要とする人を慈悲深く支え、保護し、導いて、意識を向けることです。哲学者のシモーヌ・ヴェイユは、「意識を向けることは、寛容さの最も貴重で純粋なかたちである」と言いました。意識を向けることが、ホームレスの人々に救護施設で食事を提供する、家族に見放された末期患者の傍らに寄り添う、配偶者の暴力の犠牲になっている人々を保護する、暮らしの場を求める難民に門戸を開くといった行動につながります。患者や生徒たちに意識を向け、彼らが自分で意思決定する余地を与えるのも惜しみない施しです。その意識が、スタンディング・ロックで河川と人々を保護するために断固として立ち上がり、女性や子供の権利や自分たちの将来をまもるために、権力に対して真実の声を上げることにつながるのです。

宗教的な貴い教えを他者に伝えるうえでも、惜しみなく与える姿勢は表れます。私の師、バーニー・グラスマン老師は、先の脳卒中で左半身が麻痺したにもかかわらず、二〇一六年に開催されたアウシュビッツを証人として体験するリトリートのためにポーランドに渡航しました。バーニー老師にとって、参加者にアウシュビッツで証人のように見守る体験をしてもらうことは、コンパッションに基づく彼の誓いの一端であり、ホロコーストが再びこの地球で起こらないように、差別や憎しみを変容させるためのものです。アウシュビッツのような言葉にできないほどの恐怖があった場で、ありのままを見届けることで、人は本来の姿を思い起こし、愛することを思い出すことができると、彼は信じているのです。

愛に加えて、もうひとつ惜しみない施しの徳目を表すものがあります。仏教の書物には記されていませんが、かつてネパールで初めて支援活動をしたときに、気づいたことです。標高が高く荒涼としたヒマラヤで、私は心細く感じていました。遠く離れた村からわざわざやってくる患者に奉仕しようとしているのですから、自分を落ち着かせなければなりません。「恐れに服従しない」という考えが浮かびました。この山岳地帯で患者たちへの支援活動をするうえで、私が取り組まねばならない実践でした。

恐れに服従しない……。そうすれば、世界の痛みや苦しみを、しっかりとありのままに見届けられます。自分、相手、結果に執着せずに、他者と結びついていられます。自分の本来の姿を捉え、私たちが愛と勇気と大いなるコンパッションで成り立っていることを知る術を得られます。恐れの向こうにある、人の心という広大な景観を見渡すことができるようになるのです。

ふたつめの徳目は、「持戒(言行一致)」、すなわち誓いに従って生きることです。この徳目は、信念に根差したコンパッションを万物に注ぐことを目指すものです。他者を害する者にも注がねばなりません。コンパッションが欠如すると、苦しみが後に続きます。他者も自分も害さずにすむように、勇気をもち思いやりと信頼を抱けるように、誓いに従って生きるのです。これがコンパッションであり、菩薩の精神の実現です。

長年にわたる教え子たちとの関わりから、コンパッションと誓いは、共存していると学んできました。互いの中に存在し合っているのです。仏教の教えから得られる誓いは、善行、不害、他者への思いやりです。ほとんどの人は毎日のように道徳的な難題に直面します。そして誠実さを貫くことがいかに重要か学んできています。日常的に生死に関わる決断をせねばならない医師は、患者の幸福を病院の期待よりも優先させようとします。悪質な会社の方針から従業員を守ろうと努める管理職もいます。プライバシーの権利の保護のために、自らの危険をいとわず告発の声をあげる人もいます。こうした人たちは皆、自らの誠実さに導かれています。これが、誓いに従って生きるという徳目です。

三つめの徳目は「忍辱（忍耐）」、並大抵でない忍耐強さを、他者にも自分にも持つことです。忍耐とは、今この瞬間にすべてを注ぎ、結果をコントロールできないと分かったときに感じる攻撃的な苛立ちを手放すことです。しかし、人は乗る予定だったフライトが欠航になると、空港のカウンターのスタッフに食ってかかります。死の床にある親友のバイタルサイン（生命兆候）のチェックを待たせる看護師に向かって、激しく腹を立てます。この看護師は何人もの患者を抱えて大変だというのに。私たちはものごとが思うとおりにいかないと気が済まないのです。すぐに結果を求め、事態の収束を急ぎます。待ったり、立ち止まったり、委ねたり、そしてただ手放すということに耐えられないのです。

忍耐と言えば、スリランカのサルボダヤ・シュラマダーナ運動の指導者、A・T・アリヤラトネが思い浮かびます。アリ（彼の友人は皆こう呼びます）とは、何年か前に日本で開催された世界各地の仏教者が集まる会合で、ご一緒したのです。サルボダヤはスリランカ最大のNGO団体であり、ブッダの教えをコンパッションに基づく社会変革の有力な手段として活用しています。サルボダヤは、共に地域コミュニティの状況改善をはかることで、人々が自然にコンパッションを表す場です。それを通じて、経済的にも社会的にも内戦の痛手から回復することをめざしています。

スリランカは五〇〇年にわたるヒンドゥー教徒、イスラム教徒、仏教徒の対立を経てきたとアリは言います。そのうち四〇〇年間は植民地支配の抑圧下にも置かれていました。私がその数字に愕然としていると、アリは瞳を輝かせて私に言いました。「状況を変容させるにも、五〇〇年間かかる。そういう計画を立てているんだ」。五〇〇年計画。アリは実に忍耐強い人です。

彼の平和構築五〇〇年計画では、各地でまず平和をもたらす活動を行ってから、国内の最貧困地域の経済開発プロジェクトに取り組むのだと言います。一〇〇年ごとに長老たちの審議会で進捗状況の評価を行う必要があるとも話していました。

アリは若くはありません。八〇代です。今は健康ですが、来るべき現実には逆らえません。しかし、六つの徳目のすべてに彼は忠実です。とりわけ忍耐、および四つめの「精進」は際立っています。人生を、コンパッションという際限のない責務として生きる、それがいかなることかアリは心得ているのです。

四つめの徳目、「精進」の実践については、私自身の人生では、ときおり感じる些細な意欲の落ち込みに対処する手段として取り組んできました。病院であれ、教室や役員会議であれ、難民キャンプや戦闘地域であれ、そこに姿を現し続けるのは、エネルギーと強い決意を要します。熱意や意志、そして、逃げず、隠れず、否定しないという智慧を生きるための集中力が求められます。

五つめの徳目、「禅定（平静な心）」は、集中力、注意をしっかり向けることで、忍耐とともに、今この瞬間に背を向けずにいることです。ブッダは見事な比喩を用いて、人の注意力の欠如について表しました。ちょうど「サルが木々のあいだを進むとき、枝を握っては放して次の枝をつかむように、思考、心のあり方、意識といったものは、昼夜を問わず生まれては消えることを繰り返している」。[32]

ブッダはまた別の動物に喩えて、禅定の例を示しました。森にいる鹿のようであれ。鹿は常に注意を怠らず、穏やかでありながら、いかなる事態にも備えていると言うのです。[33] 森の鹿は、非攻撃性と静穏の象徴でもあります。鹿を見習うことで、サルではなく菩薩の精神を身につけ、コンパッションと智慧への道がひらけるのです。

六つめの徳目、「智慧」とは、真理をあるがままに知ることです。この徳目を実践するうえでも、五つめの禅定（平静な心）は重要です。なぜなら、智慧に到達できるのは、心が完全に開かれ、偏りがなくなり、意識が集中している場合にかぎられるからです。

とはいえ、智慧とは何なのでしょうか。

頭が良いことは、必ずしも智慧を持っていることを意味しません。この相違は、頭の良い人と、智慧のある人の違いを探ると理解できます。頭の良い人は、知識があり、たいてい事実に頼ります。これに対して、智慧のある人には、優れた判断力とにじみでるコンパッションがあります。

仏教の考え方では、智慧はふたつのレンズを通して見ることができます。「相関的な智慧」と、「究極的な智慧」です。相関的な智慧とは、無常という真実、苦しみの源、苦しみからの解放の道といったあらゆるものごとを、相互の関係において捉え理解し、他者を苦しみから解放する責務を生きることです。

仏教徒ではありませんが、物理学者のアルベルト・アインシュタインは、「相関的な智慧」を十分理解していました。

人間は「宇宙」と呼ばれる万物の一部である。時間と場所がかぎられた一部分である。人間は、自らとその思考と感情を、自分の外の世界と隔てられた経験と見なす。これは目の錯覚ならぬ、人の意識の錯誤である。この誤った思い込みは、私たちを幽閉状態に置く。自分の個人的欲望や周囲のごく少数の人々への愛着の中に、閉じ込められてしまう。行うべきは、自らをこの幽閉から解放することである。そのためにはコンパッションの輪を広げ、生きとし生けるものと森羅万象を自然の美と共に受け止めるのだ。[34]

ふたつめのレンズ、「究極的な智慧」は、いわゆる現実と呼ばれるものの見方を手放し、あるがままを会得することです。現実なるものを組み立ててそれをいかに言葉で描写しても、「あるがままのものごと」を身をもって知るのとは異なります。真実とは一定の状態ではなく、瞬間ごとに生じるものです。これに関して、黄檗希運（おうばくきうん）が概念化の罠を指摘した言葉を、私は気に入っています。「真実は此処にあり、今にある。それが何かと考え始めた途端に、見失ってしまう」。[35]

智慧とコンパッションは互いを映し出す関係にあります。曹洞宗の禅僧として愛された、サンフランシスコ禅センターの開設者、鈴木老師は、人生の最期に深い智慧とコンパッションを伝えました。一九七一年にサンフランシスコ禅センターで息を引きとろうとするときに、愛弟子が師のもとに赴きました。年老いた禅師の肌は、病のせいで黒ずんでいました。痩せ衰えた小柄な身体を狭いベッドに横たえ、上掛けのうえに両手が置かれていました。弟子は、師を見つめて尋ねました。「師よ、どこでお目にかかれるでしょうか」。再会できるどこか特定の場所が、死後にあるかのように。間を置いたあと、死にゆく師は片手を上げ、円を描きました。今この瞬間に会おうと弟子に促したのです。[36] これが、智慧という徳目です。同時にこれは奥深く偉大なコンパッションでもあります。

六つの徳目は、有意義な指針として、愛情深く勇敢で智慧のある心を育み、慈悲深い社会を生みだします。これらの徳目が、真の自由への道となるのです。

私はよく、六つの徳目を呼び起こすために、その内容を表した六つのフレーズを用いています。それぞれの徳目は、他の徳目の要素も併せ持っています。ですから、いつもどれかひとつのフレーズを実践して、それを骨の髄まで自らに浸み込ませるようにしています。

まずは息を吸い込むことに意識を集中し、息を吐きながら身体の力を抜きましょう。それから他者の苦しみを終わらせるという意図を思い出します。そして、次のいずれかのフレーズに心を寄せましょう。

すべてのフレーズをたどっていきたければ、ゆっくりと順に進めていきます。

惜しみなく与えられますように。
誠実さと敬意を育めますように。
忍耐強く、他者の苦しみにしっかりと目を向けられますように。
活力に満ち、強い気持ちで、精進を続けられますように。
万物に慈悲深く奉仕できるよう、平静な心、受容的な心を養えますように。
智慧を育み、得られた見識による恵みを他者に分け与えられますように。

それから、こう問いかけるとよいでしょう。「勇気と智慧とコンパッションに達した菩薩の精神を実践し体現してみませんか。崖に立って、広い景色に望んでみませんか。今から始めませんか」。

4　コンパッションを妨げるもの

コンパッションは、その価値と恩恵が明らかであるにもかかわらず、今日の世界では不足しているようです。これには、ケアすることの意味の捉え方や、深まるテクノロジーへの依存による関係の希薄化など、多くの要因があります。今日では、本来の結びつきを犠牲にして、通信でつながっていることが重視されます。じっくり考えるよりもスピードが評価されます。奥深さをないがしろにして、拡大が重視されます。倫理的な文化を育むよりも、資産を増やすことに価値が置かれます。時間が足りないという感覚が、今この瞬間から目をそらしています。このようなあらゆる病の解毒剤となるのが、コンパッションを基本的な価値とすることだと考えています。一対一の相互関係というミクロコミュニティでも、この地球というマクロコミュニティでも、コンパッションを活かすのです。

仏教では、心にある有益な資質を妨げる敵は、遠くにも近くにもいるとされます。「遠くの敵」は反対の関係にあるものです。コンパッションにとって遠くの敵は、残酷さです。一方「近くの敵」は、無用な資質なのに、有用な資質であるかのように装っていて、見つけにくいものです。たとえば、憐憫はコンパッションの近くの敵です。そこには後悔に加え、苦しむ人への見せかけの気づかいがあります。詩人で画家のウィリアム・ブレイクは、「憐憫によって本来大切なことに意識が向かなくなる、憐憫は魂をも分裂させる」と述べています。[37]

他にもコンパッションの近くの敵として、恐れ、さらに憤りがあります。こうした近くの敵は、仲間や同類であるかのようにうまく装います。しかし、恐れや憤りの感情を持つと、人は消耗してしまい、他者の苦しみに対して健全なあり方で応えられなくなり、結果的に害を及ぼすことになりかねないのです。

その他にもコンパッションを阻む障害はあります。そのひとつは、人がコンパッションを、過剰に単純化してしまいがちであることです。人生や社会においてコンパッションが果たす役割を理解していないために、コンパッションを毛嫌いし、疎ましく思ってしまうこともあります。

コンパッションを持つと、疲弊すると感じることもあるかもしれません。病気になったり、自分の境界を保てなくなったり、弱々しいとかプロらしくないと見られたりする恐れがあると感じるかもしれません。また、コンパッションは、正義よりも同情を優先するものだと信じ、見境もなくむやみに慈悲的であろうとしてしまうこともあります。一部の医療関係者にとっては、コンパッションを養うべきかどうか、それ自体がジレンマとなるようです。医学部の学生は、客観性を保ち感情ではなく事実に基づいた判断を下すためには、コンパッションは不要だと教えられます。苦しみは感情として感染力があるので、受け容れたら呑み込まれてしまうと思っている医師も多くいます。コンパッションなどというものは宗教がらみで非科学的で、弱さの兆候だとする世間の見方に迎合しているのです。

一方で、看護師、ホスピスのスタッフ、家族をケアしている人々に期待されるのは、コンパッションによる行動です。しかし、こうした人たちまで、感情的に巻き込まれるのを恐れているようです。自身の境界を保てなくなり、共感疲労や燃え尽きに陥るリスクを恐れているのです。

慈悲深いと思われたい気持ちという、落とし穴もあります。いかに慈悲深いか、慈悲深く見えるかどうかによって、自分の値打ちが決まると感じてしまうのです。自らが「慈悲深い人」であると世に示し、認められ評価されることを求め、称賛やさらには権限まで欲することもあります。自分は慈悲深いと触れまわる人には気をつけるべきでしょう。その言葉と実際の行動が一致しているとはかぎりません。

もうひとつ、コンパッションを妨げるのは、散漫な注意力です。この原因の一部は、現代のデジタル機器への依存だと言えるでしょう。「注意散漫な私たちには、観想的な思索に費やす時間を見つけるのは難しい」[38]とニューヨーク・タイムズ紙に語ったのは、『ネット・バカ――インターネットがわたしたちの脳にしていること』（青土社）の著者、ニコラス・カーです。「しかし今や、こうした影響力の強い情報伝達機器を一日中持ち歩いている。思索の機会はますます減るばかりだ。理由は単純で、常に気を散らすという能力を、私たちは身につけてしまったからだ」。

ある調査によると、一八～三三歳の被験者は、スマートフォンを平均で一日に八五回も使っているのだといいます。[39]この便利なおもちゃが、本来なら自分の周囲に広く注意を向けているはずの時間、他者の苦しみに気づくべき瞬間を、埋め尽くしているのです。そしてデジタル機器の頻繁な使用は、認知力や集中力に悪影響を及ぼし、健全に内観的な思考をする能力を阻害すると、カーは言います。

コンパッションを阻むさらなる難題は、時間に追われる焦燥感です。関与と燃え尽きの章で取り上げたように、多忙から抜けられない状態が当たり前になっているようです。こうした「攻撃的な忙しさ」をヘルマン・ヘッセは「日々の喜びの敵」と呼びました。[40]

多忙と慌ただしさによって、私たちが他者に慈悲深く関与をもって関わろうとする努力は、歪められます。そして、結果として道徳的葛藤が生じます。既に四〇年前に、時間の制約がコンパッションを妨げることが示されています。プリンストン大学の研究者、ジョン・ダーリーとダニエル・バトソンによる、「善きサマリア人の研究」と呼ばれる実験です。この実験では、研究者が神学生たちに、今いる建物からキャンパスを通って反対側の建物に行くよう指示します。一方のグループの学生には、既に時間に遅れているため急ぐよう伝え、もう一方には、到着までには十分な時間があると伝えました。移動の途中で、どちらのグループの学生も路地を通ります。そこでは酔っているか怪我をしたと思われる人が倒れ、うめき声をあげながら咳込んでいました。実は、研究者に言われてそこで演技していた人物です。時間に余裕があるグループでは、六三パーセントの学生が足を止めて助けました。遅れていると言われたグループでは、一〇パーセントしか足を止めませんでした。倫理的な行動は、人の生活のスピードが速まるほど、反比例して低下を示すようです。講堂に着いてから、立ち止まらなかった学生の多くは、立ち止まった学生よりも落ち着かない様子でした。[41] 研究者の指示に従うことを選択し、負傷者を助けなかったことで、道徳的葛藤を感じているようでした。この実験にかぎらず、散漫な注意力と時間の制約は、他者に手助けするか否かといった、道徳的なジレンマに直面したときに、人の判断に影響を与えるのです。

コンパッションと数の関係

コンパッションを抱くのを難しくするもうひとつの要因は、数の膨大さに圧倒されてしまうことです。難民の危機、種の絶滅、気候変動など、地球規模の大問題を耳にすると、私たちの脳は閉ざされて精神的な麻痺状態になります。気にしないわけではないのですが、規模があまりに大きすぎて具体的に想像できず、それで脇へ追いやり、何も行動を起こさないのです。

助けたいという思いが、苦しんでいる集団の規模が大きくなるほど——ひとりからふたりに増えるだけでも——急激に減少するというのは、実証されている現象です。ポーランドの詩人、ズビグニェフ・ヘルベルトは、この現象を「コンパッションと数の関係」と呼びました。[42] 心理学者のポール・スロヴィク博士のチームは、慈善活動への寄付の実験を通して、コンパッションにおける数的要因を調査しました。スロヴィクはこう記しました。「あるひとりの個人が困っていると、人は寄付金を送ろうとします。しかし、ふたりめの人も援助が必要で困っていると知ると、最初の人に寄付する気持ちが減少すると分かりました。求めに応じることに、満足を感じなくなるのです。同様に、援助の必要性が大規模な救援活動の一環であると示されると、援助を提供しても全体の中ではわずかな『水甕の中の一滴』にしかならないという考えが芽生え、寄付を検討していた人は無力感で意欲をそがれます」。[43]

この現象は、「偽りの無力感」と呼ばれます。なぜ「偽り」かと言うと、私たちが抱く無力感は思い込みであって、現実ではないからです。しかしこの思い込みが、すべての人を救えるわけではないと分かったときに、意欲がそがれる大きな要因となるのです。

この心を閉ざした状態というのは、比喩ではなく、文字どおり脳内が閉じた状態になっています。神経科学者によると、情動的な刺激に対する注意をコントロールすると考えられている前帯状皮質（ACC）が、動揺を起こす刺激にすぐ慣れてしまい、反応するのをやめてしまうということです。[44]これは、負の刺激を受けても打ちのめされてしまわないようにする、ある種の防御機構と言えるでしょう。ソーシャルメディアやオンラインニュースサイトを通じて絶えまなく悲惨なニュースに接することは、ほぼ間違いなく、精神的麻痺、道徳的な無関心、共感の欠如を引き起こしていると思います。

二〇一五年に、ネパールのゴルカ郡で地震が起きたとき、被害の甚大さは私の理解を超えるものでした。増大する死亡者数に頭が真っ白になりました。気にかけないわけではありません。もちろん気になります。ただ、人間が直面する現実としてまだ把握しきれませんでした。地震の翌日、電話が鳴り始めました。ネパールの親しい友人たちが食糧や防水布を被害の大きい地域に届けようとしており、援助を必要としていました。即刻、その取り組みを支援しましたが、この惨事の大きさをなおも受け止めきれずにいました。

それでも私を目覚めさせたのは、フェイスブックの小さな写真にあらわれた幼い修道僧でした。数カ月前にゴルカ地区の村の僧院で会った子で、怯えて衰弱しているように見えました。この地域へ通じる道は地震で破壊されていました。この僧院の子供の修道僧たちには食糧も身を寄せる場もありません。そうと知って、この子を助けなければと思いました。自分ごととして、人と人の結びつきを感じたのです。さっそく手はずを整え、ネパールの友人、パサン・ラム・シェルパ・アキタがヘリコプターを利用して、地震に襲われた山間部から一三人の男の子を救出するのをサポートし、子供たちはカトマンズに無事落ち着きました。

この救出の様子をニューヨーク・タイムズ紙[45]で読み、胸をなでおろして安堵しました。ひとりの子供の写真から、皆が苦しんでいるという事実を直視することができました。私を突き動かしたのは、ひとりの男の子の面持ちだったのです。他にも、あの地域で出会った男性、女性、子供たちの顔がソーシャルメディアのフィードにあらわれてきました。勇敢に救援活動に取り組むネパールの若者もいて、その中には親しい友人の姿もありました。当初、ウパーヤは地震の救援活動を行う大規模NGOを支援していました。しかし、方策を転換して、現場で直接支援にあたっている個々人をサポートするようにしました。このほうがより「リアル」に、効果が高く、心に響くと感じられました。

コンパッションが無感覚、恐れ、不適切な判断や散漫な注意力によって遮られ、数に惑わされ現実を見失うことによって妨害されると、エッジ・ステートの不健全な側面があらわれ、行き詰まり、道徳的な無関心も生じます。そこから抜け出すには、コンパッションを妨げるものを知っておく必要があります。それを知っていれば、現状がいかなるものであれ、どのように応じるのが適切か認識できます。自己判断を手放して、苦しみに向き合う自分自身の反応をじっくり観察するのです。

コンパッションとその谷間で

東日本大震災での津波の八カ月後、文筆家のピコ・アイヤーはダライ・ラマ法王と共に、とてつもない自然災害によって壊滅的な被害を受けた日本の漁村を訪れました。法王は被災者に愛情を注ぎ、彼らの心を支えましたが、被災者に背を向けたとき、その瞳には涙が浮かんでいました。アイヤーはこの瞬間を見逃しませんでした。後にこのように記しています。「苦難を打ち負かせると思うのは間違いだが、唯一それ以上に悪いことは、苦難のあとに自分には何もできないという思い込みを持つことだと（私は仏教徒ではないが）気づいた。法王の涙を目にして、人は苦しみを見つめるのに十分強くあることもできるが、見せかけの強さを装うことなく、あくまで人間らしくあることもできるのだ、と考えさせられた」。[46]

「見せかけの強さを装うことなく、あくまで人間らしくある……」。たいていの人がそうであるように、私は自分や他者の苦しみに呑み込まれて、結果として、コンパッションを保てるときと、見失ってしまうときがありました。その過程で、何がコンパッションで、何がそうでないかを学びました。他者の苦しみによる共感疲労や道徳的葛藤にとらわれているとき、苦しむ他者のためよりも私自身の不安の解消のために動いていたと気づきました。ときには私の「行き過ぎた思いやり」がかえって相手が自ら経験するのを妨げてしまい、利他性の崖を病的な側へと滑り落ちていました。支援する相手よりも、自分を守るために、思いやりを見せびらかすということもありました。

私の散漫な注意力、無感覚、否認（いずれも無関心の状態です）によって、教え子や同僚が苦しんでいる事実を見逃したこともあります。たいてい仕事や出張で、疲れ、焦って、落ち着かず、ストレスを感じているときでした。そうしたストレスによって、状況を見極めてコンパッションで応じるための、気力とつながることができなかったのです。

虚無感に陥ったこともあります。何もしてあげられない、新たにもうひとりの苦しみに向き合う気力は残っていないと感じました。弱っている人をただ避けたり、相手の苦しみやその人自身を見過ごしたりしたこともあったかもしれません。ただ状況が整えば、道徳的な責任感は自然とまた立ち上がり、奉仕することに再び向き直ることができました。

患者や受刑者の処遇について、道徳的な憤りにとらわれたこともありました。こうした怒りの瞬間は、不正な状況について警鐘を鳴らす役割を果たすのであれば、悪いことではありません。たいていは道徳的な憤りから抜け出せなくなるのは不健全だと気づき、苦しみに有効なのは何かを探るようになり、相手や状況が和らぐように努めました。

思いやりから足を踏みはずし、谷間に落ちてしまったときに、何が欠けているかに目を向けられたこともありました。不思議なことに、コンパッションはその欠如によって、よりはっきりしてきます。コンパッションが単一のものではなく、心と身体の関わりから生じる一連の複合的なプロセスなのだとも気がつきました。コンパッションは、私たちが置かれた環境、社会、文化の状況や関係性からも影響を受けます。崖縁を越えてしまい混迷の沼地へ陥ったことは、コンパッションをより深く知るための助けとなりました。コンパッションを通じて、私たちは病的な利他性、共感疲労、道徳的苦しみ、軽蔑、燃え尽きから自らを救い出せると分かったのです。

5　コンパッションの地図

コンパッションの欠如による苦しみを見れば見るほど、コンパッションをさらに深く知り解明を試みなくてはいけないと感じました。コンパッションという領域を地図で示し、コンパッションに通じる道を築くことに、全力を注ぐ必要があると思ったのです。二〇一一年に数カ月間、私は栄誉客員研究員であるクルージュ・フェローとして、ワシントンDCの米国議会図書館に招聘されました。またとない機会を得て、私は通常の教育活動から離れて、コンパッションに関する神経科学と社会心理学の調査に集中することができました。目標としたのは、コンパッションの地図をつくることでした。ケアに携わる人などが苦しみに直面したときに、より効果的にコンパッションを養えるような訓練プログラムを開発することを目指したのです。

思考実験として、四つの問いを自らに投げかけました。ひとつめは、「注意力のバランス、落ち着き、明瞭さ、持続性がない状態で、人はコンパッションを抱けるか」というものです。医療関係者がポケベルやモバイル機器によってしばしば注意散漫になること、担当業務をこなさねばならぬプレッシャーや、患者から患者へと迅速な移動を頻繁に繰り返さねばならないことなどに、思いをめぐらしました。このように意識が分散していると、患者の苦しみにしっかり向き合うことは容易ではないでしょう。神経科学者のアミシ・ジャが、どこであれ注意が向けられたところへ脳はついていくと、強調していたのを思い出しました。「脳のボスは、注意力なのです」[47]と彼女は言います。安定した注意力の保持は、複雑な医療現場で働く人々にとっては困難で、それによってコンパッションを持つこともまた難しくなります。彼らの意識はしばしば分割され（divided）、邪魔され（distracted）、散漫になり（dispersed）ます（私はこれを「三つのD」と呼んでいます）。苦しみであれ何であれ明瞭に感じとるには、安定した注意力が必要なのです。

ふたつめは、「相手への関心がないとき、コンパッションを抱けるか」という問いです。これも、答えはノーです。誰かの苦しみに無関心で目を背けたり、その人に嫌悪を感じていたら、コンパッションは生じがたいでしょう。「向社会的」とは、「反社会的」の逆を意味する言葉です。向社会的行動とは、積極的に社会と結びつき、親和的で、協力的で、他者に有益であることです。たとえば意図が自己中心的だと、人は向社会的にはなれないでしょう。思いやり、気づかい、優しさ、柔軟性、愛情、寛容さ、そして謙虚さは、いずれも向社会的な感情であり、コンパッションを通じて表現されます。私が見てきたかぎりでも、向社会的な気持ちなくしてコンパッションが生まれることはありません。

三つめの問いは、「他者の苦しみを和らげるために何が役立つかという洞察がなくても、コンパッションは生じうるのか」というものです。答えはノーです。コンパッションを向けるには、洞察力を働かせて何が相手にとって最も有益か見定める必要があります。また、コンパッションには、相手をケアするのは自分にどんな意義があるか、そして、自分の本当の姿は何かについても、深く理解していることが重要です。

最後に四つめは、「他者の苦しみを和らげようという願いを抱くことは、たとえ直接できることがなくても、大切だろうか」という問いでした。この問いへの答えは、確実にイエスです。私たちは必ずしも、他者の苦しみの変容を実際に起こすための直接的な行動を起こせるとはかぎりません。しかし少なくとも苦しむ人の幸福を「願う」ことは、コンパッションに不可欠です。

マチウ・リカールから聞いた、大海原で悶え苦しんでいる男を見ている飛行機の乗客の話を、紹介しましょう。溺れそうな男性は、濃い霧堤のため、九〇メートルも離れていないところに島があるのに見えていません。飛行機に乗っている人は彼を助けられませんが、水中の男性の幸運をひたすらに願うのです。苦しむ人に役立つ行動に踏みだせるときもありますが、できないときもあります。行動を起こせないとしても、苦しむ人に良い結果がもたらされるよう、ただ願うこともコンパッションなのです。

コンパッションはコンパッション以外の要素から生まれる

社会心理学者、神経科学者、内分泌学者、仏教の求道者と話してきたこと、また私自身の経験を顧みて、コンパッションが生まれるためには、四つの条件があると確信しました。他者の経験に意識を向け、他者を案じ気遣い、相手に役立つのは何か感じ取り、他者の心身の健康を高めるための行動をする（行動できないとしても、その人のためにできるかぎりを願い、結果に執着しないこと）、の四つです。

つまり、注意力、向社会的な感情と私心のない意図、洞察力、体現は、コンパッションを構成するうえで鍵となる、コンパッション以外の要素なのです。神経科学の研究からも、コンパッションは脳内の一カ所に関連づけられるのではなく、脳のあちこちに分布していると教えられました。さらには、コンパッションは、それを構成する一連の特質が相互に関与したときに生じる、創発的なものだと言えるのです。

ティク・ナット・ハンもこのように記しています。「花は、花以外の要素でできています。花を眺めるときは、日光、雨、大地など、花以外の要素も見ていることになります。どの要素も一緒になって、花が姿を現すのを助けています。こうした要素のいずれかを取り除いたら、花はもう存在できないのです」。[48] 日光、雨、大地が花を生みだします。同じように、注意力、関心と意図、洞察力、体現が、コンパッションを生みだすのです。

この相互に依存しているという考え方、私自身の瞑想やケアに関わる活動の経験、そして神経科学、社会心理学、倫理学の研究に基づいて、私はコンパッションを生じさせる基本的な特質を示す土台を開発するにいたりました。言い換えれば、コンパッションの出現を可能にする、コンパッション以外の要素を特定したのです。

以来このモデルを、医療関係者、チャプレンをめざす教え子、教育者、弁護士、ビジネスパーソンが、自らの内面にも自分の周りにもコンパッションが現れる場を養うためのトレーニングに使っています。コンパッションの出現の場を整えるには、注意力を鍛え、向社会的資質と私心のない意図を育み、判断力と洞察力を高め、倫理的で思いやり深い関与の状態をつくることが必要です。コンパッションのある関与とは、私たちの身体を通じて具現化され、倫理観とも一致するものです。そして、安心感、平静、思いやりのあるこの場が、他者を支援する私たちの内にも幸福感を生みだすのです。

このモデルを、私は「コンパッションのABIDE(アバイド)モデル」〔abideは「留まる」という意味もある〕と呼んでいます。ABIDEとはプロセスを覚えやすいように、各項目の頭文字を並べたもので、Aは、「注意力(attention)」と「情緒(affect、すなわち向社会的な感情)」です。このふたつの資質は、注意力や感情の「安定と均衡(balance)」につながり、これがBにあたります。Iが示すのは、

「意図（intention）」と「洞察力（insight）」、認知処理のプロセスです。これがDにあたる「識別力（discernment）」につながります。Eは、「体現（embodiment）」、「関与（engagement）」を示し、これが人を慈悲に満ちた行為へと向かわせます。

米国議会図書館での任期終了時に、このＡＢＩＤＥモデルについてプレゼンテーションをし、それからこのプロジェクトの次の段階に着手しました。医療関係者をはじめ、他者との関わりにおいてコンパッションを育む人々に向けた、ＡＢＩＤＥ習得プログラムの開発です。コンパッションの地図は有効なものですが、日々の暮らしという領域こそが、自らの生きた経験としてコンパッションが実現される場なのです。

6　コンパッションの実践

長年にわたり、さまざまな立場にある人々が、他者の苦しみに直面して感じるストレスを語るのを聴いてきました。教師、看護師、医師、弁護士、親たち、社会活動家、政治家、環境活動家、人道支援ワーカー、CEOの話から、その立場にあることの困難さを知りました。こうした人々は他者の問題や苦しみに接するのが日常茶飯事です。彼らにかぎらず、ほとんどの人にあてはまることかもしれません。それでも人は苦しみと向き合うと、エッジ・ステートの有害な側面にいともたやすく陥ってしまいます。しかし、落ちた先に定住してはなりません。

東洋ではインドの優れた宗教者がかねてより、人の心は変容可能であることを理解していました。一方西洋では、与えられたカードでゲームするほかない、固定化した精神のあり方からは永遠に逃れられないという考え方をされてきました。しかし二〇世紀後半には神経科学の研究により、脳は私たちの経験と連動して常に変化していると実証されました。脳内回路は、信号が反復されるか否かによって、強固にもなれば弱くもなります。これを神経可塑性と呼びます。脳は内外の刺激に応じて、構造的にも機能的にも編成を繰り返しているのです。

私たちの先入観や心の習性は根深いものです。しかし、世界の見方、人生との向き合い方は、メンタルトレーニングや瞑想という神経可塑性を高める促進剤によって、根本から切り替えることができます。脳の可塑性によって、トラウマを乗り越え、新たな心のあり方を習得し、習慣的な反応パターンから自由になり、精神的に柔軟かつ機敏になる力を伸ばせるのです。

こうしたことを念頭に置いて、GRACEというプログラム〔リーダー・ビジネス向けのものは、AWAREと呼ばれる〕を開発しました。ABIDEモデルを基礎とした能動的かつ観想的な実践であり、他者との関わりにおけるコンパッションの育成を重視したものです。ＧＲＡＣＥは以下のフレーズの各頭文字を覚えやすく組み合わせたものです。「注意を集める（Gather attention）」「意図を思い出す（Recall our intention）」「自らと調子を合わせ、それから相手と合わせる（Attune to self and then other）」「何が役立つか考える（Consider what will serve）」「関与をもって実行し、完了する（Engage and end）」。ＧＲＡＣＥは、コンパッションのＡＢＩＤＥモデルの特質をすべて含んでいます。それらの特質が相互に作用するときにコンパッションが生まれるという理解に基づいているのです。

ＧＲＡＣＥの実践

どのようにＧＲＡＣＥを実践したらよいか、見ていきましょう。

Gather attention　注意を集める

一呼吸置いて、地に足をつける時間をもつよう促すプロセスです。息を吸って、注意を集中させます。息を吐き、力を抜いて注意を身体に委ね、身体の安定している部分を感じとります。呼吸に注意を向けるのもよいでしょう。体内で平衡の保たれている部分、たとえば床に触れている足裏や組んだ手を意識するのもよいでしょう。何らかのフレーズや対象となるものに、注意を向けることもできます。注意を集中させる時間を持つと、自分の思い込みや期待といった独り言を中断し、地に足をつけて、今この瞬間に確かに存在できるのです。

Recall our intention　意図を思い出す

誠実に行動する、出会った人々の誠実さに敬意を払う、という誓いを思い起こすプロセスです。私たちの目的は、他者を支援し、自分たちの心を世界に向けて開くことだと心に留めます。この再確認は、わずかな時間でできます。動機となる目的があると、道を外れることなく、道徳に根付いて、高い価値観を持っていられるのです。

Attune to self and then other　自らと調子を合わせ、それから相手と合わせる

波長を合わせるプロセスです。まず、自分自身の身体、感情、思考の状態につながり、次に相手のそれぞれの状態につながります。自分自身に調子を合わせる過程では、注意を自らの身体感覚、感情、思考に向けていきます。いずれも、私たちの他者に対する態度やふるまいとなってあらわれるものです。関わっている相手に刺激された感情的な反応があると、相手を冷静な目で見る能力や思いやりの力に、悪影響を及ぼすかもしれません。自分の反応を自覚したうえで、相手の苦しみの本質

や原因について内省すると、偏らず洞察力のある見方で状況を再認識できます。この同調と再評価のプロセスは、共感に関わる神経回路網につながり、慈悲深く応じる支えとなります。

以上の自分自身への同調をもとに、次は他者に調子を合わせます。相手の経験を中立的立場で感じていきます。これは積極的に「ありのままを見届ける」ことです。関与しつつ共感の力を働かせている瞬間でもあります。身体的に（身体的共感）、感情的に（情動的共感）、認知的に（他者視点取得）、他者に同調するのです。この同調のプロセスを通じて、起こりうることへの想像、つまり、いかなることが生じても立っていられる余地を広げるのです。自分、他者双方への同調が豊かであるほど、想像力も深まるでしょう。

Consider what will serve　何が役立つか考える

冷静な理解に根差しつつ、私たち自身の直感や洞察も加味し、適切な判断をするプロセスです。「この状況において、智慧とコンパッションに基づく道はどのようなものか。どのように応じるのがふさわしいか」と自らに問いかけます。相手のためにしっかりとその場にいながら、何が相手のために役立つか感じとり、洞察力を働かせて、相手がこの瞬間に経験していることを読み取るのです。その状況に影響を与えている構造的要因、たとえば組織からの要求や社会からの期待も考慮に入れます。

自分の専門性、知識、経験を活かしながらも、心を開いて新たな角度からものごとを捉えるようにします。自分の洞察が、想定した領域を超えて広がりをみせることもあるでしょう。判断するプロセスは時間を要します。ですから、結論に慌てて飛びつこうとしてはいけません。何が役立つか考えるには、意識も感情も均衡を保つことが肝心となります。しっかりとした道徳観、自らの先入観の自覚、苦しむ人が何を感じ何を求めているかに同調することも必須です。さらに、謙虚さも適切な判断を導く重要な要素です。

Engage and end　関与をもって実行し、完了する

文の前半が意味しているのは、適切な状況で、倫理に基づき関与し実行することです。慈悲に満ちた行為は、私たちが生みだす心の広がり、結びつき、判断力の領域から生じます。慈悲に満ちた行為として、相手に何かを勧めたり、問いかけたり、提案したりすることもありますし、何もしないのが慈悲に満ちた行為となる場合もあります。相手との相互の信頼関係が深まる時間を、共創するよう努力します。自分の専門性、直感、洞察力を活かして、自らの価値観と一致し、互いに誠実さを保てる共通の土台を探すのです。そうして生まれるコンパッションは、関係するすべての人への敬意に溢れ、実践的で、実利的なものです。

機が熟したら、このコンパッションによる相互交流の時間を「しめくくり」ます。そうすることで、潔く、次の時間、次の相手、次の務めに移っていけるのです。これが完了の意味するところです。

結果が予想以上であっても、がっかりするほど乏しくても、そこで起きたことを認めて受け容れます。ときには自分自身や相手の人を赦す必要があるかもしれません。また、深い感謝のときとなることもあるでしょう。いずれにしても、生じたできごとを認めなければ、この出会いを手放して次へ進むことはできないのです。

7　死と接する場でのコンパッション

さきごろ日本で、終末期ケアの分野で働く人々にGRACEを紹介しました。参加者に、生も死も多難でままならないものだと話しました。完璧な結果を期待すべきではないし、ものごとは自分の思いどおりにはいかないと考えたほうがよいのだと。立ち上がって発言した研修医は、日々患者の求めに応じようとしながら感じる不安について語りました。自分の担当しているフロアのがん患者のひとりが緩和ケア病棟に移されたとき、敗北したように感じ、患者の期待を裏切った気がしたと言いました。彼の道徳心は砕け、自分の不安や嘆きに対処する時間すらないと気づき、パニックになりました。次々と彼の助けを必要としてくる患者たちへの務めを果たす時間さえも足りないのです。虚無感にとらわれたように感じ、コンパッションと優しさが失われていきました。失意のどん底に陥り、自殺を考えましたが、家族を傷つけたくはありませんでした。

明らかに、この医師は死と接する場所に身を置いています。自分自身の要因と社会的要因の、双方の部分から成る場所です。燃え尽き、ストレス、罪悪感、道徳心の低下、パニック、虚無感、失望、希死念慮、こうしたものが組み合わさると死へと導かれる危険が極めて高くなります。その医師は、絶望的な状況から抜け出す道を見出せるかどうか、GRACEに取り組んでみると語りました。彼の話を聴きながら、チベットで死と接する場を訪れた経験がよみがえりました。

チベット西部のカイラス山に旅するといつも、ダキニ葬場に登って行きます。荒涼とした岩だらけの台地まで、山の西側の細道を登ります。そこは「鳥葬(天葬)」を行うために死体を捧げる場所なのです。チベット語では「jhator」、すなわち「鳥に施しものを撒く」と呼ばれています。その場所で、山となった骨と、血や脂や排泄物の堆積の中で、歩く瞑想をします。腐敗臭が冷風の吹きすさぶ中でも鼻を突きます。ハゲワシの羽ばたきが聞こえ、近くでジャッカルの吠える声もします。

初めてここを訪れたとき、頭蓋骨を割られた顔面をふたつ目にしました。毛髪は絡まって血まみれでした。震撼しました。こうした血に覆われた頭部を踏まないように気をつけながら、私は立っていられないほどでした。すると古びた軍服を着た男性が近づいてきて、生々しい遺体の中に横たわるよう私に身振りで示しました。あたりに目をやると、チベット人がそこここで遺体の断片の中に坐していました。ある女性は自分の舌を針で刺し、ある人は指を刺しています。血を流すことが、死と再生を象徴する捧げものだったのです。

軍服の男性は私をにらみ、またジェスチャーで冷たくぬめりのある地面を示しました。私はゆっくりと腰を下ろし、血痕や何かが散乱する岩の地面に横たわりました。男性は、錆びた長いナイフをコートの内の鞘から取りだし、私の身体を切断するジェスチャーを始めました。恐怖と嫌悪が押し寄せました。しかし、私もまた血であり骨である、と気づいたのです。嫌悪感は去り、雪を頂いたカイラス山を見つめました。遅かれ早かれ私もまた死ぬのだと、心に刻みました。すると、ある考えが脳裏をよぎりました。「今を十分に生きるべきではないか。他者の苦しみの終焉のために生きるべきではないか。それより他に、人生で成し遂げたいことはないのではないか」。

ある意味、この一風変わった体験はとりたてて珍しいものではありません。私たちは血と骨と内臓でできていると、緊急治療室に行くたびに思い出します。それでもカイラスは明らかに聖地であり、遺体の切断を象徴する儀式は、無常という真実と自らの死に、目を開かせる通過儀礼となるのです。私にとって、この経験は非常に厳しいものでしたが、トラウマを負うことはありませんでした。むしろ解放されました——はっきりと見えたものには、人は恐れを抱きにくくなるのです。

必ずしもチベットや戦闘地域に行って、死と接する場で修行せねばならないわけではありません。苦しみのある場はどんな環境でも、比喩的には死と接する場となります。日本の病院、学校の教室、家庭内の暴力、精神病院、ホームレスの救護施設、難民キャンプ、そして特権的な場、たとえば重役会議室、ウォール街の取引所、メディアの有力者のオフィスであっても、死と接する場となり得ます。事実どこであれ、恐れ、抑うつ、怒り、失望、軽蔑、欺瞞が生じているなら、私たちの心の中も含め、死と接する場なのです。

職業や使命がいかなるものであっても、死と接する場での修行の実践は可能です。苦しみの程度にかかわらず、その只中に坐せばよいのです。崖縁を踏みはずしたときに陥る沼地、これもまた、死と接する場です。自身の困難と向き合わねばならない場所であり、どん底で苦闘する他者へのコンパッションも、この沼地でたくましく育ちます。

自らの内面にある死と接する場において苦しんでいるとき、人は病的な利他性、共感疲労、道徳的苦しみ、軽蔑、燃え尽きに陥る危険にさらされます。しかし、広く深い視野で見渡すならば、死と接する場は単なる荒廃の地ではなく、無限の可能性の地だと分かります。仕事仲間のフリート・モールは、麻薬取引の罪で一四年間収監されていましたが、刑務所内で瞑想を実践した経験を、死と接する場での修行になぞらえます。

刑務所は修行の環境としてはきついものです。貪欲、憎しみ、過ちがはびこる、この死と接する場から、彼は得たことがあると言います。著作『刑務所という地獄で仏法を学ぶ（Dharma in Hell）』（未邦訳）に、フリート・モールはこのように記しています。「一四年間刑務所内で、殺人、強姦、銀行強盗、児童性的虐待、脱税、麻薬取引、想像できるかぎりあらゆる種類の犯罪者と共に過ごしたうえで、はっきりと確信した。あらゆる人間の性質は、本質的に善いものであると。一点の曇りもなく、私はそう考える」。[49] フリートと同じように、私も贖罪は可能だと信じています。いかなる状況にも、私たちにとって学びとなる何か、本来の智慧に導いてくれる何かが、備わっているのです。

チベットの多くの曼荼羅（まんだら）では、中央部を護るように円形の外周が配されます。この円の八カ所に、死骸、腐肉をあさる動物、骨や血が溢れかえる墓場が描かれています。人生の無常という本質を観想するのに、墓所ほどふさわしい場所はありません。この外周の円は、恐れのある者や心構えができていない者が中に入るのを阻む障壁の役割があります。この円形の領域で、私たちの修行のつぼみも開花します。死と腐敗の只中で平静さを見出すならば、曼荼羅の中央にいるブッダとなれるでしょう。[50]

地獄からの救済

死と接する場での勇気、智慧、コンパッションの好例は、地蔵菩薩です。地蔵菩薩は、他者や自らの苦しみの地獄道にあっても均衡を保ち続ける力を表象しています。地蔵菩薩は、自分がブッダの悟りにいたるのは、皆が救われ地獄に誰もいなくなってからだと誓いました。[51] しばしば普通の僧侶の姿をしており、袈裟を身に着け、剃髪(ていはつ)しています。女性の場合もあります。左手に如意宝珠(にょいほうじゅ)を持ち、闇を照らします。右手には錫杖(しゃくじょう)という、六つの遊環が付いた杖を持っています。遊環(ゆかん)は音を立てるので、虫や小動物に地蔵菩薩が通るのを知らせ、うっかり生き物を傷つけないようにします。[52] 錫杖の六つの遊環は、全存在を含む六道の世界、すなわち天道、修羅道、餓鬼道、地獄道、畜生道、人間道を象徴します。

地蔵は、境界にある存在です。菩薩であり僧侶、男性であり女性でもあります。地蔵は錫杖で地獄の門を叩き、門が開くと、火炎のるつぼに下りていき、大勢の苦しみに苛まれる者の中に身を置きます。やみくもに救出しようとするのではなく、両腕を大きく広げます。すると、救いを求める者たちが、地蔵の袈裟から垂れて波打つ袖に飛びつくのです。

地蔵のように、私たちも苦しむ者に寄り添い、地獄から助け出される者、安らぎと善の道に帰依しようとする者のために、道をひらくことができます。たとえ自分も苦しみにあったとしても、他者や自らにコンパッションを注ぐことは可能です。とはいえ菩薩の道は、たやすいものではありません。私たちがこれを成すには、マインドフルで、決意と底知れない好奇心と勇気を持って、地獄道に立ち入る強さが必要です。人々が自由への道を見出せるよう、地蔵の心を持ち、生と死の岐路に立つのです。

魔鏡

さきごろ日本を旅行中に、「魔鏡」を見る機会がありました。鋳造の青銅鏡です。魔鏡は非常に珍しい神聖なもので、古来の神秘的な工芸技術を今も受け継いで製作できるのは、日本でも一家族だけです。この稀有な鏡の裏面には、竜文様が、力と幸運の象徴として浮き上がっています。青銅を念入りに磨きだした鏡面には、ガラスの鏡のように私の顔が映りました。極めて精巧に作られてはいるものの、鏡としては普通に見えました。

しかし驚いたことに、鏡に反射する光が暗い壁を照らしたとき、地蔵菩薩の姿が壁に映し出されたのです。青銅の内面に文様が隠されていたのでした。僧侶の剃髪した頭部と、胸にゆったりとひだのある袈裟が、壁に浮かぶ反射光の輝きの輪の中に陰影となって現れます。地蔵は頭部から光線が溢れ、まるで太陽の真ん中に立っているようです。錫杖は大地を突き、地獄の門を開けようとしています。堅固な青銅の外観の中に、神秘が宿っていたのです。

私たちが世界を映す鏡だとしたら、心の奥深くに目に見えないかたちで埋め込まれているのは、苦しむ者を解放する菩薩です。地蔵菩薩の大いなるコンパッションの力は、光によって露わになるまで隠されていました。ただし、その姿を見るのに、もうひとつ必要な要素があります――暗闇です。暗がりに投影されたときだけ、地蔵菩薩の姿は現れます。この闇と光の融合、苦しみと償いの融合が、地蔵が向き合う状況、つまり地獄道、暮らしの中の死と接する場で私たちが出合うものを物語っています。

厳しい逆境を経てきた人々の中には、世界に対するある種の復讐として害をもたらすという手段に出る人もいます。その一方で、自分が経験したような苦しみにある人々を助ける職業に就く人もいます。虐待、依存症、いじめ、構造的抑圧の中で生きてきた人は、地蔵のように、他者と連れ立って苦しみの闇から抜け出す使命を感じることがあります。こうした人たちは、地蔵がそうであるように、破綻した状況にあっても人間の精神は善良さへと向き直る可能性が大いにあると気づきます。こうして、彼らのコンパッションと智慧に生命が吹き込まれるのです。彼らは、揺るぎない大地へ、切り立つ崖の縁へと戻る道も見出した人たちです。その展望の開けた場所で、万物は相互につながっているという真実を俯瞰し、恐れと勇気の織りなすさまを広く見渡すのです。

崖に立つと、苦しみの世界と向き合う決意は使命となります。それとともに、いかなることに直面しているときも、コンパッションが、私たちを苦しみから解き放ち、力と均衡、究極の自由を運ぶ、偉大な乗り物なのだと分かるようになります。そして、誰もが等しく、人生を、世界を、運命を共に分かち合っているのだと知るのです。

パフォーマンス・アーティストのマリーナ・アブラモヴィッチは、かつてこう言いました。「崖では、人はまさに今この瞬間に存在しています。落ちるかもしれないと思うからです」。[53] 転落の危険性は、今この瞬間こそが唯一の現実であり、身を委ねるべき唯一の真実の場であることを意識させます。崖に立つとき、人は自らの内外の苦しみから目を背けることはできません。崖では、利他性、共感、誠実さ、敬意、心からの関与を抱いて人生と対峙せねばなりません。もしも足もとの地盤が崩れてきて有害な方へ傾きかけたら、コンパッションの支えを得てしっかりと足を踏みしめ、人間性の気高い崖に立つのです。そして踏みはずしたとしても、コンパッションが苦しみの奈落から私たちを救い、家路へと戻してくれるでしょう。

謝辞

本書の執筆にあたっては、数多くの友人や師の導きと支えがありました。とりわけ、信頼する腕利きの編集者、クリステン・ベレンゼンに深い感謝を捧げます。その聡明かつ公平な批評で、本書に多大な貢献をしてくださいました。

本書の構想段階で編集者の視点から助言していただいたアーノルド・コトラー、そしてフラットアイアン・ブックス出版のホイットニー・フリック、ボブ・ミラー、ジャスミン・ファウスティーノの編集上の助言と温かな励ましに感謝いたします。

エージェントのステファニー・タディの原稿へのご意見は、インスピレーションの源となり、執筆過程において大変貴重でした。数年にわたる執筆期間を通じて私の支えとなったノア・ロセッターに心から感謝します。引用部分を整えるばかりでなく、いつも私を笑顔にしてくれました。

序文を寄せてくださった、親友レベッカ・ソルニットへの恩を忘れることはありません。真実を語る声である、彼女の社会活動家としての業績は、本書の展開にしっかりと筋を通す支えとなりました。またナタリー・ゴールドバーグの文筆家としての見識から、真心をもって執筆業に身を投じる勇気を得ることができました。

私の人生と本書は、大勢の勇気ある社会活動家から多大な影響を受けています。ファニー・ルー・ヘイマー、フローリンス・ケネディ、ジョン・ディア神父、イヴ・エンスラー、ジョン・ポール・レデラック、ジョディー・エバンス、アラン・セノーク、A・T・アリヤラトネ、その献身的な活動に私は導かれてきました。

そして、ジャーナリストのデイヴィッド・ハルバースタムにお礼申します。一九六〇年代にティック・クアン・ドックの死について胸を打つ話をしてくださいました。あの日、アラン・ローマックスの家で、僧侶の焼身自殺の場で経験されたことをうかがう機会無くしては、とても理解の及ばなかった世界を、私は知ることができました。

人類学者のアラン・ローマックス、メアリー・キャサリン・ベイトソン、グレゴリー・ベイトソン、マーガレット・ミードに敬意を表します。人間の行動と文化について比較文化的視点を与えてくださいました。スタニスラフ・グロフの研究、「積極的分離」によって、私の「知覚の扉」が開かれた恩も忘れません。

終末期ケアの分野で協働する仕事仲間、とりわけシンダ・ラシュトン博士とトニー・バック医師には、コンパッションのトレーニングプログラムや共同研究において、長年にわたり大変お世話になりました。フランク・オスタセスキー、ジャン・ジャナー、レイチェル・ナオミ・リーメン、ゲリー・パステルナーク、キャシー・キャンベルの貢献も、非常にありがたいものでした。

本書の科学的な部分について相談にのっていただいた神経科学者のアルフレッド・カズニアックに感謝します。マインド・アンド・ライフ・インスティチュートの共同創設者、フランシスコ・ヴァレラ、そのメンバーである、エヴァン・トンプソン、リチャード・デビッドソン、ダニエル・ゴールマン、アントワン・ルッツ、ポール・エクマン、ヘレン・ウェン、ナンシー・アイゼンバーグ、ダニエル・バトソン、アミシ・ジャ、スーザン・バウアー・ウ、ジョン・ダンにもお礼申します。その研究のおかげで、私は神経科学を理解し、社会心理学における精神状態と性格特性の関連を知ることができました。また、クリスティーナ・マスラックとローリー・リーチによる燃え尽きとトラウマについての研究が、今日の世界が直面する苦しみへの私の理解を助けました。

そして、偉大な仏教指導者の光明のおかげで、本書に輝きがもたらされました。ダライ・ラマ法王、ティク・ナット・ハン、バーニー・グラスマン老師、イブ・マーコ老師、ジシュ・アンギョ・ホームズ老師、エンキョ・オハラ老師、フリート・モール老師、ノーマン・フィッシャー老師、マチウ・リカール、チャグダッド・トゥルク・リンポチェ、シャロン・サルツバーグ、そして画家、翻訳家、社会活動家である棚橋一晃氏に感謝いたします。

環境問題活動家のウィリアム・デバイスとマーティ・ピールから生物科学的システムについて学んだすべてに、謝意を表します。ブランダイス大学の海洋生物学者、ジェローム・ウォディンスキー博士が、かつてビミニのラーナー・マリン・ラボラトリーでマダコの世界に招き入れてくださったのもありがたいことでした。タフツ大学の海洋生物学者で神経生理学者、エドワード（ネッド）・ホジソンは、私をサメの世界へ導いてくださり、海への愛に火がつきました。

ウパーヤのノマド・クリニック（移動診療所）の仲間からは、多くのことを教わりました。テンジン・ノルブー、プレム・ドーチ・ラマ、ツェリン・ラマ、パサン・ラム・シェルパ・アキタ、トーラ・アキタ、ドルポ・リンポチェ、チャールズ・マクドナルド、ウェンディ・ルー、その他大勢の医療関係者や友人が、ヒマラヤの高地の診療所で奉仕活動にあたり、その献身的で勇気ある姿は本書の多くのエピソードに反映されています。

ジョーシン・ブライアン・バーンズ、コショ・デュレル、キャシー・ムーアは、ホームレスであることを受け止める取り組みにおいて卓越した見識を示されました。仏教指導者となったゲンザン・ケネル、イレーヌ・バッカー、シンザン・パルマは、仏法を尊重して、他者への奉仕活動に取り組まれました。

親友のデヴィッド・スタインドル・ラストと、ラム・ダスは、長きにわたって私の傍らで、導きとインスピレーションを与えてくださいました。両者の智慧が、本書に投影されています。

ウパーヤで、強い志をもって仏教者を目指す者たちからも多くを教えられ、大変ありがたく思います。中でもウィリアム・ギルド、ミシェル・ルディ、アンジェラ・カルーソ・ヤンの経験は本書にも取り上げています。

心理学者のローレル・キャラハーに深く感謝します。ニューメキシコ州刑務所でボランティアとして奉仕活動を行う、意義深い仕事に誘ってくださいました。

芸術は私の気づきとひらめきの源として大切です。アーティストのジョー・デイビットと小田まゆみ氏に謝意を表します。魔鏡を製作する山本晃久氏を紹介してくださった松山幸子氏、長瀬光恵氏に感謝いたします。文筆家であるピコ・アイヤー、クラーク・ストランド、ジェーン・ハーシュフィールド、デイヴィット・ホワイト、ウェンデル・ベリー、ジョゼフ・ブールカックの著作と言葉から与えられた恩恵に感謝します。

血のつながった家族への私の愛も、本書の複数の章にうかがえるでしょう。父ジョン・ハリファックスと母ユーニス・ハリファックス、そしてヴェローナ・フォンテと彼女の子供たち、ジョンとデーナに感謝します。重い病気を患う子供だった私を世話してくれた、リラ・ロビンソンに恩を感じています。

長年にわたり格別の厚意をもって私の仕事を支えてくれた、バリー・ハーシーとコニー・ハーシー、ジョン・クルージュとトゥチィ・クルージュ、トム・ドリスコルとナンシー・ドリスコル、ローレンス・ロックフェラー、ピエール・オミダイアとパム・オミダイア、そしてアン・ダウンに感謝いたします。私の多くのプロジェクトに惜しみない支援をいただき、新たな地平がひらかれました。自ら崖に立つリスクを冒しても、他者に奉仕できるようになり努力を重ねることができました。

本書のために尽力された方々に、心よりお礼申し上げます。そして、本書において私の理解に誤りがありましたらお詫びしたく、ここに著したすべての内容の責任は筆者にあります。正統な科学や伝統的な仏教の考えに沿わない部分もあるかと存じますが、私自身があるがままに知ったこと学んだことをもとに執筆させていただきました。

html?ref=oembed.

(46) Pico Iyer, "The Value of Suffering," *New York Times*, September 7, 2013, retrieved August 17, 2017, at www.nytimes.com/2013/09/08/opinion/sunday/the-value-of-suffering.html.

(47) "Taming Your Wandering Mind | Amishi Jha | TEDxCoconutGrove," YouTube video, 18:46, posted by "TEDx Talks," April 7, 2017, https://m.youtube.com/watch?feature=youtu.be&v=Df2JBnql8lc.

(48) Thích Nhất Hạnh, *Peace of Mind: Being Fully Present* (Berkeley, CA: Parallax Press, 2013).

(49) Fleet Maull, *Dharma in Hell: The Prison Writings of Fleet Maull* (South Deerfield, MA: Prison Dharma Network, 2005).

(50) Ibid.

(51) "Kshitigarbha," *Wikipedia*, https://en.wikipedia.org/wiki/Kshitigarbha.

(52) Ibid.

(53) Marina Abramović, presentation at the Lensic Performing Arts Center in Santa Fe, August 23, 2016.

(32) Thanissaro Bhikkhu, trans., "Assutavā Sutta (SN 12.61 PTS: S ii 94)," Access to Insight, 2005, www.accesstoinsight.org/tipitaka/sn/sn12/sn12.061.than.html.

(33) Thanissaro Bhikkhu, trans. "Kāḷigodha Sutta: Bhaddiya Kāḷigodha (Ud 2.10)," Access to Insight, 2012, www.accesstoinsight.org/tipitaka/kn/ud/ud.2.10.than.html.

(34) Letter of 1950, as quoted in *The New York Times* (March 29, 1972) and the *New York Post* (November 28, 1972).

(35) Huangbo Xiyuan, *The Zen Teachings of Huang Po: On the Transmission of Mind* (n.p., Pickle Partners Publishing, 2016).

(36) Sean Murphy, *One Bird, One Stone: 108 Zen Stories* (Newburyport, MA: Hampton Roads Publishing, 2013), 133.

(37) William Blake, *The Book of Urizen*, The Poetical works, 1908, Chapter 5, verse 7 www.bartleby.com/235/259.html.

(38) Teddy Wayne, "The End of Reflection," *New York Times*, June 11, 2016, www.nytimes.com/2016/06/12/fashion/internet-technology-phones-introspection.html.

(39) Ibid.

(40) Hermann Hesse, *My Belief: Essays on Life and Art* (New York: Farrar, Straus & Giroux, June 1974).

(41) J. M. Darley and C. D. Batson, "From Jerusalem to Jericho: A Study of Situational and Dispositional Variables in Helping Behavior," *Journal of Personality and Social Psychology* 27, no. 1 (1973): 100-08, http://Faculty.babson.edu/krollag/org_site/soc_psych/darley_samarit.html.

(42) Scott Slovic and Paul Slovic, "The Arithmetic of Compassion," *New York Times*, December 4, 2015, www.nytimes.com/2015/12/06/opinion/the-arithmetic-of-compassion.html.

(43) Ibid.

(44) K. Luan Phan, Israel Liberzon, Robert C. Welsh, Jennifer C. Britton, and Stephan F. Taylor, "Habituation of Rostral Anterior Cingulate Cortex to Repeated Emotionally Salient Pictures," *Neuropsychopharmacology* 28 (2003): 1344-50, www.nature.com/npp/journal/v28/n7/full/1300186a.html.

(45) Donatella Lorch, "Red Tape Untangled, Young Nepalese Monks Find Ride to Safety," *New York Times*, June 19, 2015, www.nytimes.com/2015/06/20/world/asia/red-tape-untangled-young-nepalese-monks-find-ride-to-safety.

(19) A. Lutz, D. R. McFarlin, D. M. Perlman, T. V. Salomons, and R. J. Davidson, "Altered Anterior Insula Activation During Anticipation and Experience of Painful Stimuli in Expert Meditators," *NeuroImage* 64 (2013): 538-46, http://doi.org/10.1016/j.neuroimage.2012.09.030.

(20) Lutz A. Brefczynski-Lewis, J. Johnstone, T. Davidson RJ. "Regulation of the neural circuitry of emotion by compassion meditation: Effects of meditative expertise." *PLoS One.* 2008;3(3):e1897.

(21) Helen Y. Weng, Andrew S. Fox, Alexander J. Shackman, Diane E. Stodola, Jessica Z. K. Caldwell, Matthew C. Olson, Gregory M. Rogers, and Richard J. Davidson, "Compassion Training Alters Altruism and Neural Responses to Suffering," PMC, www.ncbi.nlm.nih.gov/pmc/articles/PMC3713090/.

(22) Emma Seppälä, "The Science of Compassion," Emma Seppälä's website, May 1, 2017, www.emmaseppala.com/the-science-of-compassion.

(23) "Georges Lucas on Meaningful Life Decisions," Goalcast, January 6, 2017, www.goalcast.com/2017/01/06/georges-lucas-choose-your-path.

(24) Marvin Meyer, *Reverence for Life: The Ethics of Albert Schweitzer for the Twenty-First Century* (Syracuse, NY: Syracuse University Press, 2002).

(25) C. D. Cameron and B. K. Payne, "Escaping Affect: How Motivated Emotion Regulation Creates Insensitivity to Mass Suffering," *Journal of Personality and Social Psychology* 100, no. 1 (2011): 1-15.

(26) Zoë A. Englander, Jonathan Haidt, James P. Morris, "Neural Basis of Moral Elevation Demonstrated through Inter-Subject Synchronization of Cortical Activity during Free-Viewing," *PLoS ONE* 7, no. 6 (2012): e3938, https://journals.plos.org/plosone/article?id=10.1371/journal.pone.0039384.

(27) Muso Soseki, *Dialogues in a Dream* (Somerville, MA: Wisdom Publications, 2015), 111.（『夢窓国師 夢中問答』佐藤泰舜校訂、岩波書店、1934年）

(28) C. Daryl Cameron and B. Keith Payne, "The Cost of Callousness: Regulating Compassion Influences the Moral Self-Concept," *Psychological Science* 23, no. 3 (2012): 225-29, http://journals.sagepub.com/doi/abs/10.1177/0956797611430334.

(29) Will Grant, "Las Patronas: The Mexican Women Helping Migrants," BBC News, July 31, 2014, www.bbc.com/news/world-latin-america-28193230.

(30) Ibid.

(31) Attributed to Yasutani Roshi in Robert Aitken, *A Zen Wave* (Washington, D.C.: Shoemaker & Hoard, 2003).

assets/basic-html/index.html#420.

(9) Julianne Holt-Lunstad, Timothy B. Smith, and J. Bradley Layton, "Social Relationships and Mortality Risk: A Meta-Analytic Review," *PLoS Medicine* 7, no. 7 (2010), https://doi.org/10.1371/journal.pmed.1000316.

(10) Sara Konrath, Andrea Fuhrel-Forbis, Alina Lou, and Stephanie Brown, "Motives for Volunteering Are Associated with Mortality Risk in Older Adults," *Health Psychology* 31, no. 1.

(11) K. J. Kemper and H. A. Shaltout, "Non Verbal Communication of Compassion: Measuring Psychophysiologic Effects," *BMC Complementary and Alternative Medicine* 11, no. 1 (2011): 132.

(12) Lawrence D. Egbert and Stephen H. Jackson, "Therapeutic Benefit of the Anesthesiologist-Patient Relationship," *Anesthesiology* 119, no. 6 (2013): 1465-68, doi:0.1097/ALN.0000000000000030.

(13) S. Steinhausen, O. Ommen, S. Thum, R. Lefering, T. Koehler, E. Neugebauer, et al., "Physician Empathy and Subjective Evaluation of Medical Treatment Outcome in Trauma Surgery Patients," *Patient Education and Counseling* 95, no. 1 (2014): 53-60.

(14) C. M. Dahlin, J. M. Kelley, V. A. Jackson, and J. S. Temel, "Early Palliative Care for Lung Cancer: Improving Quality of Life and Increasing Survival," *International Journal of Palliative Nursing* 16, no. 9 (September 2010): 420-23, doi:10.12968/ijpn.2010.16.9.78633.

(15) S. Del Canale, D. Z. Louis, V. Maio, X. Wang, G. Rossi, M. Hojat, and J. S. Gonnella, "The Relationship between Physician Empathy and Disease Complications: An Empirical Study of Primary Care Physicians and Their Diabetic Patients in Parma, Italy," *Academic Medicine* 87, no. 9 (September 2012):1243-49, doi:10.1097/ACM.0b013e3182628fbf.

(16) J. M. Kelley, G. Kraft-Todd, L. Schapira, J.Kossowsky, and H. Riess, "The Influence of the Patient-Clinician Relationship on Healthcare Outcomes: A Systematic Review and Meta-Analysis of Randomized Controlled Trials," *PLoS ONE* 9, no. 4 (2014): e94207.

(17) D. Rakel, B. Barrett, Z. Zhang, T. Hoeft, B. Chewning, L. Marchand L, et al., "Perception of Empathy in the Therapeutic Encounter: Effects on the Common Cold," *Patient Education and Counseling* 85, no. 3 (2011): 390-97.

(18) "Top Ten Scientific Reasons Why Compassion Is Great Medicine," Hearts in Healthcare, http://heartsinhealthcare.com/infographic/.

容録』安谷白雲著、春秋社、1973年や、従容録 https://www.sets.ne.jp/~zenhomepage/shouyou1.1.html など）
（33） Ibid.
（34） Dainin Katagiri, *Each Moment Is the Universe: Zen and the Way of Being Time* (Boston: Shambhala, 2008).
（35） Ibid.
（36） "iWILLinspire Shonda Rhimes TED Talks the Year of Yes," YouTube video, 19:11, posted by "Ronald L Jackson," February 18, 2016, www.youtube.com/watch?v=XPlZUhf8NCQ.（日本語字幕版はションダ・ライムズ TED2016「すべてにイエスという年」https://www.ted.com/talks/shonda_rhimes_my_year_of_saying_yes_to_everything?language=ja）
（37） Omid Sofi, "The Disease of Being Busy," *On Being*, November 6, 2014, www.onbeing.org/blog/the-disease-of-being-busy/7023.

6 崖（エッジ）でのコンパッション

（1） Shantideva, adapted from the translation by Stephen Batchelor, *A Guide to the Bodhisattva Way of Life* (Boston: Shambhala, 1997), 144:55.（『入菩薩行論』の邦訳は、『河口慧海著作選集12 入菩薩行』シャンテ・デーヴァ著、河口慧海訳、慧文社、2016年）
（2） His Holiness the Dalai Lama, "Dalai Lama Quotes on Compassion," Dalai Lama Quotes, www.dalailamaquotes.org/category/dalai-lama-quotes-on-compassion/.
（3） His Holiness the Dalai Lama, "Compassion and the Individual," Dalai Lama's website, www.dalailama.com/messages/compassion-and-human-values/compassion.
（4） Line Goguen-Hughes, "Survival of the Kindest," *Mindful*, December 23, 2010, www.mindful.org/cooperate/.
（5） Charles Darwin, *The Descent of Man* (New York: Penguin Classics, 2004), 126.（『人間の由来』チャールズ・ダーウィン著、長谷川眞理子訳、講談社、2016年）
（6） Ibid., 134.
（7） Ibid.
（8） "Compassion-Bridging Practice and Science-page 420," Compassion: Bridging Practice and Science, http://www.compassion-training.org/en/online/files/

(17) Senior, "Can't Get No Satisfaction."

(18) Thomas Merton, *Conjectures of a Guilty Bystander* (New York: Image/Doubleday, 1968).

(19) Omid Sofi, "The Thief of Intimacy, Busyness," November 13, 2014, *On Being*, https://onbeing.org/blog/the-thief-of-intimacy-busyness/.

(20) Hermann Hesse, *My Belief: Essays on Life and Art* (New York: Farrar, Straus & Giroux: 1974).

(21) Rasmus Hougaard and Jacqueline Carter, "Are You Addicted to Doing?," *Mindful*, January 12, 2016, www.mindful.org/are-you-addicted-to-doing/.

(22) Brandon Gaille, "23 Significant Workaholic Statistics," Brandon Gaille's website, May 23, 2017, https://brandongaille.com/21-significant-workaholic-statistics/.

(23) Cara Feinberg, "The Science of Scarcity," *Harvard Magazine*, May-June 2016, https://harvardmagzine.com/2015/05/the-science-of-scarcity.

(24) Douglas Carroll, "Vital Exhaustion," in *Encyclopedia of Behavioral Medicine*, eds. Marc D. Gellman and J. Rick Turner (New York: Springer, 2013), http://link.springer.com/referenceworkentry/10.1007%2F978-1-4419-1005-9_1631.

(25) Sainani, "What, Me Worry?"

(26) Senior, "Can't Get No Satisfaction."

(27) "Impossible Choices: Thinking about Mental Health Issues from a Buddhist Perspective," Jizo Chronicles, http://jizochronicles.com/writing/impossible-choices-thinking-about-mental-health-issues-from-a-buddhist-perspective/. The original article appeared in the anthology *Not Turning Away*, edited by Susan Moon.

(28) Norman Fischer, "On Zen Work," Chapel Hill Zen Center, www.chzc.org/Zoketsu.htm.

(29) Clark Strand, *Meditation without Gurus: A Guide to the Heart of Practice* (New York: SkyLight Paths, 2003).

(30) Thích Nhất Hạnh, *The Heart of the Buddha's Teaching: Transforming Suffering into Peace, Joy, and Liberation* (New York: Broadway Books, 1999).

(31) Henry David Thoreau, *Walden* (London: George Routledge & Sons, 1904).（『ウォールデン 森の生活』ヘンリー・D・ソロー著、今泉吉晴訳、小学館、2004年）

(32) Thomas Cleary, *Book of Serenity: One Hundred Zen Dialogues* (Boston: Shambhala, 2005), case 21.（『従容録』の日本語訳は、『禅の心髄 従

one-mom-s-extraordinary-love-transforms-short-lives-hospice-t67096.

(5) Leah Ulatowski, "Sheboygan Family Opens Home to Hospice Kids," *Sheboygan Press*, January 2, 2016, www.sheboyganpress.com/story/news/local/2016/01/02/sheboygan-family-opens-home-hospice-kids/78147672/.

(6) Ibid.

(7) Olivia Goldhill, "Neuroscience Confirms That to Be Truly Happy, You Will Always Need Something More," *Quartz*, May 15, 2016, http://qz.com/684940/neuroscience-confirms-that-to-be-truly-happy-you-will-always-need-something-more/.

(8) Sara B. Festini, Ian M. McDonough, and Denise C. Park, "The Busier the Better: Greater Busyness Is Associated with Better Cognition," *Frontiers in Aging Neuroscience* (May 17, 2016), doi:10.3389/fnagi.2016.00098.

(9) Kristin Sainani, "What, Me Worry?," *Stanford*, May-June 2014, https://alumni.stanford.edu/get/page/magazine/article/?article_id=70134.

(10) "Herbert Freudenberger," *Wikipedia*, https://en.wikipedia.org/wiki/Herbert_Freudenberger.

(11) Douglas Martin, "Herbert Freudenberger, 73, Coiner of 'Burnout,' Is Dead," *New York Times*, December 5, 1999, www.nytimes.com/1999/12/05/nyregion/herbert-freudenberger-73-coiner-of-burnout-is-dead.html.

(12) "12 Phase Burnout Screening Development Implementation and Test Theoretical Analysis of a Burnout Screening Based on the 12 Phase Model of Herbert Freudenberger and Gail North," *ASU* International Edition, www.asu-arbeitsmedizin.corn/12-phase-burnout-screening-development-implementation-and-test-theoretical-analysis-of-a-burnout-screening-based-on-the-12-phase-model-of-Herbert-Freudenberger-and-Gail-Nor,QUlEPTYyMzQ1MiZNSUQ9MTEzODIx.html (page discontinued).

(13) Jesús Montero-Marín, Javier García-Campayo, Domingo Mosquera Mera, and Yolanda López del Hoyo, "A New Definition of Burnout Syndrome Based on Farber's Proposal," *Journal of Occupational Medicine and Toxicology* 4 (2009): 31, www.ncbi.nlm.nih.gov/pmc/articles/PMC2794272/.

(14) Senior, "Can't Get No Satisfaction."

(15) Ibid.

(16) Judith Graham, "Why Are Doctors Plagued by Depression and Suicide?: A Crisis Comes into Focus," *Stat*, July 21, 2016, www.statnews.com/2016/07/21/depression-suicide-physicians/.

low-we-go-high.
(27) Bill Ashcroft, Gareth Griffiths, and Helen Tiffin, *Key Concepts in Post-Colonial Studies* (London: Routledge, 2000), 173.
(28) Thanissaro Bhikkhu, trans., "Angulimala Sutta: About Angulimala," Access to Insight, 2003, www.accesstoinsight.org/tipitaka/mn/mn.086.than.html.（アングリマーラ経の日本語訳は、『原始仏典第六巻中部経典 III』中村元監修、森祖道、浪花宣明編集、田辺和子、浪花宣明、山口務、勝本華蓮、岡野潔、林寺正俊訳、春秋社、2005 年）
(29) Ibid.
(30) Arieh Riskin, Amir Erez, Trevor A. Foulk, Kinneret S. Riskin-Geuz, Amitai Ziv, Rina Sela, Liat Pessach-Gelblum, and Peter A. Bamberger, "Rudeness and Medical Team Performance," *Pediatrics* (January 2017), http://pediatrics.aappublications.org/content/early/2017/01/06/peds.2016-2305.
(31) Personal communication with the author, 2016.
(32) Thích Nhất Hạnh, *Interbeing: Fourteen Guidelines for Engaged Buddhism*, rev. ed. (Berkeley, CA: Parallax Press, 1993).
(33) Thích Nhất Hạnh, *The Heart of the Buddha's Teaching: Transforming Suffering into Peace, Joy, and Liberation* (New York: Broadway Books, 1999).
(34) *Collected Wheel Publications*, vol. XXVII, numbers 412-430 (Sri Lanka: Buddhist Publication Society, 2014), 140.
(35) Lord Chalmers, *Buddha's Teachings: Being the Sutta Nipata or Discourse Collection* (Cambridge, MA: Harvard University Press, 1932), 104-05.（マーラの経典の邦訳は、『原始仏典 II 相応部経典第一巻』中村元監修、前田專學編集、中村元訳、春秋社、2011 年）

5 関 与

(1) C. Maslach and M. P. Leiter, *The Truth About Burnout: How Organizations Cause Personal Stress and What to Do About It* (San Francisco: Jossey-Bass, 1997).
(2) David Whyte, *Crossing the Unknown Sea: Work as a Pilgrimage of Identity* (New York: Riverhead Books, 2001).
(3) Jennifer Senior, "Can't Get No Satisfaction," *New York*, October 24, 2007, http://nymag.com/news/features/24757/.
(4) Cori Salchert, "How One Mom's Extraordinary Love Transforms the Short Lives of Hospice Babies," *Today*, June 20, 2016, www.today.com/parents/how-

（10） Kazuaki Tanahashi, ed., *Treasury of the True Dharma Eye: Zen Master Dogen's* Shobo Genzo (Boston: Shambhala, 2013), 46.（道元『正法眼蔵』の、棚橋一晃氏編集の英訳）

（11） Denise Thompson: *A Discussion of the Problem of Horizontal Hostility,* November 2003, 8. http://users.spin.net.au/~deniset/alesfem/mhhostility.pdf.

（12） Gary Namie, *2014 WBI US. Workplace Bullying Survey* (Bellingham, WA: Workplace Bullying Institute, 2014), 10, http://workplacebullying.org/multi/pdf/WBI-2014-US-Survey.pdf.

（13） Jan Jahner, "Building Bridges: An Inquiry into Horizontal Hostility in Nursing Culture and the use of Contemplative Practices to Facilitate Cultural Change" (Buddhist Chaplaincy Training Program thesis, Upaya Zen Center, Santa Fe, NM: 2011), 46-47, www.upaya.org/uploads/pdfs/Jahnersthesis.pdf

（14） Ibid., 47.

（15） Florynce Kennedy, *Color Me Flo: My Hard Life and Good Times* (Englewood Cliffs, NJ: Prentice-Hall, 1976).

（16） Gloria Steinem, "The Verbal Karate of Florynce R. Kennedy, Esq.," *Ms.*, August 19, 2011, http://msmagazine.com/blog/2011/08/19/the-verbal-karate-of-florynce-r-kennedy-esq.

（17） Ibid.

（18） Namie, *2014 WBI U.S. Workplace Bulling Survey.*

（19） Jahner, "Building Bridges."

（20） Ibid.

（21） Namie, *2014 WBI U.S. Workplace Bullying Survey.*

（22） Nicholas Kristof, "Donald Trump Is Making America Meaner," *New York Times,* August 13, 2016, www.nytimes.com/2016/08/14/opinion/sunday/donald-trump-is-making-america-meaner.html.

（23） "The Trump Effect: The Impact of the Presidential Campaign on Our Nation's Schools," Southern Poverty Law Center, April 13, 2016, www.splcenter.org/20160413/trump-effect-impact-presidential-campaign-our-nations-schools.

（24） Karen Stohr, "Our New Age of Contempt," *New York Times,* January 23, 2017, www.nytimes.com/2017/01/23/opinion/our-new-age-of-contempt.html.

（25） Michelle Rudy, email message to the author.

（26） "Michelle Obama: 'When They Go Low, We Go High,' " MSNBC, July 26, 2016, www.msnbc.com/rachel-maddow-show/michelle-obama-when-they-go-

California Press, 2013).
(21) *I Am Not Your Negro*, directed by Raoul Peck (New York: Magnolia Pictures, 2016).（『わたしはあなたのニグロではない』ラウル・ペック監督、ジェームズ・ボールドウィン原作、日本公開 2018 年）
(22) Ibid.
(23) Heather Knight, "What San Franciscans Know About Homeless Isn't Necessarily True," *SFGate*, June 29, 2016, www.sfgate.com/bayaiea/article/What-San-Franciscans-know-about-homeless-isn-t-7224018.php.
(24) Thanissaro Bhikkhu, trans., "Katañňu Suttas : Gratitude," Access to Insight, 2002, www.accesstoinsight.org/tipitaka/an/an02/an02.031.than.html.
(25) Cynda Hylton Rushton, *Cultivating Moral Resilience, American Journal of Nursing* 117, no.2 (February 2017): S11-S15, doi:10.1097/01.NAJ.0000512205.93596.00.

4 敬 意

(1) Tom L. Beauchamp, James F. Childress. *Principles of Biomedical Ethics* (5th ed.). (New York: Oxford University Press, 2001).
(2) William Ury, *The Third Side: Why We Fight and How We Can Stop* (New York: Penguin Books, 2000).
(3) Tom L. Beauchamp, James F. Childress. *Principles of Biomedical Ethics* (5th ed.). (Oxford UK.: Oxford University Press, 2001).
(4) Joan Didion, "On Self-Respect: Joan Didion's 1961 Essay from the Pages of Vogue," October 22, 2014, www.vogue.com/article/joan-didion-self-respect-essay-1961.
(5) Ibid.
(6) Ibid.
(7) "Pope Francis: Gestures of Fraternity Defeat Hatred and Greed," Vatican Radio, March 24, 2016, http://en.radiovaticana.va/news/2016/03/24/pope_francis_gestures_of_fraternity_defeat_hatred_and_greed/1217938.
(8) Saul Elbein, "The Youth Group That Launched a Movement at Standing Rock," *New York Times*, January 31, 2017, www.nytimes.com/2017/01/31/magazine/the-youth-group-that-launched-a-movement-at-standing-rock.html?smid=fb-share&_r=1.
(9) Ibid.

(7) Tasha Fierce, "Black Women Are Beaten, Sexually Assaulted and Killed by Police. Why Don't We Talk About It?," Alternet, February 26, 2015, www.alternet.org/activism/black-women-are-beaten-sexually-assaulted-and-killed-police-why-dont-we-talk-about-it.
(8) Howard Zinn, *You Can't Be Neutral on a Moving Train: A Personal History of Our Times* (Boston: Beacon Press, 2010), 208.
(9) Joanna Bourke, *An Intimate History of Killing: Face-to-Face Killing in Twentieth-Century Warfare* (New York: Basic Books, 1999).
(10) William C. Westmoreland, *A Soldier Reports* (Garden City, NY: Doubleday, 1976), 378.
(11) "Hugh Thompson Jr.," AmericansWhoTellTheTruth.org, www.americanswhotellthetruth.org/portraits/hugh-thompson-jr.
(12) *My Lai*, PBS American Experience (Boston: WGBH, 2010), complete program transcript.
(13) Ed Pilkington, "Eight Executions in 11 Days: Arkansas Order May Endanger Staff's Mental Health," *Guardian*, March 29, 2017, www.theguardian.com/world/2017/mar/29/arkansas-executioners-mental-health-allen-ault.
(14) Ibid.
(15) Rebecca Solnit, "We Could Be Heroes: An Election Year Letter," *Guardian*, October 15, 2012, www.theguardian.com/commentisfree/2012/oct/15/letter-dismal-allies-us-left.
(16) Liana Peter-Hagene, Alexander Jay, and Jessica Salerno, "The Emotional Components of Moral Outrage and their Effect on Mock Juror Verdicts," Jury Expert, May 7,2014, www.thejuryexpert.com/2014/05/the-emotional-components-of-moral-outrage-and-their-effect-on-mock-juror-verdicts/.
(17) Carlos David Navarrete and Daniel M. T. Fessler, "Disease Avoidance and Ethnocentrism: The Effects of Disease Vulnerability and Disgust Sensitivity on Intergroup Attitudes," *Evolution and Human Behavior* 27, no. 4 (2006): 270-82, doi:10.1016/j.evolhumbehav.2005.12.001.
(18) C. Rushton, "Principled Moral Outrage," *AACN Advanced Critical Care* 24, no. 1 (2013), 82-89.
(19) Lauren Cassani Davis, "Do Emotions and Morality Mix?" *Atlantic*, February 5, 2016, www.theatlantic.com/science/archive/2016/02/how-do-emotions-sway-moral-thinking/460014/.
(20) Sarah Schulman, *The Gentrification of the Mind* (Berkeley: University of

(27) Amanda Palmer, "Playing the Hitler Card," *New Statesman*, June 1, 2015, www.newstatesman.com/2015/05/playing-hitler-card.
(28) " 'I Have No Idea How You Feel,' " *Harvard Magazine*, April 5, 2014, http://harvardmagazine.com/2014/04/paradoxes-of-empathy.
(29) Eve Marko, "It Feels Like 8," Feb. 16, 2016, www.evemarko.com/category/blog/page/24/.
(30) Lutz A, Slagter HA, Dunne J. Davidson RJ. "Attention regulation and monitoring in meditation." *Trends in Cognitive Sciences*. 2008a; 12:163-169. www.ncbi.nlm.nih.gov/pmc/articles/PMC2693206/.
(31) Lutz A. Brefczynski-Lewis, J. Johnstone, T. Davidson RJ. "Regulation of the neural circuitry of emotion by compassion meditation: effects of meditative expertise." *Plos One*. 3: e1897. PMID 18365029 DOI:10.1371/journal.pone.0001897.
(32) Gaëlle Desbordes, Tim Gard, Elizabeth A. Hoge, Britta K. Hölzel, Catherine Kerr, Sara W. Lazar, Andrew Olendzki, and David R. Vago, "Moving beyond Mindfulness: Defining Equanimity as an Outcome Measure in Meditation and Contemplative Research," *Mindfulness* (NY) 6, no. 2 (April 2015): 356-72, www.ncbi.nlm.nih.gov/pmc/articles/PMC4350240/.

3 誠実

(1) Dr. Cynda Rushton, "Cultivating Moral Resilience," *American Journal of Nursing*, February 2017, 117: 2, S11-S15. doi:10.1097/01.NAJ.0000512205.93596.00.
(2) *Oxford English Dictionary*, s.v. "integrity," https://en.oxforddictionaries.com/definition/integrity.
(3) Joan Didion, "On Self-Respect: Joan Didion's 1961 Essay from the Pages of Vogue," October 22, 2014, www.vogue.com/article/joan-didion-self-respect-essay-1961.
(4) Kay Mills, "Fannie Lou Hamer: Civil Rights Activist," Mississippi History Now, April 2007, http://mshistorynow.mdah.state.ms.us/articles/51/fannie-lou-hamer-civil-rights-activist.
(5) "Fannie Lou Hamer," History, 2009, www.history.com/topics/black-history/fannie-lou-hamer.
(6) "Fannie Lou Hamer," *Wikipedia*, https://en.wikipedia.org/wiki/Fannie_Lou_Hamer#cite_note-beast-12.

Practice and Science — page 273," Compassion: Bridging Practice and Science, http://www.compassion-training.org/en/online/files/assets/basic-html/index.html#273.

(16) Ibid.

(17) Ibid.

(18) Olga Klimecki, Matthieu Ricard, and Tania Singer, "Compassion: Bridging Practice and Science — page 279," Compassion: Bridging Practice and Science, http://www.compassion-training.org/en/online/files/assets/basic-html/index.html#279.

(19) Singer and Klimecki, "Empathy and Compassion."

(20) C. Lamm, C. D. Batson, and J. Decety, "The Neural Substrate of Human Empathy: Effects of Perspective-Taking and Cognitive Appraisal," *Journal of Cognitive Neuroscience* 19, no. 1 (2007): 42-58, doi:10.1162/jocn.2007.19.1.42; C. D. Batson, "Prosocial Motivation: Is It Ever Truly Altruistic?" in *Advances in Experimental Social Psychology*, vol. 20, ed. L. Berkowitz (New York: Academic Press, 1987), 65-122.

(21) Jerry Useem, "Power Causes Brain Damage," *Atlantic*, July-August 2017, www.theatlantic.com/magazine/archive/2017/07/power-causes-brain-damage/528711/?utm_source=fbb.

(22) Geoffrey Bird, Giorgia Silani, Rachel Brindley, Sarah White, Uta Frith, and Tania Singer, "Empathic Brain Responses in Insula Are Modulated by Levels of Alexithymia but Not Autism," *Brain* 133, no. 5 (2010):1515-25, https://doi.org/10.1093/brain/awq060; Boris C. Bernhardt, Sofie L. Valk, Giorgia Silani, Geoffrey Bird, Uta Frith, and Tania Singer, "Selective Disruption of Sociocognitive Structural Brain Networks in Autism and Alexithymia," *Cerebral Cortex* 24, no. 12 (2014): 3258-67, https://doi.org/10.1093/cercor/bht182.

(23) Grit Hein and Tania Singer, "I Feel How You Feel but Not Always: The Empathic Brain and Its Modulation," *Current Opinion in Neurobiology* 18, no.2 (2008): 153-58, https://doi.org/10.1016/j.conb.2008.07.012.

(24) Jamison, *The Empathy Exams*.

(25) Jeffery Gleaves, "The Empathy Exams: Essays," *Harper's*, March 28, 2014, http://harpers.org/blog/2014/03/the-empathy-exams-essays/.

(26) Heleo Editors, "I Don't Feel Your Pain: Why We Need More Morality and Less Empathy," *Heleo*, December 16, 2016, https://heleo.com/conversation-i-dont-feel-your-pain-why-we-need-more-morality-and-less-empathy/12083/.

ἀβολος, ἐμπάθ-εια," Perseus Digital Library, www.perseus.tufts.edu/hopper/text?doc=Perseus%3Atext%3A1999.04.0057%3Aalphabetic+letter%3D*e%3Aentry+group%3D87%3Aentry%3De%29mpa%2Fqeia.
(3) E. B. Titchener, "Introspection and Empathy," *Dialogues in Philosophy, Mental and Neuro Sciences* 7 (2014): 25-30.
(4) Tania Singer and Olga M. Klimecki, "Empathy and Compassion," *Current Biology* 24, no. 18 (2014): R875-78.
(5) Walt Whitman, "Song of Myself," *Leaves of Grass* (self-published, 1855).（「ぼく自身の歌」『草の葉（上）』ウォルト・ホイットマン著、杉木喬、鍋島能弘、酒本雅之訳、岩波書店、1969 年）
(6) Jamie Ward and Michael J. Banissy, "Explaining Mirror-Touch Synesthesia," *Cognitive Neuroscience* 6, nos. 2-3 (2015): 118-33, doi:10.1080/17588928.2015.1042444.
(7) Erika Hayasaki, "This Doctor Knows Exactly How You Feel," *Pacific Standard*, July 13, 2015, https://psmag.com/social-justice/is-mirror-touch-synesthesia-a-superpower-or-a-curse.
(8) A. D. Galinsky and G. B. Moskowitz, "Perspective-Taking: Decreasing Stereotype Expression, Stereotype Accessibility, and In-Group Favoritism," *Journal of Personality and Social Psychology* 78, no. 4 (April 2000): 708-24, www.ncbi.nlm.nih.gov/pubmed/10794375.
(9) Jeff Bacon, "LtCol Hughes——Take a Knee," *Broadside Blog*, April 11, 2007, http://broadside.navytimes.com/2007/04/11/ltcol-hughes-take-a-knee/.
(10) Tricia McDermott, "A Calm Colonel's Strategic Victory," CBS Evening News, March 15, 2006, www.cbsnews.com/news/a-calm-colonels-strategic-victory/.
(11) "Heroes of War," CNN, www.cnn.com/SPECIALS/2003/iraq/heroes/chrishughes.html.
(12) McDermott, "A Calm Colonel's Strategic Victory."
(13) Gerry Shishin Wick, *The Book of Equanimity: Illuminating Classic Zen Koans* (New York: Simon & Schuster, 2005), 169.（本文の公案の日本語版は、『碧巌録（下）』第 89 則、入矢義高、溝口雄三、末木文美士、伊藤文生訳注、岩波書店、1996 年など、現代語訳は『現代語訳 碧巌録（下）』末木文美士編、『碧巌録』研究会訳、岩波書店、2003 年）
(14) Y. Danieli, "Therapists' Difficulties in Treating Survivors of the Nazi Holocaust and Their Children," *Dissertation Abstracts International* 42 (1982): 4927.
(15) Olga Klimecki, Matthieu Ricard, and Tania Singer, "Compassion: Bridging

good-school-of-philanthropy.html.
(19) David Halberstam, *The Making of a Quagmire* (New York: Random House, 1965).
(20) Cassie Moore, "Sharing a Meal with Hungry Hearts," Upaya Zen Center, December 6, 2016, www.upaya.org/2016/12/sharing-a-meal- with-hungry-hearts/.
(21) Rachel Naomi Remen, "In the Service of Life," John Carroll University, http://sites.jcu.edu/service/poem (page discontinued).
(22) Thomas Cleary and J. C. Cleary, trans., *Blue Cliff Record* (Boston: Shambhala, 2005), case 14.（『碧巌録』第14則、日本語版は『碧巌録（上）』入矢義高、溝口雄三、末木文美士、伊藤文生訳注、岩波書店、1992年など、現代語訳は『現代語訳 碧巌録（上）』末木文美士編、『碧巌録』研究会訳、岩波書店、2001年）
(23) Gabor Maté, *In the Realm of Hungry Ghosts: Close Encounters with Addiction* (Berkeley, CA: North Atlantic Books, 2010).
(24) Bernie Glassman, *Bearing Witness: A Zen Master's Lessons in Making Peace* (New York: Harmony / Bell Tower, 1998).
(25) Hong Zicheng, Robert Aitken, and Danny Wynn Ye Kwok, *Vegetable Roots Discourse: Wisdom from Ming China on Life and Living* (Berkeley, CA: Counterpoint, 2007).（『菜根譚』洪自誠著、中村璋八、石川力山訳注、講談社、1986年）
(26) "The Holy Shadow," Spiritual Short Stories, www.spiritual-short-stories.com/the-holy-shadow-story-by-osho.
(27) Agatha Christie, *The Mysterious Affair at Styles*（『スタイルズ荘の怪事件』アガサ・クリスティー著、矢沢聖子訳、早川書房、2003年）
(28) Jane Hirshfield, trans., *The Ink Dark Moon: Love Poems* (New York: Vintage, 1990).（本文中の和歌は、『和泉式部集・和泉式部続集』和泉式部著、清水文雄校注、岩波書店、1983年）
(29) Jane Hirshfield, Santa Sabina Thursday evening talk, transcribed and emailed privately to Roshi, 2016.

2 共 感

(1) Leslie Jamison, *The Empathy Exams* (Minneapolis, MN: Graywolf Press, 2014).
(2) "Henry George Liddell, Robert Scott, A Greek-English Lexicon, ε, ἐμμετ

Psychological Science (forthcoming)（申し送り：ウェブ上では first published online: February 3, 2014; Issue published: February 1, 2014 となっています），https://dash.harvard.edu/handle/1/11189976.

(10) Olga M. Klimecki, Susanne Leiberg, Matthieu Ricard, and Tania Singer, "Differential Pattern of Functional Brain Plasticity After Compassion and Empathy Training," *Social Cognitive and Affective Neuroscience* 9, no. 6 (2014): 873-79, https://doi.org/10.1093/scan/nst060.

(11) Stephanie L. Brown, Dylan M. Smith, Richard Schulz, Mohammed U. Kabeto, Peter A. Ubel, Michael Poulin, Jaehee Yi, Catherine Kim, and Kenneth M. Langa, "Caregiving Behavior Is Associated with Decreased Mortality Risk," *Psychological Science* 20, no. 4 (2009): 488-94, http://journals.sagepub.com/doi/abs/10.1111/j.1467-9280.2009.02323.x; J. Holt-Lunstad, T. B. Smith, and J. B. Layton, "Social Relationships and Mortality Risk: A Meta-Analytic Review," *PLoS Medicine* 7, no.7 (2010), https://journals.plos.org/plosmedicine/article?id=10.1371/journal.pmed.1000316.

(12) Lauren Prayer, " 'Britain's Schindler' Is Remembered by Those He Saved from the Nazis," NPR, May 19, 2016, www.npr.org/sections/parallels/2016/05/19/478371863/britains-schindler-is-rernembered-by-those-he-saved-from-the-nazis.

(13) Robert D. McFadden, "Nicholas Winton, Rescuer of 669 Children from Holocaust, Dies at 106," *New York Times*, July 1, 2015, www.nytimes.com/2015/07/02/world/europe/nicholas-winton-is-dead-at-106-saved-children-from-the-holocaust.html.

(14) Viktor Frankl, *Man's Search for Meaning* (New York: Touchstone, 1984).（『夜と霧』ヴィクトール・E・フランクル著、池田香代子訳、みすず書房、2002 年）

(15) Barbara Oakley, Ariel Knafo, Guruprasad Madhavan, and David Sloan Wilson, eds., *Pathological Altruism* (Oxford, UK: Oxford University Press, 2012).

(16) "The Reductive Seduction of Other Peop1e's Problems," Development Set, January 11, 2016, https://medium.com/the-development-set/the-reductive-seduction-of-other-people-s-problems-3c07b307732d#.94ev3l3xj.

(17) Héctor Tobar, " 'Strangers Drowning,' by Larissa MacFarquhar," *New York Times*, October 5, 2015, www.nytimes.com/2015/10/11/books/review/strangers-drowning-by-larissa-macfarquhar.html?_r=1.

(18) Jamil Zaki, "The Feel-Good School of Philanthropy," *New York Times*, December 5, 2015, www.nytimes.com/2015/12/06/opinion/sunday/the-feel-

原注

崖からの眺め

（1） Iris Murdoch, *The Sovereignty of Good* (London, UK: Routledge & Kegan Paul Books, 1970).（『善の至高性——プラトニズムの視点から』アイリス・マードック著、菅豊彦・小林信行訳、九州大学出版会、1992年）

1 利他性

（1） Wilbur W. Thoburn, *In Terms of Life: Sermons and Talks to College Students* (Stanford, CA: Stanford University Press, 1899).

（2） Cara Buckley, "Man Is Rescued by Stranger on Subway Tracks," *New York Times*, January 3, 2007, retrieved January 4, 2007, www.nytimes.com/2007/01/03/nyregion/03life.html.

（3） Jared Malsin, "The White Helmets of Syria," *Time*, http://time.com/syria-white-helmets/ retrieved 1 March 2017.

（4） Dave Burke, "Hero Tackled Suicide Bomber and Paid the Ultimate Price," *Metro*, November 15, 2015, http://metro.co.uk/2015/11/15/hero-who-stopped-a-terror-attack-fathers-split-second-decision-that-saved-many-lives-5502695/.

（5） Hal Bernton, "Mom of Portland Train Hero Taliesin Meche Says Her Son 'Had a Lot of Bravery in his Spirit,' " *Seattle Times*, May 30, 2017, www.seattletimes.com/seattle-news/crime/mom-of-taliesin-meche-says-portland-train-victim-known-for-brave-spirit/.

（6） Thích Nhất Hạnh, *Awakening of the Heart: Essential Buddhist Sutras and Commentaries* (Berkeley, CA: Parallax Press, 2011).

（7） Joseph Bruchac, *Entering Onondaga* (Austin, TX: Cold Mountain Press, 1978).

（8） Lara B. Aknin, J. Kiley Hamlin, and Elizabeth W. Dunn, "Giving Leads to Happiness in Young Children," *PLoS ONE* 7, no. 6 (2012): e39211, https://journals.plos.org/plosone/article?id=10.1371/journal.pone.0039211.

（9） Elizabeth W. Dunn, Lara B. Aknin, and Michael I. Norton, "Prosocial Spending and Happiness: Using Money to Benefit Others Pays Off," *Current Directions in*

● 著者

ジョアン・ハリファックス老師（博士）

Joan Halifax

仏教指導者、禅僧、人類学者。ニューメキシコ州サンタフェにあるウパーヤ禅センター創設者・主管。医学人類学で博士号を取得。アメリカ国立科学財団で映像人類学の特別研究員、ハーバード大学で医療民族植物学の名誉研究員、米国議会図書館の特別客員研究員も務めてきた。また、ウパーヤ禅センターによる、刑務所でのボランティア活動、ネパールにおける移動診療の活動をはじめた人物でもある。

● 監訳者

一般社団法人マインドフルリーダーシップインスティテュート

Mindful Leadership Institute

グーグル本社で開発された研修プログラム「Search Inside Yourself（SIY）」を日本に導入し展開する組織。また、日本の企業、組織、リーダーに向け、マインドフルネスの概念とメソッドを取り入れた組織コンサルティング、トレーニングやマインドフルコーチングプログラムを提供している。監訳書に『サーチ・インサイド・ユアセルフ』（英治出版）など。

www.mindful-leadership.jp

● 訳者

海野桂

Katsura Umino

東京外国語大学卒業。福祉支援団体等に勤務し、さまざまな障害者支援に携わる傍ら、翻訳業に従事。訳書に『レオナルド・パラドックス』（ビジネス教育出版社）など。

[英治出版からのお知らせ]
本書に関するご意見・ご感想を E-mail（editor@eijipress.co.jp）で受け付けています。
また、英治出版ではメールマガジン、Web メディア、SNS で新刊情報や書籍に関する記事、イベント情報などを配信しております。ぜひ一度、アクセスしてみてください。
メールマガジン：会員登録はホームページにて
Web メディア「英治出版オンライン」：eijionline.com
Twitter / Facebook / Instagram：eijipress

Compassion（コンパッション）

状況にのみこまれずに、本当に必要な変容を導く、「共にいる」力

発行日	2020年3月26日　第1版　第1刷
	2023年7月18日　第1版　第3刷
著者	ジョアン・ハリファックス
監訳者	一般社団法人マインドフルリーダーシップインスティテュート
訳者	海野桂（うみの・かつら）
	株式会社トランネット (www.trannet.co.jp)
発行人	原田英治
発行	英治出版株式会社
	〒150-0022 東京都渋谷区恵比寿南1-9-12 ピトレスクビル4F
	電話 03-5773-0193　FAX 03-5773-0194
	http://www.eijipress.co.jp/
プロデューサー	安村侑希子
スタッフ	高野達成　藤竹賢一郎　山下智也　鈴木美穂　下田理
	田中三枝　平野貴裕　上村悠也　桑江リリー　石﨑優木
	渡邉吏佐子　中西さおり　関紀子　齋藤さくら
	荒金真美　廣畑達也　木本桜子
印刷・製本	中央精版印刷株式会社
装丁	重原隆
校正	株式会社ヴェリタ

ISBN978-4-86276-276-4 C0034 Printed in Japan